未读 | 文艺家

葡萄牙的高山

YANN MARTEL

THE HIGH MOUNTAINS OF PORTUGAL

〔加〕扬·马特尔——著

亚可——译

北京联合出版公司
Beijing United Publishing Co.,Ltd.

葡萄牙的高山

[加] 扬·马特尔 著
亚可 译

图书在版编目（CIP）数据

葡萄牙的高山 / (加) 扬·马特尔著；亚可译.—北京：北京联合出版公司，2017.11（2024.11 重印）
ISBN 978-7-5596-0950-2

Ⅰ.①葡… Ⅱ.①扬… ②亚… Ⅲ.①长篇小说—加拿大—现代 Ⅳ.① I711.45

中国版本图书馆 CIP 数据核字（2017）第 220991 号

The High Mountains of Portugal

by Yann Martel

北京市版权局著作权合同登记号 图字：01-2017-6178 号

选题策划 联合天际·任 菲
责任编辑 李 伟
特约编辑 任 菲
美术编辑 晓 园
封面设计 汐 和

出 版 北京联合出版公司
北京市西城区德外大街 83 号楼 9 层 100088
发 行 北京联合天畅文化传播有限公司
印 刷 北京联兴盛业印刷股份有限公司
经 销 新华书店
字 数 225 千字
开 本 889 毫米 × 1194 毫米 1/32 10 印张
版 次 2017 年 11 月第 1 版 2024 年 11 月第 7 次印刷
I S B N 978-7-5596-0950-2
定 价 78.00 元

关注未读好书

客服咨询

本书若有质量问题，请与本公司图书销售中心联系调换
电话：(010) 52435752

献给艾丽斯、西奥、罗拉、费利克斯和加斯帕尔：

我一生的故事

目录 / CONTENTS

第一部分　无家可归 / 001
PART ONE | HOMELESS

第二部分　归途 / 121
PART TWO | HOMEWARD

第三部分　家园 / 201
PART THREE | HOME

译后记 / 309
TRANSLATOR'S POSTSCRIPT

第一部分　无家可归

PART ONE | HOMELESS

托马斯决定步行。

他住在圣米格尔街一间不起眼的公寓里，公寓地处臭名昭著的阿尔法马区，而伯父的豪宅坐落在绿树掩映的拉帕区，中间隔着大半个里斯本，步行过去差不多要一个小时。不过天刚破晓，阳光明媚，步行有助于放松心情。伯父的仆人法比奥昨天已经取走了托马斯的手提箱和装有此次山区之行所需文件的木箱，所以现在他可以空着手过去。

他摸了摸胸前的上衣口袋，乌利塞斯神父的日记还在，仍然完好无损地包在软布里。如此重要的东西居然就这么随随便便揣着，自己还真是冒失。万一弄丢了，那可真不知该如何收场。但凡稍微动动脑子，都应把它装进行李箱里。不过，他今天需要额外的精神支柱，每次去伯父家都是如此。

虽然难以抑制出发前的激动，他还是没忘了把手杖换成伯父送的那一支。那支手杖是非洲桃花心木的，配了象牙手柄，其特别之处在于手柄下方外嵌了一面小圆镜。镜面微微凸起，取景很宽。设计虽然精巧，实用价值却不大，因为使用中的手杖时刻处于运动状态，镜中的映像飘忽不定，对人毫无帮助。但这支高档手杖是伯父特意为托马斯定制的礼物，每次去伯父家他都得带上。

他出了门，沿圣米格尔街进入圣米格尔大道，随后到圣若昂广场街，再穿过耶稣门[1]。这是一条漫步里斯本城区的理想路线。他在这座城市出生、长大，对这里的一切了如指掌——它美丽而喧闹，贸易发达却也文化底蕴深厚，充满挑战却也不吝于回报。在耶稣门下，记忆中多拉的身影不期而至。她微笑着向他张开双臂。在这种时候，手杖正好派上用场，有关她的记忆总让他头晕目眩。

“看样子我遇上了一个有钱人。”有一次，在他公寓的床上她对他说。

“恐怕并非如此，”他回答，“有钱的是我伯父。我只是他穷兄弟的穷儿子。我伯父马蒂姆在生意上有多成功，我父亲就有多失败。”

他从未向别人说过这种话，从未直言不讳地谈到父亲多舛的职业生涯，谈到他一个接一个化为泡影的商业计划。每当泥足深陷，他只能仰仗兄弟出手相助。但在多拉面前，托马斯可以畅所欲言。

1　里斯本的一座古老拱门，因门上刻有圣婴耶稣像而得名。——译注（本书中注释除特殊说明外均为译注，下同。）

“嗐，你只是这么一说，有钱人都喜欢把大笔的钱藏在秘密的地方。”

他笑了笑。“是吗？我可不觉得伯父是个低调的人。话说回来，假如我真是个阔佬，你为什么不嫁给我呢？”

路上的行人都盯着他。有人交头接耳，有人等着看笑话，但更多人善意地提醒他。“当心点儿，别摔着了！”一个妇人面带关切地喊道。他已经习惯了旁人的目光，除了朝那些好心人点头微笑外，他对其他的指指点点一概视而不见。

他稳健地迈步，向拉帕走去。他步伐轻盈，每迈一步都把脚高高抬起，再平稳地落下。他的步态几近优雅。

他踩上一块橘子皮，不过没有滑倒。

他没注意到一条打盹儿的狗，它的尾巴堪堪躲过他的鞋跟。

他在下旋转阶梯时漏踩了一级，他握住扶手，轻松恢复了平衡。

类似的小意外接二连三，却也无伤大雅。

一提到结婚，多拉脸上的笑容就消失了。她向来如此，一眨眼的工夫心情就由晴转阴。

“不行，你的家人不会同意的。家人就是一切。你不能不顾及他们的感受。”

“你就是我的家人。”他看着她的眼睛回答。她摇了摇头。“不，我不是。”

此刻，他的双眼从看路的重任中解放出来，悠闲地待在眼窝里，像是坐在轮船船尾躺椅上的两名乘客。它们不必随时巡视地面，可以悠然地四下张望。它们欣赏流云和树影，追逐空中掠过的飞鸟，注视一匹拉车的马经过时鼻孔喷出的热气，捕捉建筑墙面上不易察觉的精巧纹饰，观察桑塔伦码头街上熙熙攘攘的人群。总之，在一九〇四年十二月底这个晴朗的日子，这段晨间漫步理应让人心旷神怡。

多拉，美丽的多拉。她是伯父家的用人。她被雇用后托马斯首次到访的那天，他一进门就注意到了她，再也无法把目光从她身上移开，满脑子都是她的倩影。他彬彬有礼地待她，一次又一次寻找微不足道的借口接近她，只为和她多说一句话，只为有机会欣赏她精巧的鼻子、明亮乌黑的双眸、精致洁白的牙齿和婀娜的身姿。于是，他成了伯父家的常客。他清楚记得多拉与他心意相通的那一刻——当时她忽然意识到，在他眼中她不仅是一个用人，还是一个女人。她飞快地瞥了他一眼，两人目光短暂相交，她旋即转身而去，离去之前，嘴角浮上一丝心照不宣的微笑。

一种妙不可言的感觉从他心底涌起。那一刻，阶级、地位、世人的偏见、家人的阻挠——这些横亘在两人之间的壁垒全部消失不见。下一次登门时，他把自己的大衣递给她，他们的手碰在一起，触感绕在指间久久不去。从此两人的感情一发而不可收。他之前只和几个妓女发生过关系，每次激情过后心情便跌落谷底。事后他总是匆匆逃离，羞愧不已，发誓不再重蹈覆辙。但和多拉在一起时，激情退去又会燃起新的激情。她把头靠在他胸口，手指纠缠着他浓密的胸毛。他不想逃跑，他哪儿也不想去。

“嫁给我，嫁给我，嫁给我吧。”他央求道，“我们会成为彼此的珍宝。”

“不行，我们只会变得贫穷，孤立无援。你没尝过那种滋味，但我清楚。我不想把你也拖下水。”

两人在婚姻的门槛前踌躇，他们的儿子加斯帕尔却降生了。当她被发现怀孕时，若不是托马斯苦苦哀求，她早就被他伯父赶出家门。父亲是他唯一的支持者，他告诉托马斯大胆去爱；而伯父正好相反，他不闻不问，态度冷漠。多拉被派到厨房打下手，不再在家里露面。加斯帕尔和他母亲一样，活在洛博家某个不为人知的角落。他的父亲只能默默地爱他，也同样默默地爱着他的母亲。

只要不至于惹恼伯父，托马斯尽可能常来探望母子俩。到了多拉的休息日，她便带着加斯帕尔去阿尔法马找他。两人坐在公园的长椅上，看着加斯帕尔玩耍。那些日子里，他们就像一对普通的小夫妻。他沐浴在幸福的爱河里。

他经过一座有轨电车车站，一辆电车正沿着轨道隆隆驶来，黄色车厢闪闪发亮——这种新鲜的交通方式兴起还不到三年[1]。一拨乘客推搡着挤上去，另一拨乘客挣扎着挤下来。他在人群中闪躲，仍不免撞上其中一人。两人忙不迭地相互致歉，然后他继续往前走。

1 有轨电车一词在原文中为“tram”，泛指城市地面有轨公交。在电力的广泛应用前曾出现过马车、蒸汽机车等。里斯本于一八七三年出现有轨马车，直到一九〇一年电车才首次投入运营。

人行道上有几块凸起的鹅卵石，他抬脚轻松避过。

他一脚踢在咖啡馆一把座椅的腿上。椅子蹦了一下，没什么大碍。

死神的魔爪伸向多拉和加斯帕尔。它一步一步、不由分说地将他们拖进死亡的阴影，伯父召来的医生用尽全力也回天乏术。最初是嗓子疼、乏力，进而恶化到发烧、寒战、浑身疼痛、吞咽受阻、呼吸困难、抽搐，最后瞳孔放大、在挣扎中丧失理智，直到咽下最后一口气。死者的躯体苍白、扭曲、沉默，凝固在陪他们做垂死挣扎的白色床单下。两人逝去时托马斯都守在病榻旁。加斯帕尔死时五岁，多拉二十四岁。

他没能目睹几天后父亲的死。当时他在伯父豪宅的音乐室里，一位堂兄陪他默默坐着。他陷入悲伤，茫然若失，这时伯父面色凝重地走进来。“托马斯，”他说，“我有一个坏消息。西尔韦斯特雷……你的父亲，去世了。我失去了唯一的兄弟。”恍惚间这几句话轻轻落下来，如同巨石从天而降，将他压垮。他像受伤的动物一样哀号起来。他那温暖慈爱的父亲啊！那个生他养他、鼓励他追逐梦想的人啊！

加斯帕尔死于星期一，多拉死于星期四，父亲死于星期日。一星期之内，他的心彻底碎了，仿佛一枚开裂的茧。破茧而出的不是蝴蝶，而是灰色的飞蛾。它落在他的灵魂表面，不再飞起。

随后是两场葬礼。一场给外省女佣和她的私生子，微不足道，草草了事；另一场场面盛大，献给一位有钱人的穷兄弟，他在生意上乏善可陈，人们都避而不提。

他离开人行道时没注意到飞驰而来的马车。车夫一声大喝，他连忙闪到一旁。

他蹭到一个背对他站立的男人。他抬手说：“抱歉。”那人和善地耸了耸肩，看着他走远。

托马斯稳健地迈步，几步一回头。他倒着走向拉帕。

“为什么？你为什么这么做？你干吗不像正常人那样走路？真是荒唐！”伯父不止一次向他发火。为了应付伯父，托马斯编出一套说辞。人在路上走，总要迎着风雨烈日，防备扑面而来的飞虫，忍受陌生人的阴郁眼神，面对无法预知的未来。既然如此，为何不转过身，用后脑勺和后背去抵挡呢？它们是我们的保护层，我们的铠甲。它们的作用原本就是抵御命运的无常。同时，当一个人倒着行走时，他相对更精致脆弱的部分——脸、胸、衣服上引人注目的饰物——都免受前方残酷世界的侵袭，只有遇上合得来的人时，才转身以真面目示人。至于运动方面的好处就更不用提了。人在下坡的时候，有什么方式比倒着走更自然吗？他反问道。先是前脚掌轻柔着地，然后跟腱肌肉校准张力，精确地放下脚跟。这样一来，向下的动作弹性十足，毫无压力。再说，就算绊倒了，有什么比一屁股坐在地上更安全呢？总比摔个狗吃屎、手腕骨折要强吧。不过他并未固执己见。他偶尔也会破例，比如在攀爬阿尔法马区一眼望不到头的蜿蜒台阶时，或是必须跑起来的时候。

伯父对这些理由嗤之以鼻。马蒂姆·奥古斯托·门德斯·洛博是个缺乏耐心的成功商人。尽管他表面上暴躁地质问，并任由侄子胡乱搪塞，但他心里深知托马斯倒着走路的原因。有一天，托马斯无意中听到他和一位访客的对话，正是伯父故意压低的嗓音让他竖起了耳朵。

“……最可笑的一幕，”伯父低声说，“想象一下，在他前面——准确地说，是在他后面——有一盏路灯。我把秘书贝内迪托叫过来。我俩一言不发，目不转睛地望着他，心里想着同一个问题：我的侄子会撞上路灯吗？就在这时，一个行人出现在街的另一头。那人看见托马斯倒着朝他走过去，不禁歪了歪脑袋，显然我侄子怪异的行进方式引起了他的注意。经验告诉我，他们之间会有某种交流——一两句寒暄，或开个玩笑，至少那人会用疑惑的眼神看着他经过。果不其然，在托马斯还差几步撞上路灯时，那人快步走过来，拍了拍他的肩膀，拦住他。托马斯转过身。我和贝内迪托听不清他们在说什么，但可以观察他们的手势。陌生人指了指路灯。托马斯微笑着点头，把手按在胸前表示感谢。那人也对他微笑。他们握了手，挥手告别，各自赶路。那人沿街往前走，而托马斯转过身，继续朝这边倒着走。他毫不费力地绕过了路灯。

“啊，等等！故事还没完。没走出几步，那个行人回头看了一眼托马斯，发现他还在倒着走，大吃一惊。我看得出他一脸的担忧——**当心，如果你不好好看路的话，会出事的**——不过尴尬的是，托马斯的脸正冲着他的方向，于是他俩正好打了个照面，而我们都知道盯着人看是不礼貌的。那人急忙转回头去，可惜太晚了，他恰好撞上下一根灯柱。那个场面，就像钟锤撞在钟上。

我和贝内迪托情不自禁地倒吸一口凉气。那人撞得晕头转向，龇牙咧嘴，伸手捂住胸口和脸。托马斯急忙跑过去帮他——他是**向前跑**的。你以为他向前迈步的样子会很正常？并非如此。他的脚下没有一丁点儿弹性。他迈着大步向前移动，上身画出一条水平的直线，仿佛站在传送带上。

“他俩又说起话来。托马斯看上去很关心那人；那人一手捂着脸，摆手示意没事。托马斯从地上捡起他的帽子。两人又握了握手，在沉默中再次挥手道别，然后那个可怜人摇摇晃晃地走了。托马斯——还有我和贝内迪托——看着他走远。一直等到他拐过街角，托马斯才以惯常的方式继续倒行。但这个意外显然影响了他的心情，只见他一头撞上一分钟前刚巧妙绕过的灯柱。他揉着后脑勺，转身盯着它。

“尽管如此，福斯托，他仍然坚持倒着走路。无论撞多少次头，无论摔多少个跟头，他仍然倒着走。”托马斯听见伯父笑起来，他的朋友福斯托也跟着笑。然后伯父的声音渐渐变得凝重。“从他年幼的儿子加斯帕尔死于白喉的那一天起，他就开始倒着走路了。那孩子是他和这里的一个女佣的私生子。那女人也得白喉死了。几天之后，命运弄人，我的弟弟西尔韦斯特雷，大白天正说着话，忽然倒在地上，死了。托马斯的母亲在他小时候就过世了，现在又轮到他的父亲。接二连三遭遇这样的悲剧！有些人会消沉一辈子。有些人会借酒浇愁。而我的侄子选择倒着走路。到现在已经一年了。他这种怪异的默哀方式究竟还要持续多久？”

伯父不明白的是，他之所以倒着走路，之所以背对世人、背对上帝，并不是在默哀。他是在**抗议**。当生命中你所珍视的一切都被夺走时，除了抗议，你还能怎么办？

他决定走一条绕远的路。他离开圣弗朗西斯科－德保拉新街，拐进萨克拉门托街。伯父家快到了，他记得前面有一盏路灯。回头看路时，他抬头望向伯父豪宅的背面，望着它精美的飞檐、繁复的线条和高耸的窗户。他感觉有一双眼睛正盯着他，随即注意到二楼拐角的窗后有个人影。那是伯父的办公室，所以多半是马蒂姆伯父本人。于是他转回头，故意昂首阔步，同时小心地避过灯柱。他沿着伯父宅院的外墙来到大门口，转身准备按门铃，手却停在了半空，然后缩了回来。尽管知道伯父已经看见他，在等他进去，他还是陷入犹豫。他从胸前的上衣口袋里掏出那本古老的羊皮封面日记，把它从棉布套里取出来，背靠着院墙缓缓滑下，坐在人行道上。他凝视着日记的封面。

关于生命的文字

以及礼物的说明

神父乌利塞斯·曼努埃尔·罗萨里奥·平托

上帝谦卑的仆人

他对乌利塞斯神父的日记已经十分熟悉，能够整段地背诵。他随意翻开一页读起来。

在贩奴船靠近岛屿、准备“卸货”之前，他们需要清点人数，打扫货舱。港口近在咫尺，他们开始把奴隶一个接一个扔进海里，左舷和右舷同时作业。有些奴隶身体绵软、无力反抗，其他的奴隶则虚弱地打着手势。这些人要么已经死了，要么病得很重。第一类已经毫无价值，而第二类也必须处理掉，因为他们的病可能传染给别人，影响其他人的价钱。奴隶被活生生抛下海之前竭力呼喊，海风把他们的惨叫声送到我耳边，随即是落水的声响。他们沉入安娜沙维斯湾[1]，消失在海底那片堆满尸体的幽冥之境。

伯父家也是一个悬浮着早夭生命的幽冥之境。他闭上眼。孤独仿佛一条狗，循着气味凑上前来，绕着他转了一圈又一圈。他挥手驱赶，它却不依不饶。

短短几天内，他的生命无可挽回地枯萎了；几星期之后，他与乌利塞斯神父的日记邂逅了。他在国立古代艺术博物馆当副馆长，那次发现源自工作中的一个偶然。里斯本的红衣主教若泽·塞巴斯蒂昂·德阿尔梅达·尼图向博物馆捐赠了一批文物，里面既有教会用品也有世俗物品，全是几个世纪以来在葡萄牙帝国的疆域内搜罗而来的。经过红衣主教尼图的许可，博物馆委派托马斯到塞尔帕平托街的主教档案馆展开研究，追溯这些精美文物的准确出处，查明每件物品——圣餐台、圣杯、十字架苦像、

1 圣多美岛的港口名。圣多美是非洲西海岸位于赤道上的一座岛，一四九三年至一九七五年间为葡萄牙殖民地，曾为黑奴贸易的中转站。

圣诗集，或是一幅油画、一本书——是如何辗转来到里斯本教区的。

迎接他的不是平常井井有条的档案馆。里斯本大主教的文件浩如烟海，历任秘书显然对整理文件这等俗务并不热衷。他走进一个被简单命名为“杂项”的区域。在堆放红衣主教若泽·弗朗西斯科·德门东萨·瓦尔德雷斯（一七八八年至一八〇八年任里斯本主教）文件的一个开放书架上，他注意到这本褐色封皮的手缝羊皮卷。封皮虽已斑驳褪色，手写的书名依然清晰可辨。

这是一个怎样的生命，一件怎样的礼物？他不禁好奇。会有怎样的说明？乌利塞斯神父又是谁？他稍微用力展开书页，书脊发出细骨头碎裂的声响。笔迹清晰地跃入眼帘，黑色笔触在象牙白的纸面上异常鲜明，仿佛刚刚写就。这些鹅毛笔书写的斜体字来自另一个时代。书页的边缘隐隐泛黄，说明写完之后就几乎没再打开过。他怀疑瓦尔德雷斯主教也不曾读过。封面和书内都找不到任何存档记录——无论是目录编号、日期，还是批注——而且档案馆索引里也没提到这本书。直觉告诉他，没人读过这本书。

他仔细查看第一页，注意到一段文字的上方标注了时间、地点：一六三一年九月十七日，罗安达。他小心地一页一页翻下去。更多的日期出现了。有记录的最后一年是一六三五年，但没有具体月份或日期。看来是一本日记。他还发现多处有关地理位置的记载：“拜伦多的群山……蓬戈安东戈的群山……本格拉古道”——全是葡属安哥拉的地名。一六三三年六月二日，一个新地名出现了：圣多美。这是位于几内亚湾的一座殖民地小岛，日记里对它的描述是“非洲头上掉落的一片头皮屑；这块大陆瘟疫肆虐，我们沿着它潮湿的海岸线往北航行数日方才到达”。他的目光落在几页之后的一句话上：*Esta é a minha casa*。“这就是家。”但这句话写了不止一次。重复的词语蔓延开来，同样的短句铺满了整页纸。密密麻麻的字母，每一行笔迹微微上下抖动：“这就是家。这就是家。这就是家。”然后这种重复戛然而止，文字回归到旅途的漫记。然而翻过几页，同样的句子再次出现，写满了半页纸：“这就是家。这就是家。这就是家。”再往后，它又一次出现，足足一又四分之一页：“这就是家。这就是家。这就是家。”

这句话是什么意思？为什么要如此狂躁地重复？终于，他在其中一页上找到了可能的答案。重复的短句再次出现，延续了差不多两页，但与之前不同，结尾处多出半句话，暗示着日记的主人每写一次都会在心里补全整句话：“这就是家。这就是家。这就是家——上帝指引我至此，我将终老于此，直到祂拥我入怀。”乌利塞斯神父显然患上了严重的思乡病。

在某一页上托马斯发现了一幅奇特的素描，那是一张脸。脸上各处细节只是大致勾勒，唯有一双充满哀伤的眼睛下笔极为用心细致。他对着那双眼睛注视良久。他陷入了它们的哀伤。他刚夭折的孩子的模样在脑海里盘旋。那天离开档案馆时，他把日记塞进公文包，把它夹在几份无关紧要的文件之间。他毫不掩饰此举的动机。这不是非正式的借阅，这就是偷窃。既然里斯本主教档案馆在过去两百五十年里对乌利塞斯神父的日记视而不见，现在更不会在乎它的去向。他想要从容研读。

他一有时间就阅读并抄写这本日记。他的进度很慢。原文的笔迹时而轻快明晰，时而笔走龙蛇。他常常需要揣摩这一笔代表哪个音节，那一画又代表哪个音节。最让人惊讶的是，早期的笔迹透着镇定自若，可是越到后期越是潦草。最后几页的笔迹几乎无法辨认。有不少词，即使他绞尽脑汁也没能猜透。

在乌利塞斯神父身处安哥拉的那段时间里，他的日记只是事务性的记述，很少涉及个人情感。他不过是罗安达主教座下卑微的随从。当主教大人“安坐在大理石宝座上，享受荫凉”的时候，他四处奔波，为一批又一批奴隶洗礼，忙得浑浑噩噩。但到了圣多美，一种令人绝望的力量抓住了他。他开始制作一件物品，也就是日记封面上提到的“礼物”。这项工作占据了他全部的心思和精力。他提到自己在寻找“最完美的木材”和“适合的工具”，还回想起小时候在叔叔的作坊里接受的训练。他提到自己为这件礼物上了几遍漆，以便长久保存。“我的双手闪闪发光，俨然是虔诚忘我的工匠。”在日记末尾，托马斯读到一段奇怪的文字，那是神父对那件作品的不凡气质的赞美：

> 它闪耀，它尖叫，它怒吼，它咆哮。当圣殿的帷幕自上而下一分为二，真正的上帝之子一声大喝，吐出他最后的气息。终于大功告成。

乌利塞斯神父受过什么训练？他叔叔的作坊又是干什么的？他为什么用手工上漆？什么东西会闪耀、尖叫、怒吼、咆哮？托马斯在乌利塞斯神父的日记里找不出明确的答案，只得到几点暗示。上帝之子何时一声大喝，吐出他最后的气息？在十字架上。那么，这件作品是十字架苦像[1]吗？托马斯想。它显然是某种雕刻品。但它的价值还不止于此。按照乌利塞斯神父的记述，它是一件最为与众不同的作品。托马斯灵魂中的那只飞蛾扑扇了一下翅膀。他想起多拉临死前的最后几小时。自从她卧床不起，她就用双手紧握着一尊十字架苦像。无论如何翻来覆去，如何痛不欲生、声嘶力竭，她都不松手。那是一件廉价的黄铜制品，光泽暗淡，尺寸偏小，是那种勉强可以挂在墙上的样式。她死时将它紧紧抱在胸口。狭小的房间空空荡荡，托马斯靠床而坐，此外再无一人。当她刺耳的呼吸声戛然而止，他明白最后的时刻来临了（与此相反，儿子的离去是那么安静，仿佛一片花瓣悄然坠落），他感觉自己像一片薄冰翻入急流。

此后的几小时里，他不断因为恐惧而逃离多拉的房间，然后又身不由己地折返。这样反反复复，长夜终于到了尽头，新的一天开始了。他苦苦等待，收尸人却迟迟不到。“没有了你，还让我怎么活？”有一刻他向她诉说。他的目光落到那尊十字架苦像上。在此之前，他与宗教的关系若即若离，表面上严守教规，

1　原文为 crucifix，指耶稣钉死在十字架上的苦像。基督新教的 crucifix 通常为单独的十字架，天主教供奉在教堂、家中和随身佩戴的 crucifix 则有被钉在十字架上的耶稣形象。葡萄牙主要信仰为天主教，因而全书中的 crucifix 为后一种。——编注

内心却无动于衷。此刻他意识到：在信仰面前，只存在极端的态度，要么深信不疑，要么嗤之以鼻。他盯着十字架苦像，在绝对的信仰与绝对的怀疑间徘徊。在最终做出选择之前，他想留下这尊苦像作为纪念。但是多拉，或者说多拉的身体，仍不松手。他试着把它从她手里抽出来，但她的双手和双臂牢牢扣住它，毫不退让，哪怕他已经把她的身体从床上拽了起来。（相比之下，加斯帕尔的尸身是那么轻柔，仿佛一只大号的毛绒娃娃。）在恼怒的抽泣声中，他放弃了。那一刻他下定决心——这种决心毋宁说是一种挑衅。他瞪着十字架苦像，咬紧牙关厉声说："你！你！我会收拾你的，你等着！"

收尸人终于到了，带走了多拉和她那尊被诅咒的苦像。

假如托马斯猜得没错，假如乌利塞斯神父的作品真如他潦草的文字所形容的那样，它一定是一件非比寻常的文物，会让世人为之惊叹。它足以把基督教搅得天翻地覆。它甚至可能有助于他的挑衅。但是，**它被保存下来了吗？**自从他在公寓里读完这本从主教档案馆偷来的日记，这个问题就开始困扰他。这件物品可能已经毁于大火或被劈成了碎片。然而，在一个前工业化时代，每一件物品都是单独制作、缓慢流转的，人们对它们的珍爱与现代工业社会不能同日而语。甚至衣物也不会被丢弃。当年耶稣在罗马士兵眼中不过是一个煽动暴乱的卑贱犹太人，但他仅能蔽体的衣物仍被他们瓜分。如果普通衣物尚能幸存，一件大型雕刻品必然也能被保存下来，更别说它还兼具宗教的用途。

如何判断它的去向？有两种可能：它要么留在了圣多美，

要么离开了圣多美。考虑到这座小岛的贫穷和贸易港的性质，他猜想这件物品以某种方式离开了岛。他希望它被带回了葡萄牙——圣多美的宗主国，但它也可能流落到非洲海岸上众多的贸易港和城市之中。无论哪种情况，它都是海运离岛的。

亲人死后，托马斯花了数月时间寻找有关乌利塞斯神父的那件作品的证据。他到国立东波塔档案馆查阅乌利塞斯神父死后几年间在非洲西海岸航行过的葡萄牙船只的航海日志。他假定某条葡萄牙船把那件雕刻品带离了圣多美。如果是一艘外国船，那么只有上帝知道它最终流落何方了。

他终于找到一本航海日志，船长名叫鲁道夫·佩雷拉·帕谢科，他的大帆船于一六三七年十二月十四日离开圣多美。船上装载的众多货物中，有一件物品“再现了主在十字架上受难的一幕，怪诞却令人叹为观止”。他的心跳加快了。对于这块世人眼中低贱的殖民地，这是第一次也是唯一关于宗教物品的记载。

日志在每一件货物的条目旁都标注了它下船的地点。大批货物在奴隶海岸和黄金海岸上的若干停靠点被卸下船，要么被卖掉，要么被交换。他在帕谢科船长日志中关于十字架苦像的记载旁看到一个词：里斯本。它真的回到了祖国！他情不自禁地欢呼起来，全然不顾自己身处国立档案馆的研究室。

为了找出乌利塞斯神父的十字架苦像归国后的下落，他把东波塔档案馆翻了个底朝天。最终他发现答案并不在这里，而在主教档案馆，也就是他探索的起点。更为讽刺，也让人恼火的是，答案就藏在瓦尔德雷斯主教书架上的两封信里，而它们就紧挨着那本日记。如果当初有一根线把信和日记绑在一起，他也不必白费那么多力气。

第一封信来自布拉干萨主教安东尼奥·路易斯·卡布拉尔－卡马拉，日期是一八〇四年四月九日。他在信中写道，葡萄牙高山区某教区的教堂最近失火，圣坛被烧毁，他想知道好心的瓦尔德雷斯红衣主教是否有礼物相赠。那是“一座精致的古老教堂”，他说，但并没有提及教堂的名字或位置。卡马拉主教的信后面是瓦尔德雷斯红衣主教的回信副本。他答复说：“很荣幸能助你一臂之力。我将送上一件象征虔诚的礼物——一尊描绘了主在十字架上受难场景的奇特雕像。它来自非洲殖民地，已由里斯本教区收藏数年。”既然这封信紧挨着那本来自非洲殖民地的日记，除了乌利塞斯神父的作品，信中提到的雕像还可能另有他指吗？令人惊讶的是，那件作品就在瓦尔德雷斯红衣主教面前，他竟没能慧眼识珠 。不过，主教并不知晓前因后果，才会与它失之交臂。

卡马拉主教在任的那些年间，往来于布拉干萨教区的信函中从未提到接收或送出过某件非洲物品。托马斯感到困惑。同一件作品，在其诞生地被视作“怪诞却令人叹为观止的”，到了里斯本变为“奇特”，落到外省人手里就变得默默无闻。或许，它的价值被刻意隐瞒了。托马斯必须另辟蹊径。这尊十字架苦像应该是被送到了某座失过火的教堂。档案显示，从一七九三年（卡马拉被奉为布拉干萨主教）到一八〇四年（他致信给瓦尔德雷斯红衣主教)，葡萄牙高山区有多个教堂遭受了不同程度的火灾。所有使用蜡烛和火炬以及在节庆假日焚香的教堂都面临失火的危险。卡马拉说这尊苦像会被送到“一座精致的古老教堂”。什么样的教堂能够赢得主教的如此赞誉呢？托马斯猜测那会是一座哥特式或罗马式教堂。这意味着教堂在十五世纪或更早的年代建成。布拉干萨的教区秘书并不是一位敏锐的教会历史学家。在托马斯的敦促引导下，他才勉强给出了五座教堂的名字——它们都失过火，也大致配得上卡马拉主教的赞誉。这五座教堂彼此相距甚远，分别位于圣儒里奥－德帕拉索斯、桑塔利亚、莫弗雷塔、瓜德拉米尔和埃斯皮尼奥塞拉。

托马斯给每座教堂的神父分别写了信。所有的回信都闪烁其词。每一位神父都盛赞自己的教堂，夸耀它久远的历史和壮丽的外观。那些溢美之辞让人误以为葡萄牙高山区遍布着可与圣彼得大教堂[1]比肩的圣殿。但是一旦说到教堂里的十字架苦像，神父们的话无一例外变得乏味。每个人都宣称那是一件能够唤醒信仰的作品，却无人知晓它的来历和年代。最终托马斯决定亲身探访。想要弄清楚乌利塞斯神父的十字架苦像是否如他想象中那样神奇，除了亲眼一睹之外别无他法。高山区位于葡萄牙偏僻的东北角，与世隔绝，但对他来说不是问题。用不了多久，那件作品就会呈现在他眼前。

他被一个声音吓了一跳。

---

1 指梵蒂冈的圣彼得大教堂。

“您好，托马斯先生。您是来拜访我们的，对吗？”

是年迈的看门人阿丰索。他已经开了门，低头看着托马斯。他开门怎么这般悄无声息？

“是的，阿丰索。”

“您身体不舒服吗？”

“我很好。”

他略显慌乱地起身，一面把书塞回口袋。看门人拉响门铃。铃声一响，他的神经也瞬间绷紧。他必须进去，别无选择。不仅是这个家——这个多拉和加斯帕尔死去的地方——每一个家都带给他同样的紧张感。爱是一座有许多房间的房子，一个房间供爱就餐，一个房间供爱娱乐，一个房间供爱沐浴，一个房间供爱更衣，一个房间供爱休息；每一个房间同时也可以用作欢笑的房间、聆听的房间、倾诉秘密的房间、生闷气的房间、道歉的房间，或者亲密相处的房间，当然，也可以是迎接家庭新成员的房间。爱是这样一座房子：每天清晨水管里汩汩涌出崭新的情感，下水道冲走昨日的争吵；推开明亮的窗户，清风扑面而来，满是友善的味道。爱是这样一座房子：它的根基不可撼动，它的屋顶坚不可摧。他曾经拥有一座这样的房子，直到它被摧毁。现在他已经没有家了，他在阿尔法马的公寓空空荡荡，像个僧侣的房间。每次走进别人的家，他只会想起自己已经无家可归。他明白自己最初为什么会对乌利塞斯神父感兴趣，只因为他们共同的对家的思念。托马斯联想到神父获悉圣多美总督夫人死讯时写下的文字。她是岛上唯一的欧洲女性。除她以外的欧洲女人住得最近的也在拉各斯，两地隔海相望，相距近八百公里。乌利塞斯神父其实从未与总督夫人谋面，只是远远见过她几次。

> 一个白人男子的死亡，倘若发生在这座瘟疫肆虐的岛上，远比死在里斯本更让人扼腕叹息。当死去的是个女人，我的上帝啊！她的离去是让人最难以承受的重负。恐怕从今往后，再无女性同胞的身影给我慰藉。美丽、高贵、优雅，都随之而去。我不知道自己还能坚持多久。

托马斯和阿丰索穿过铺着鹅卵石的院子。阿丰索恭敬地在他前面领路，他依旧习惯性地倒行，于是两人背对着背，步调一致。到了大门口，阿丰索侧身让到一旁，鞠躬示意。门前只剩几级台阶，托马斯仍然倒着走。没等来到门前，门已经开了，于是他倒着走进屋。他回过头，看见达米昂正等着他。他是伯父多年的管家，看着托马斯长大。他面带微笑，张开双臂。托马斯转过身。

“你好，达米昂。”

“托马斯，我的孩子，见到你真高兴。你还好吗？”

“我很好，谢谢。加布里埃拉伯母还好吗？”

“好极了。她像太阳一样照耀着我们。”

说到太阳，它正透过高大的窗户照耀着门厅里琳琅满目的陈列品。伯父靠买卖非洲货物发了大财，尤其是象牙和木材。一面墙上装饰着两支巨大的象牙。它们之间挂着一幅色彩艳丽、熠熠生辉的卡洛一世国王画像。国王陛下曾驾临伯父的府邸，当时他的眼前也是现在这番景象。其他几面墙上装饰着斑马皮和狮皮，上方挂着各种野生动物的头颅：狮子、斑马，还有非洲旋角大羚羊、河马、牛羚、长颈鹿。椅子和沙发也都以兽皮做饰面。壁龛和架子上陈列着非洲手工艺品：项链、原始的木质半身雕像、护身符、砍刀和长矛、五颜六色的纺织品、鼓，等等。此外，还有各式油画：风景画、葡萄牙领主和当地侍从的肖像画，还有一幅大尺寸的非洲地图，上面标明了葡萄牙殖民地。油画为大厅提供了背景，也多少透露出主人家的心性。右手边是精心布置的深草丛，有狮子标本潜伏其间。

在博物馆管理员的眼中，这个门厅简直乱成了一锅粥，或者说是文化的大杂烩，每件物品都从赋予它意义的环境中被强行拽了出来。但这个门厅曾点亮多拉的眼睛。她惊叹于殖民地的地大物博，这让她为葡萄牙帝国备感自豪。她触摸每一件自己够得到的物品，除了那头狮子。

“伯母身体好，我就放心了。伯父在办公室吗？”托马斯问。

“他正在院子里等你。请跟我来。”

托马斯背转身子，跟着达米昂穿过门厅，沿一条铺着地毯的走廊往里走，两侧都是油画与陈列柜。他们转弯步入另一条走廊。走在前面的达米昂打开两扇法式落地窗，侧身让到一旁。托马斯出了门，走上一个半圆形平台。他听见伯父热情洪亮的声音：“托马斯，看看这头‘伊比利亚犀牛’！”

托马斯转头，越过右肩向后看。他快步走下三级台阶，进入宽阔的庭院，到了伯父跟前才转过身来。他们握了握手。

“马蒂姆伯父，见到您真高兴。您还好吗？”

“怎么可能不好呢？见到我唯一的侄子，我实在是太高兴了。”

托马斯本想再问候一下伯母，但伯父摆了摆手，叫他不必拘礼。“行了，行了。来，你觉得我的‘伊比利亚犀牛’怎么样？”他指着前方问，“它是我最骄傲的藏品。”

那头巨兽站在院子中央，不远处是它的管理员——瘦高个儿的萨比奥。托马斯注视着它。光线柔和、朦胧，轻纱一般落在它的身上，为它倍添光彩，但在托马斯眼里，它只是一头可笑的怪物。“它……太壮观了。”他回答。

伊比利亚犀牛曾漫步于葡萄牙的乡间。尽管它外形丑陋，他却总为它的命运感伤。这种动物最后的堡垒不正是葡萄牙高山区吗？这种动物以一种颇为奇特的方式存在于葡萄牙大众的想象中。人类的进步注定了这个物种的消亡。在某种意义上，它是被现代文明碾过的。它被追捕、猎杀，直到灭绝、消失，仿佛一种可笑的陈旧观念，直到消失的那一刻才激起人们的遗憾与怀恋。如今它成了忧伤的葡萄牙民谣“法多”中的固定角色，演绎着这个民族独特的怀旧情绪—— Saudade[1]。一想到这个消逝多年的物种，托马斯就难以抑制心里的 Saudade。他的心情正如一句老话所说的：“犀牛般的甜蜜感伤”。

1 Saudade 一词有思念、怀旧之意，常见于葡萄牙的民歌法多（fado）和航海时期的文学作品中，往往用来表达对已经逝去的某事或某人的怀恋之情。

伯父对他的回答很满意。托马斯略带不安地望着他。他父亲的兄弟骨架结实，身上裹着财富的光环，大腹便便中透出一分略带滑稽的傲慢。他家住拉帕，锦衣玉食，把数额惊人的钱花在每一种新奇玩意儿上。几年前，他被自行车所吸引。那是一种以骑车人的双腿为动力的两轮交通工具。在里斯本高低起伏的鹅卵石街道上，自行车不仅不实用，而且十分危险。只有在公园的小径上骑行才安全，它也因此沦为周末的娱乐项目。骑车人沿着环形小径绕了一圈又一圈，行人不堪其扰，孩子们和狗也屡受惊吓。他的伯父收集了一屋子的法国标致牌自行车。之后他开始购置机动自行车。它的速度甚至比脚踏车还快，噪声也更大。此刻在他眼前的就是伯父昂贵藏品中的新宠。“不过，伯父，”他小心翼翼地说，“这只是一辆汽车。”

“只是，你说只是？”伯父应道，“这可是科技史上的奇迹，是我们的国家不朽灵魂的重生。”他抬起一只脚，踩在汽车侧面车轮之间的狭长踏板上。“我原本拿不定主意应该借给你哪辆车，我的达拉克，我的德·迪昂·布通，我的尤尼克，我的标致，我的戴姆勒，还是我那辆美国产的奥兹莫比尔？实在很难选择。最后，考虑到你是我亲爱的侄儿，也念在我朝思暮想的兄弟的情分上，我选定了藏品中的佼佼者。这是一辆全新的四缸雷诺，工程设计上的杰作。看看它！这件作品不仅闪耀着理性的光辉，还散发着诗歌的魅力。让我们摆脱那些把城市搞得污秽不堪的动物吧！汽车不需要睡觉——马能做到这一点吗？它们的输出功率也无法相提并论。测试结果显示，这辆雷诺的引擎有十四匹马力，这还只是严谨的保守估计。它的动力很可能达到二十匹马力。而且机械马力比牲口的力量更强劲，所以，想象一辆套了三十匹马的四轮马车吧。你看见了吗？三十匹马排成两列，迫不及待地踏着地面、咬紧衔铁。好吧，你不必想象，它就在你的眼前。那三十匹马已经被装进了前轮之间的金属箱里。多么惊人的性能！同时又多么经济！真没想到古老的火能以这种方式焕发新生。还有，汽车肚子里像马粪那样的肮脏玩意儿呢？根本不存在。只有一股烟雾飘散在空气里。汽车就像香烟一样无害。记住我的话，托马斯，这个世纪将因为这股烟雾的诞生而被铭记！”

伯父志得意满地看着他的高卢[1]玩具。托马斯仍旧一言不发。他不像伯父对汽车那么痴迷。最近里斯本的街上已经出现了几辆这种新式机器。城市日常的牛马交通虽然热闹繁忙，却也不算太过嘈杂。如今这些机器如同巨大的昆虫嗡嗡掠过，声音震耳欲聋，模样古怪碍眼，气味刺鼻难忍。在它们身上他看不到一点儿美。伯父这辆酒红色的座驾也不例外。它算不上优雅，也不匀称。在他看来，和车厢下面那个挤了三十匹马的微型马厩相比，驾驶室实在是大得离谱。这玩意儿处处是金属，闪着刺眼、冰冷的光——用他的话说，简直毫无生气。

他情愿坐老式的马拉车前往目的地，不过他总共只有十天时间。他将在圣诞节前出发，这十天已经算上了他积攒的假期和

1　古代西欧地名，指现在的法国、比利时等地。这里用作法国的代名词。

从博物馆馆长那里苦苦求得的几天——他几乎要给他跪下了。路途遥远，时间宝贵。牲口是赶不及的。他只好硬着头皮接受伯父慷慨相借的丑陋发明。

伴着咔嗒一声门响，达米昂托着盛有咖啡和无花果点心的餐盘走进院子。仆人搬来餐盘支架，随后是两把椅子。托马斯和伯父坐下来。仆人倒上热牛奶，搭配适量的糖。这种时候很适合闲聊，但托马斯直奔主题。“那么，汽车是怎么开的，伯父？”

他之所以问这个问题，是不愿让自己的视线越过车顶，沿着伯父的院墙，顺着通往仆人住处的小径，落在那一排橘子树上。曾经，儿子常在那里等他。加斯帕尔会躲在一棵不够粗的树后面。一旦被爸爸发现，他就尖叫着跑开。托马斯追赶这个小鬼，佯装不知自己的伯母、伯父或是他们的众多眼线正看着他走上那条小径，就像仆人们佯装不知他踏入了他们的领地。是的，他宁可谈论汽车，也不愿看见那些橘子树。

“哈，问得好！我让你见识一下其中的奥妙。”伯父从椅子上一跃而起。托马斯跟着他来到车前。伯父松开车头的挂钩，把固定在铰链上的圆形小金属罩向前掀起。展现在他眼前的是纠缠的管道和闪耀着金属光泽的球状凸起。

“赞叹吧！”伯父敦促道，“3.054 升排量的直列式四缸发动机。多么精美，多么伟大。注意到它们的排列顺序了吗：发动机、散热器、摩擦式离合器、滑动齿轮变速箱、后轮轴驱动器。未来就在这样的队列中产生。不过，还是让我先给你解释一下内燃引擎的奇妙之处。”

他伸出一根手指比画着，仿佛要把发动机不透光的外壳里发生的魔术凭空画出来。“在这里，化油器把汽油蒸汽喷进燃烧室。磁铁激活火花塞。蒸汽被点燃，然后急速膨胀。活塞——就在这儿——被往下一推，然后……”

托马斯听得云里雾里，木然看着眼前的一切。伯父得意扬扬地演讲完，探身从驾驶室的座椅上捡起一本厚厚的手册，递到托马斯手里。“这是汽车使用手册。那些你还没听懂的部分，上面都写得很清楚。”

托马斯扫了一眼手册：“这是法语的，伯父。”

“没错。雷诺兄弟是一家法国公司。”

“但是——”

“我已经在你的行李里面配了一本法葡字典。你必须尽心尽力保养这辆车，好好给它上机油。”

“机油？”这个词也令他一头雾水。

洛博先生没有理会他困惑的表情。“这些挡泥板很漂亮吧？猜猜是用什么做的？”他拍拍挡泥板，自问自答道，“大象耳朵！我的私人定制，从安哥拉带回来的纪念品。车厢外壁也一样，最精致的大象皮革。”

“这是什么？”托马斯问。

“喇叭。用来警告、提醒、催促、抱怨。”伯父捏了一下方向盘左边贴着车身的那只大橡皮球。与它相连的喇叭发出类似大号的响声，还略带颤音，声音洪亮，引人侧目。托马斯的脑海里浮现出一位马背上的骑手，胳膊下面夹了一只鹅，像是抱了只风笛，每当危险临近就挤它一下，发出嘎嘎的叫声。他忍不住偷笑了一声。

“我可以试试吗？”

他握住那只橡皮球，连捏了几下。喇叭每响一次他都笑出声来。不过他很快就住了手，因为他发现伯父并没有被逗乐。伯父的全副心思仍然在车上，嘴里滔滔不绝地蹦出陌生的工业术语。与其说是在解说，不如说是在致敬。假如这位长辈的难闻的金属玩具也有感情的话，它一定会尴尬地泛出粉红色。

他们谈到了方向盘。这是一个完美的圆，尺寸与大号餐盘相仿。洛博先生再一次探进驾驶室，把一只手搭在方向盘上。“想让车往左转，你就把方向盘往左转。想让车往右转，你就把方向盘往右转。想要直行，你就把方向盘把正了。完全合乎逻辑。”

托马斯凑上前仔细查看。“方向盘不是固定的吗，怎么往左转或者往右转？”他问。

伯父诧异地盯着他。“我不明白这有什么难懂的。你看见方向盘的上沿了吗，就在我的手旁边？看清楚了，对吧？好，想象这里有一个点，一个小白点。现在，如果我把方向盘往这边转——”他转动方向盘，“你看见小白点移到左边了，对吧？这样，车就会往左转。然后，如果我把方向盘往那边转——”他转动方向盘，“你看见小白点移到右边了吗？这样，车就会往右转。现在你明白了？”

托马斯的表情严肃起来。“但是，您看——”他伸出一根手指，“假如在方向盘的下沿有一个小白点，它就会往反方向转。

如您所说，对上沿来讲，您可能在把轮子往右转，但是对下沿来讲，您在把轮子往左转。那么对于侧沿来讲呢？当您把方向盘往左或往右转的时候，您也在把一侧往上转，把另一侧往下转。所以不管从哪个角度讲，无论您怎么转方向盘，您都在同时往左、往右、往上、往下。您说把方向盘转往某个特定方向，但在我看来，这就像希腊哲学家芝诺提出的某个悖论。”

洛博先生眉头紧锁地盯着方向盘，看看上沿，看看下沿，再看看两侧。他深吸一口气。“就算你说得没错，托马斯，你也必须按照汽车的设计原理来驾驶。把注意力放在方向盘的上沿，别去理会其他部分。我们能继续了吗？还有其他细节我们必须讲清楚，比如怎么操作离合器和变速杆……”他一边解说，一边手脚并用地演示，不过他的言语和动作都没能让托马斯开窍。比如说，“扭矩”是什么意思？难道大审判官托尔克马达[1]给伊比利亚半岛带来的“扭曲[2]”还不够多吗？还有，哪个正常人搞得懂“双离合”是什么意思？

“我为你准备了几件用得上的东西。”

伯父走到后车厢前，拉开车门。托马斯俯身往里看。在昏暗的光线下，他留心观察着车厢的细节。它拥有一个家的基本元素：一只黑色的上等皮沙发，四面墙壁，以及抛光的雪松木拼就的天花板。前窗和侧窗与一栋精致住宅的窗户无异，镶着明净的

1 Torquemada（1420—1498），西班牙第一位宗教裁判所大法官。他被认为是“中世纪最残暴的教会屠夫”，在任职的十五年间判决烧死上万名“异端”。在这里，托马斯是借用他姓氏里的“Torque”讲了个双关语。

2 原文为“Torque”，和前面的“扭矩”原文是同一个词。

高档玻璃和闪闪发亮的金属边框。后窗开在沙发上方，精美的窗框让它看上去仿佛一幅壁上装饰画。但是再看看车厢的尺寸！天花板那么低。沙发最多供两人安坐。每面侧窗的大小只允许一个人往外看。至于后窗，假如它是一幅画，那也只是一幅迷你画。想要进入这个封闭的空间，必须弯腰钻过这道门。马车宽敞通透的车厢到底有什么不好？他直起身子，注意力转到汽车的一面后视镜上。它完全可以装在洗手间里。对了，伯父不是还提到发动机里会点火吗？他的心直往下沉。这间装在车轮上的小屋，配上几件从起居室、洗手间和壁炉搬来的零碎家具——这无疑是在可悲地承认，人类的生活已经沦为这样一种状态：一面争先恐后地奔向虚无，一面却试图留住家的温暖。

他也注意到了车厢里堆放的各种物品。他的手提箱，里面装着不多的几件个人必需品。还有更重要的文件箱，里面装着必不可少的各类文件：他与布拉干萨主教之间以及与葡萄牙高山区的几位神父之间的通信，乌利塞斯神父日记的手抄本，有关高山区乡村教堂火灾的剪报汇总，十七世纪中期葡萄牙船只返航里斯本的航海日志摘抄，还有涉及葡萄牙北方建筑史的各种专著。此外，乌利塞斯神父那本无比珍贵的日记平常也会收藏在这只箱子里，除非他随身携带——这种做法很愚蠢，他提醒自己。然而，手提箱和文件箱陷入一堆铁桶、箱子、铁罐和袋子的包围。整个车厢俨然是一个装满宝物的山洞，即使四十大盗也会感到心满意足。

“阿里巴巴，马蒂姆伯父！这么多东西啊！我不是要穿越非洲。我只是去葡萄牙高山区，也就几天的路。”

“路比你想象的要远，”伯父回答，“你要到从未见过汽车的土地去冒险。你需要自给自足，所以，我为你预备了一顶上好的帆布雨篷和几张毯子，不过你最好还是睡在车厢里。那个箱子里装着你用得上的汽车工具。旁边是机油罐。这个五加仑的铁桶里装的是水，给散热器用的；这个桶里装的是汽油，它是汽车的生命之源，一有机会就把它加满，有时候你只能靠存货。一路上，你可以找药店、自行车店、铁匠铺和五金店。他们都卖汽油，不过他们可能叫它别的名字，比如石油精、矿物油精之类的。买之前闻一下。我还给你准备了食物。司机吃得好，车才开得好。来，试试这个合不合适。”

伯父从车厢地板上的袋子里掏出一双浅色皮手套。托马斯不明就里地把它们戴上。手套的大小刚刚好。富有弹性的皮革上手很舒适，握拳时发出轻微的摩擦声。

“谢谢。”他有点儿茫然地说。

“戴的时候小心点儿。这也是法国货。”

接着伯父递给他一副又大又丑的护目镜。没等托马斯把它戴好，伯父又拎出一件毛皮衬里的驼色大衣，长得可以遮住他的膝盖。

“油蜡棉[1]加貂皮，最好的料子。”他说。

托马斯披上大衣，只觉得笨重又臃肿。最后，洛博先生

---

1 有油蜡涂层的全棉面料，兼具防水和透气的性能。

在他头上扣了一顶可以系在下巴上的帽子。如此全副武装，他觉得自己成了一朵巨型蘑菇。“伯父，这套行头是用来干什么的？”

“当然是开车时穿啦。可以防风防尘，防雨防冻。现在可是十二月。你难道没看清驾驶室的样子？”

他看了一眼。伯父说得没错。位于车身后半部的乘客车厢是全封闭的；在它前面的驾驶室却只配备了挡风玻璃和顶棚，除此之外是全开放的。两侧无门无窗，风雨尘土可以随意进入。他暗暗抱怨，若不是伯父把车厢塞得满满当当，他完全可以窝在里面，让萨比奥开车。

伯父还在絮叨着：“我还准备了目前最好的地图。到了地图也不管用的时候，就用指南针。你要去的方向是东北偏北。葡萄牙的路况糟透了，幸好这辆车配备了先进的悬架系统——钢板弹簧。它们能对付任何车辙。如果颠得太厉害，你就多喝点儿葡萄酒。车厢里装了两皮袋酒。尽量避开路边的旅店和驿马车[1]，他们可不会对你太友善。这倒可以理解，汽车直接威胁到他们的生计，他们发发火也在情理之中。好了，其他你自己会弄明白的。我们该出发了。萨比奥，准备好了吗？”

“是的，先生。”萨比奥的回答像士兵一样干脆。

“等我拿件外套。托马斯，我开车送你到里斯本郊外。”

趁伯父回屋的工夫，托马斯脱下那一身可笑的行头，把它

1 一种有篷大马车，通常由四匹马拉动。在汽车普及之前是一种主要的运输方式。

们放回车里。伯父大踏步地走回院子。他披着外套，戴着手套，脸涨得通红，洋溢出一种几乎令人生畏的激动。

“对了，托马斯，”他大声说，“我还没问呢，你那么着急去葡萄牙高山区，到底是为什么？”

“我在找一件东西。”托马斯回答。

“什么东西？”

托马斯犹豫片刻。“教堂里的一件东西，”他最后说，“只是我还不确定它是什么，在哪个村子里。”

伯父站在他身旁盯着他。托马斯不知道自己是否该多透露一些信息。伯父每次参观古代艺术博物馆时都会用这种直勾勾的眼神盯着展品。

“您听说过查尔斯·达尔文吗，伯父？”托马斯问。

“是的，我听说过达尔文，”洛博先生说，“怎么，他被埋在葡萄牙高山区的某座教堂里吗？”又笑道，“你是想把他的遗体带回来，当作古代艺术博物馆的镇馆之宝喽？”

“不是。我在工作中发现了一本来自几内亚湾圣多美岛的日记。那座岛从十五世纪以来就是葡萄牙的殖民地。”

“很可怜的一块殖民地。我去安哥拉的途中曾在那里停留过。我还考虑过在岛上投资几个可可种植园。”

“那曾是奴隶交易的重镇。”

“现在它只是个劣等的可可豆产地。不过种植园倒蛮漂亮的。”

“没错。我找到了三条相互独立的线索：刚才提到的日记、一艘返回里斯本的帆船的航海日志和葡萄牙高山区一座乡村教堂的火灾记录。根据这些线索，我推断出一件鲜为人知的珍宝的存在，并且判断出了它的大致方位。一个伟大的发现已经触手可及。”

“是吗？这件珍宝到底是什么？”伯父问道，两眼紧盯着托马斯。

托马斯心痒难耐。几个月以来，无论是他的发现，还是他的研究内容，他都从未在人前提及，尤其是在同事面前。所有的工作都是私下里独自完成的。但秘密总是渴望被人知晓。况且再过几天那件东西就会被找到。何不告诉伯父呢？

“那是……一件宗教雕像，一尊十字架苦像，我认为。”他回答。

“恰好是这个天主教国家所需要的。”

“不，您不了解。这是一尊不同寻常的苦像。一尊令人惊叹的苦像。”

“是吗？那它跟达尔文有什么关系？”

“您会看到的，”托马斯满脸兴奋地回答，“这尊苦像里隐藏着某种重大的启示。这一点我能肯定。”

伯父等着他的解释，他却没了下文。“好吧，我希望它能让你发大财。我们出发吧。”伯父说。他爬上驾驶座，“我让你看看怎么发动引擎。”他击掌喊道，“萨比奥！”

萨比奥来到车前，屏气凝神，蓄势待发。

“发动引擎前，先要打开汽油阀——干得不错，萨比奥——

油门手柄在方向盘下面，转到半开放位置——像这样——然后把变速杆调到空挡，就像这样。接着你找到电磁开关——在仪表板的这个位置——把它拨到‘开’。然后你揭开引擎罩的盖子——没必要把整个罩子都打开，你看见前面的这个小盖子了吗？——你把化油器的浮子往下按一次或两次，让汽油进入化油器。看见萨比奥是怎么做的了吗？你关上盖子，剩下的就只是启动摇柄了。然后你坐上驾驶座，放松手刹，调到一挡，就可以上路了。就像小孩的把戏。萨比奥，准备好了吗？”

萨比奥面对引擎，两脚叉开，如树根一样牢牢站定。他弯腰握住启动摇柄，那是汽车前端伸出的一根细杆。他的手臂绷得笔直，腰也挺得笔直。他猛地把摇柄往上一扳，上半身也随之腾起，等摇柄转完半圈，他借助全身的重量往下压，摇柄触底后再重复上摇。他以惊人的力量驱动这一圆周运动，整辆车跟着晃起来，摇柄也随着惯性转了两圈、三圈。托马斯正想赞叹萨比奥的强壮，摇柄产生的效果却令他无暇他顾：汽车咆哮起来，成了活物。先是从它的腹腔深处涌出隆隆的声响，接着是一连串刺耳的炸裂声。然后它开始浑身颤抖，这时伯父高喊道：“快上车！我让你见识一下这个了不起的发明到底能干什么！”

尽管不情不愿，托马斯还是赶紧爬上车，挨着伯父坐在驾驶室的软垫长椅上。伯父手脚并用地操作，拉一下这根杆，再按一下那个钮。托马斯看见萨比奥跨上墙边的一辆摩托车，一脚踩燃引擎。在路上，他会是个得力的帮手。

伴着突如其来的一个前冲，这台机器动起来了。

眨眼间它加快速度，三绕两拐出了院子，径直冲出洛博家敞开的大门，往右一个急转弯，上了旗杆街。托马斯在座椅光滑的皮面上一滑，和伯父撞了个满怀。

他不敢相信汽车的震动会如此剧烈，足以震散人的骨架，让人发狂。这种震动只可能源自那震耳欲聋的噪声。这台机器一定会把自己也震散架的。他意识到自己误解了伯父关于悬架系统弹簧的话。显然它们的作用不是保护汽车免受车辙的伤害，而是保护车辙免受汽车的摧残。

更让他感到烦乱的是，这台机器不借助任何外力就能向前飞驰。他探头回望，心想——也期待着——能看见洛博全家人，包括每一个家人和用人，在后面一边推车一边笑话他上当了。（要是多拉也在其中该多好！）然而并没有人推车。一辆不需要牲口推或者拉的车，这在他看来很不真实。这是没有原因的结果。它违反自然规律，令人不安。

啊，拉帕的群山！汽车一路咳着、响着、颤着、晃着、颠着、蹦着、冒着烟、嘟囔着、咆哮着——朝着旗杆街的尽头冲去，车轮下的鹅卵石碎裂的砰砰声不绝于耳。然后它猛地往左一倾，顺着悬崖般陡峭的多普里奥尔街一头扎下去。托马斯感觉自己的内脏仿佛被塞进了一只漏斗。汽车冲下坡，来到街面最低处的平路，他收势不及，滑到驾驶室的地板上。他坐回座位，惊魂未定。可还没等这台机器平稳下来，它又蹦上多普里奥尔街尽头的一段上坡，之后是再次陡降的达圣特林达德街。汽车在达圣特林达德街上闪着金属光泽的电车轨道间欢快地起舞，把座位上的他甩得东倒西歪。他要么撞上伯父——他看上去无动于衷——要么几乎从座位另一端滚下车。街边住户的阳台在他眼前闪过，所有人都对他们怒目而视。

伯父势不可当地右拐上了德圣若昂达马塔街。他们沿街飞驰。阳光晃得托马斯睁不开眼，伯父却毫不在意。汽车闯过与德桑托斯－欧－韦略街交叉的路口，直接冲入卡尔萨达－德桑托斯的弧形街道。到达德桑托斯大街时，他伤感地瞟了一眼那条街上的美丽公园，公园里的行人沉浸在各自的悠闲当中。伯父绕着公园行驶，然后向左一个急转，一个漂移上了宽阔的七月二十四日大街。拉帕区悠然拍岸的河水——那迷人的塔霍河——闪着粼粼波光出现在右侧，不过托马斯无暇欣赏。他们被噪声裹挟着，一阵风似的从里斯本人头攒动的市区疾驰而过。他们高速驶入达特塞拉公爵广场繁忙的环岛，然后像被投石器甩出一样冲进兵工厂街。贸易广场的熙攘人群只是小菜一碟，最多算是充满乐趣的挑战。托马斯看见广场中心的若泽一世国王雕像。啊！如果当时的国务大臣庞巴尔侯爵能预见到这些街道今日的惨状，他一定不愿重建它们[1]。他们在轰鸣声中一路狂飙，眼前的一切都成了一闪而过的模糊色块。汽车所到之处，路上的马匹、手推车、四轮马车、运货板车、人群和狗都乱作一团。托马斯做好了随时与某种动物或是人相撞的准备，但伯父总能在最后关头通过一个急转或急停化险为夷。好几次，托马斯忍不住想尖叫，但他的脸已经吓

1　一七五五年里斯本曾发生一次大地震，时任国务大臣的庞巴尔侯爵主持了城市的重建。

僵了。他只能用尽全力蹬紧地板。如果伯父不介意被当作救生圈的话，他一定会毫不犹豫地抱紧他。

一路上，除了冲着路人骂脏话的时候，伯父的脸上一直洋溢着喜悦。他满面红光，嘴角带笑，两眼烁烁放光。他旁若无人地开怀大笑，不时像演说家那样发出欢呼与赞叹："太神奇了！……太伟大了！……就像做梦一样！……我早告诉你了吧……现在，这样你就可以左转了！……太棒了，实在是太棒了！……看，快看，我们的时速得有五十公里了！"

与此同时，塔霍河静静地流淌着，不疾不徐，泰然自若。在它庞大而柔和的身躯之上，一只疯狂的跳蚤沿着河岸蹦跳不止。

在郊外一条没有铺设鹅卵石的田边土路上，伯父终于停了车。他们身后的远处，里斯本的天际线一览无余，仿佛婴儿新发的乳牙。

"看看我们走了多远，而且那么快！"伯父的声音在这片久违的寂静中显得格外洪亮。他激动得像一个过生日的男孩。

托马斯怔怔地盯着他，一句话也说不出。下车时他险些跌坐在地上。他摇摇晃晃地走向路旁的一棵树，扶着树干站稳。他弓下腰，呕吐物从口中喷涌而出。

伯父表示理解。"晕车，"他摘下驾驶手套，若无其事地诊断道，"这真是蹊跷。有些乘客会晕车，但司机从来不会。一定是和操控汽车有关，也许是因为能预见到前方的起伏和拐弯。要么是这个原因，要么是因为开车分了心，注意不到肚子的不适。

等你自己开车就好了。”

托马斯过了一会儿才回过神儿来。他无法想象自己拉着这匹铁马的缰绳。“萨比奥会跟着我，对吧？”他用手帕擦净嘴角，上气不接下气地问。

“我是不会把萨比奥借给你的。他走了谁来照管我其他的车？再说，他已经把这辆雷诺调试到最佳状态了。你用不着他。”

“但是萨比奥会开车啊，伯父。”

“开车？你为什么想让他开车？这么伟大的发明，驾驶它是件多么激动人心的事——谁会叫仆人去做？萨比奥是来工作的，不是来玩的。”

话音未落，萨比奥骑着突突作响的摩托车来到路边，熟练地停在汽车后面。托马斯回头看着他的伯父，这位坐拥多辆豪车又嗜好飙车的有钱伯父。摊上这么一个亲戚，托马斯觉得自己真是倒霉透顶。

“萨比奥不是经常为您开车吗，亲爱的伯父？”

“只是在正式场合。他主要是为加布里埃拉开车。那个傻乎乎的小老鼠从不敢自己试一下。你年轻又聪明，没问题的。你说呢，萨比奥？”

萨比奥一直默默站在一旁。他点了点头，不过他的目光在托马斯脸上略作停留，让托马斯感觉他并不完全赞同主人的乐观判断。他心里一阵发慌。

“马蒂姆伯父，求求您，我没有经验——”

“看这儿！你先放到空挡，半开油门。起步时，你放到一挡，然后一边踩油门，一边慢慢松开离合器。提速的时候，你调高到二挡，然后是三挡。很简单。记得在平路上起步。你很快就会掌握诀窍的。”

伯父后退几步，深情凝视着这辆车。托马斯暗暗期待，在这个瞬间，善良和关切能够软化他的心。现实却恰恰相反，伯父开始激情澎湃地总结陈词。

“托马斯，我希望你能明白，在你眼前的是一支训练有素的乐队，它在演奏最美妙的交响乐。乐章的音高富于变化、令人惬意，它的音色低沉却精彩纷呈，它的旋律简洁却欢畅淋漓，它的节奏介于快板和急板之间，但也能胜任精致的慢板。当我担任乐队指挥的时候，我听见的是辉煌的乐章：那是未来的乐章。现在轮到你登上指挥台，让我把指挥棒交给你。你必须挺身而出。”他拍了拍汽车的驾驶座。“你坐这儿。”他说。

托马斯蓦地感到一阵胸闷气短。伯父挥手让萨比奥发动引擎。内燃机的咆哮再次充斥了空旷的乡野。他别无选择。他耽搁了太久，明白得太晚。他必须坐在这头怪兽的方向盘后。

他爬上车。伯父又一次为他指点，耐心讲解，频频点头，嘴角挂着微笑。

“你不会有问题的，”他断言，“一切都会很顺利。等你回来时再见，托马斯。祝你好运。萨比奥，你留下来帮帮他。”

伯父转身消失在车后，决绝得如同摔上一扇门。托马斯向车外伸长了脖子才看见他。“马蒂姆伯父！”他大喊。伴着轰然一声巨响，摩托车发动了，加速时划出一道刺耳的摩擦声。伯父肥大的腰身坠在狭窄的车座两侧，在一串闷雷般的排气声中远去，消失在他的视野里。

托马斯把目光转向萨比奥。他这才意识到，伯父已经把摩托车骑走了，而把汽车留给了他。那么萨比奥要如何从里斯本东北的郊外回到城西的拉帕呢？

萨比奥平静地说：“开车并不难，先生。只需要一点儿练习。”

“可我一点儿经验也没有！”托马斯大声抗议，“我从没开过车，也没有相关知识。我既没有兴趣也没有天赋。救救我吧，让我再看看这该死的玩意儿该怎么开。”

萨比奥把这头人造牲口的烦琐操作流程从头到尾演示了一遍。他不厌其烦地示范，花很长时间讲解了踩下或松开踏板以及推拉操纵杆的正确顺序。他让托马斯回忆该如何把方向盘往左转和往右转。他教他油门手柄的用法——不仅启动时要用到，停车时也同样需要。然后他说到马蒂姆伯父只字未提的注意事项：重踩油门和轻踩油门的区别，刹车的用法，手刹的重要性——每次停车时他都应该拉上，后视镜的用法。萨比奥向他演示了如何转动摇柄。当托马斯亲自上手时，他感觉汽车体内有个沉重的东西在转动，就像一头穿在烤肉叉上的野猪翻滚在一缸浓稠的酱汁里。当他转到第三圈的时候，野猪爆炸了。

引擎在托马斯手里屡屡熄火。每次熄火，萨比奥都毫不气馁地回到车前，让那头野猪重燃生机。然后他建议把车调到一挡。托马斯顺势闪到副驾的位置。萨比奥轻车熟路地操作；齿轮箱发出顺从的叹息，车缓缓前行。萨比奥指点他手应该放在哪里，脚又该踩在哪里。托马斯慢慢挪进驾驶座。萨比奥一步步让出位置，退到车侧面的踏板上。他郑重地向托马斯点了点头，然后跳下了车。

托马斯觉得自己被放逐，被抛弃，被遗忘了。

前方是一段直路，这台机器挂在一挡上，吵吵嚷嚷着前进。方向盘是个难以驾驭的硬家伙，在他手中不住抖动。他试着把它往一边转。这是左，还是右？他分不清。而方向盘几乎纹丝未动。为什么伯父操作起来那么轻松？另一方面，持续踩着油门是件极其累人的事，他的腿已经开始抽筋了。在第一个转弯处，道路逐渐向右偏离，汽车开始横穿马路，冲向路边的水沟。他惊慌失措，抬脚冲着每个踏板一通乱踩。这机器咳嗽了几声，摇晃着停了下来。谢天谢地，这场锣鼓喧天的混乱终于告一段落。

托马斯四处张望。伯父不见了，萨比奥也不见了，眼前一个人影也没有，连他挚爱的里斯本也消失了，如同盘中的残羹被一扫而光。整个世界笼罩在寂静中，在他眼前化为一片虚空，儿子的身影从中浮现。加斯帕尔经常偷偷溜进伯父的院子里玩耍，用人发现了会把他赶出来，就像赶一只野猫。他也常常在车库附近出没，那里停放着成排的自行车、摩托车和汽车。在爱车这件事上，伯父会在堂孙身上看到自己的影子。他盯着汽车的眼神仿佛一张饥饿的嘴在咀嚼食物。然后他死了，在院子里留下一个无言的空洞。伯父宅院的其他地方——这扇门、那把椅子、这扇窗——同样让托马斯触景伤情，让他想起多拉和父亲的离去。当失去了挚爱之人，我们还剩下什么？他能够走出痛失亲人的阴影吗？每次刮胡子时，当他望着镜子里自己的眼睛，只看见空荡荡的房间。他每天都过得浑浑噩噩，成了寄居在自己身体里的鬼魂。

哭泣对于他并不陌生。自从死神给他连续三次重击以来，他已经哭过很多很多次了。每当想起多拉，想起加斯帕尔，或是想起父亲，他都深陷悲伤难以自拔，但有时他也会无缘无故落泪，伤感就像喷嚏一样不期而至。可他此刻所面对的情形显然有本质的区别。这台机器虽然噪声不断且不听使唤，但它对人的影响怎么能和三具棺材相提并论呢？奇怪的是，他感到一种同样的不安，心里充满了同样强烈的恐惧，以及针刺般的孤独和无助。他哭了起来，哭得上气不接下气，悲伤与难以遏制的恐慌此消彼长。他从上衣口袋里掏出那本日记，贴在脸上。他呼吸着它久远的年代气息。他闭上双眼，逃往非洲，越过它在赤道西海岸外的水域，登上葡萄牙的殖民岛屿圣多美。他的悲伤呼唤着那个指引他前往葡萄牙高山区的男人。

他曾多方搜寻乌利塞斯·曼努埃尔·罗萨里奥·平托神父的信息，但历史似乎已将他彻底遗忘。他残缺不全的生平只留下两个日期可循：一六〇三年七月十四日——他的生日，记录在科英布拉区圣地亚哥教区的登记表上，以及一六二九年五月一日——他的神父授职礼，在同城的圣十字大教堂。除此之外，再无关于他的记载，包括他的死期。乌利塞斯神父在时间的河流里留存完好、顺流漂来的，唯有这本日记。

他把日记从脸上移开。泪水已经浸湿了封皮。他不由得心生不悦——这是在博物馆养成的职业病。他用衬衫下摆轻轻擦干封皮。这种哭泣的习惯，说来也怪。动物也会哭泣吗？它们显然会感到悲伤，但它们会用眼泪来表达吗？他不太相信。他从没听说过一只哭泣的猫或狗，或是一头哭泣的野兽。似乎这是人类独有的特性。他不明白它有什么用处。他号啕大哭，甚至捶胸顿足，但是哭到最后又能怎样？只余下空虚的疲惫，浸透了泪水和鼻涕的手帕，引人注目的红眼圈。况且哭泣是一件丢脸的事。它落在社交礼仪的范畴之外，属于个人特质，表达方式也因人而异。面部的扭曲、眼泪的多寡、抽泣声的起伏、音调的高低、阵仗的大小、脸色的变化、双手的配合、身体的姿态：人只有在哭泣时才能认识哭泣，才能发现自己脆弱的一面。这是一个奇特的发现，不仅对于他人，也对于他自己。

他暗下决心。葡萄牙高山区正有一座教堂等着他。他必须到那里去。这个装在轮子上的金属盒子能帮助他，因此，他必须坐在它的控制台上。*Esta é a minha casa*。“这就是家。”他低头看了看踏板，又看了看眼前的操纵杆。

他足足折腾了一个小时才让车动起来。发动引擎不是问题。在萨比奥的多次示范之后，他已经可以应付。手臂绷直，腰挺直，脚撑地——他用力转动摇柄。升温的引擎似乎已经蓄势待发。但问题在于如何让这台机器动起来。他试尽了各种踏板和操纵杆的组合方式，结果如出一辙：一阵刺耳的尖叫或者愤怒的号叫，动静挺大，车却纹丝不动。他累了就停下来休息。他一会儿坐在驾驶室里，一会儿倚车而立，一会儿在附近散步。他坐在车侧面的脚踏板上，吃面包、火腿、奶酪、无花果干，喝葡萄酒。这顿午餐吃得索然无味。他的心思一直在车上。它趴在路边，看上去与周遭的一切格格不入。马车和牛车从路上经过，赶车人注意到这辆汽车，也注意到他。好在这里距里斯本近在咫尺，无论是出城的还是进城的都扬鞭疾行，只是匆匆打个招呼或挥挥手。他不用做任何解释。

他终于成功了。经过数次无果的尝试之后，他踩下油门，车动了。他毅然把方向盘转向一侧，希望那是正确的方向。他猜对了。

汽车回到路中间，继续前进。为了避免翻进左右的水沟，他必须把他的小船保持在唯一的航道，在这条狭窄的、笔直通往天边的路正中，朝着那个遥不可及的点笔直前行。这令人疲惫不堪。机器总是偏离航向，而且马路坑坑洼洼，起伏不平。

路上的行人也对他干扰不断。离里斯本越远，行人盯着他的眼睛就瞪得越大。更让他头疼的是那些满载货物的宽大板车和运货马车。它们远远地出现在视野里，仿佛挤在地平线上的黑点。当它们越来越近，它们占据的路面也越来越宽。当他赶上它们的时候，它们依然嗒嗒地迈着碎步，散发出自以为是的骄傲。他必须精准地计算行车路线，确保与它们擦身而过，而不是迎头撞上。他的眼睛累得发涩，紧握着方向盘的手也开始酸痛。

忽然间，他觉得自己受够了。他踩下某个踏板。车猛咳几声，一个急停，他扑倒在方向盘上。他下了车，虽然精疲力尽，却终于长舒一口气。这一刻，他惊讶得不敢相信自己的眼睛。刹车的动作开启了风景的卷轴，自然在他眼前如波浪般展开：左侧的树林、山丘、葡萄园，右侧沟壑纵横的田野和塔霍河。开车时他对这一切一无所知，面前只有那条吞噬一切杂念的路。能够生活在这片美不胜收的土地上真是幸运。难怪这里出产葡萄酒。路上空空荡荡的，只有他一人茕茕孑立。在朦胧温润的薄暮中，乡间傍晚的宁静让他心旷神怡。他记起乌利塞斯神父日记中的一段话，轻声背诵起来：

> 我来到此处，不是为了引导那些自由的人，而是为了那些被奴役的人。前者拥有自己的教堂。而我的羊群的教堂没有四壁，唯有一个可以触及上帝的穹顶。

托马斯深吸一口气，任目光游走，徜徉在这座无边的教堂里，葡萄牙大地的温柔和富饶令它熠熠生辉。他不知自己开了多远，但肯定比走路远得多。对于旅途的第一天来说已经足够。明天他再更进一步。

用防雨布搭一个帐篷，想来是件麻烦事。他决定听从伯父的建议，把车厢布置成卧室。他打开车门，清点伯父为他准备的行装：轻质的煮锅和煎锅；一个小酒精炉和白色的块状固体酒精；一只碗、一只盘子、一个杯子、烹饪用品，全是金属制品；汤料粉；面包卷和长条面包；肉干和鱼干；香肠；新鲜蔬菜；鲜果和果干；橄榄；奶酪；奶粉；可可粉；咖啡；蜂蜜；曲奇饼干和松饼；一瓶烹调用油；香料和调味品；一大罐水；驾驶服及全套配件——手套、帽子，还有那副丑陋的护目镜；六只备胎；绳子；一柄斧头；一把锋利的刀；火柴和蜡烛；一个指南针；一本全新的笔记本；铅笔；一套地图；一本法葡字典；雷诺的驾驶手册；羊毛毯；工具箱和其他汽车用品；一桶汽油；帆布防雨篷，加上系索和帐篷钉；等等。

这么多东西！伯父无微不至的关怀让他在车厢里无处容身。他把沙发清理干净，试着躺下来。沙发长度有限，他不得不蜷起腿。他透过车厢宽大的前窗望向驾驶室。驾驶座虽然硬了些，但像条凳一样平整。而且两端没有门的隔挡，他的腿可以充分伸展。

他取出面包、鳕鱼干、橄榄、一皮袋葡萄酒、伯父送的外套，再带上驾驶手册和字典，回到驾驶室。他仰卧在沙发上，两脚伸出车外，遵照伯父的建议潜心研究起驾驶。他双手举着手册，字典摊在胸口。

没想到上机油是一个至关重要的事项。传动装置、离合器、离合器外盘、后轴、传动轴的前后接头、所有车轮的轴承、前轴接头、主轴轴承、连接轴、驱动杆的接头、磁电机轴、车门铰链……基本上这台机器里所有会动的零件都需要坚持不懈的润滑。当他意识到这一点时，不由得心生恐惧。很多零件在每天早晨引擎启动之前就需要几滴机油，有些零件每两天或每三天需要上一次机油，其他的每周一次；当开到一定里程，还需要额外的保养。汽车在他眼中有了新的形象：它由上百只疯狂啁啾的小鸡组成，它们伸长脖子、张大嘴，全身上下不住颤抖，尖叫着乞求它们渴望的那几滴油。他怎么才能照顾好这么多张饥饿的嘴？相比之下，乌利塞斯神父的礼物的说明多么简明扼要！他仅仅是恳求家乡那些有幸使用上等油漆的好心工匠，希望他们为他的杰作重新上漆。在制作过程中，他只能凑合使用殖民地当地的劣质替代品。

夜间寒气渐盛，托马斯不由得对伯父的大衣心生感激。貂皮温暖、柔软，他把它幻想成多拉，渐入梦乡。她同样温暖、柔软，而且她和善、优雅、美丽、体贴。但她的身影被他的忧虑吞没——想想那些嗷嗷待哺的嘴！——他辗转难眠。

第二天早餐过后，他找出机油罐，翻开驾驶手册，逐行、逐图、逐段、逐页进行操作，给整辆车上油。他不仅掀起前车盖，把头伸进机器里面，还卸下驾驶室的地板，润滑内部的零件，他甚至还趴在地上，钻到了车底下。这是一份累人的脏活儿，要求事无巨细。接着他给水箱加了水。然后他遇到一个急迫的问题。虽然伯父把这台机器誉为科技的巅峰之作，它却无法提供一项更为基本的设施——下水道。他不得不钻进附近的灌木丛里解手。

启动冰冷的引擎是一个漫长而痛苦的过程。要是他的手脚再强壮些就好了。等到汽车终于喷出尾气、咔嗒咔嗒响起来，如何让轮子转起来又成了一个让人头疼的难题。从他醒来的那一刻算起，直到这台机器鬼使神差地往前一冲，四个小时过去了。他紧握方向盘，目不转睛地盯着路面。前方是与里斯本邻近的小镇波沃阿－德圣伊里亚。从首都出发一路往东北开，这是沿途第一个村镇。在此之前，这个小镇对他来说只是个无关痛痒的地名。车进城时，他的心里打起了鼓。

几个男人出现在街边，衬衫上别着餐巾，手里握着鸡腿或其他食物，直勾勾地盯着他。理发师们举着沾满泡沫的刷子跑到店外，身后跟着满脸泡沫的男人，他们也盯着他。一群老妇一边在胸口画着十字，一边盯着他。男人们停止了交谈，转头盯着他。女人们停止购物，转头盯着他。一位老人冲他行了个军礼，也盯着他。两个女人惊恐地笑着，一边盯着他。并排坐在长椅上的几个老人用没牙的嘴咀嚼着，一边盯着他。小孩们尖叫着四散躲藏，一边盯着他。一匹马一声嘶鸣，腾起前腿，吓坏了车夫，它也盯着他。主路旁羊圈里的一群羊无助地咩咩叫着，盯着他。牛群哞哞地低声叫着，盯着他。一头驴嘶叫起来，盯着他。狗狂吠不止，也盯着他。

在这些酷似尸检的犀利目光下，托马斯一不留神踩松了油门。车咔咔响了一声、两声，熄火了。他猛踩油门，毫无反应，不由得沮丧地闭上双眼。片刻后，他睁开眼，环顾四周。在他的前面、侧面、后面，有上千只眼睛正盯着他，其中既有人也有动物。整个场面鸦雀无声。

这些眼睛眨着眨着，沉默渐渐崩塌。不知不觉间，波沃阿－德圣伊里亚小镇腼腆的居民们拥上前来，从各个方向围住汽车，直到围了十层、十五层。

有些人满面笑容，向他抛来一个接一个的问题。

“你是谁？”

“你怎么停下来了？”

“这东西是怎么动起来的？”

“它值多少钱？”

“你很有钱吧？”

“你结婚了吗？”

几个人瞪着他，抱怨道。

“你就不怕把我们震聋吗？”

“你干吗往我们脸上撒那么多灰？”

孩子们大声问着天真的问题。

“它叫什么名字？”

“它吃什么？”

“车厢里有马吗？”

“它的屁屁是什么样子？”

许多人挤上前来触摸这台机器。更多人只是温和地默默观望。至于那个行军礼的男人，只要托马斯朝他的方向多看一眼，他就多敬一个礼。在人群之外，羊、马、驴、狗重新各就各位，叫声此起彼伏。

和小镇居民闲聊了一小时之后，托马斯清楚地意识到：在他离开小镇之前，他们是不会走开的。他有地方要去，而他们没有。

在这种时候，他必须克服自己沉默寡言的天性。他局促不安地从心底掘出一丝勇气，爬出驾驶室，站到脚踏板上，恳求人们让出车前的空间。他们似乎没听见或是没听懂。他再次劝说，但他们反而越发往前挤，而且人数越聚越多。汽车周围已经接踵摩肩，他不得不从人群中挤出一条路，这才挪到启动摇柄的位置。然后他必须把他们往后推，以腾出活动的空间。几个看热闹的人站上了脚踏板。另有几个甚至想爬进驾驶室，但托马斯冰冷的目光让他们知难而退。孩子们脸上挂着傻笑，不断地捏喇叭上的橡皮球，每捏一次就爆发出一阵狂笑。

像是命中注定一般，他先是数次尝试转动摇柄，然后对踏板和操纵杆一番折腾，车猛地往前一动，又瞬间熄了火。车前的人尖叫着，惊恐地捂住胸口，周围的人也跟着大叫起来。女人们尖叫不已，孩子们号啕大哭，男人们喃喃低语。那个军人不再敬礼。

托马斯连忙大声道歉，同时猛捶了几下方向盘，用最严厉的话斥责他的车。他跳下车帮助被冲撞的人。他使劲踢车的轮胎，猛拍大象耳朵制成的挡泥板，大骂丑陋的车前盖。他狂躁地转动摇柄，试图让这台机器重新启动。然而这一切都没能改变人们的不满。波沃阿－德圣伊里亚居民的友善已经在葡萄牙冬日的阳光下消融殆尽。

他匆忙回到驾驶室。汽车奇迹般地呻吟着抖动起来，开始缓步向前。波沃阿－德圣伊里亚的居民面带惧色地让出一条路。他驱车前行。

到达下一座小镇阿尔韦卡－多里巴特茹的时候，他坚定地紧踩油门，穿城而过。对于所有人和他们的目光，他都视而不见。经过阿良德拉镇时也是如此。离开阿良德拉之后，他看见一个写着“波尔图阿尔托”的路标，它指向主路的右侧，通往塔霍河。河上架了三座桥，连接两座小岛。他望着河东岸那片平坦、荒凉的乡村，停了车。

他关上引擎，从车厢里取出葡萄牙地图。车上的地图还真不少，全部整齐叠好并归了类。一幅全国地图，一套区域地图：埃斯特雷马杜拉地区、里巴特茹、上阿连特如省、下贝拉省、上贝拉省、滨海杜罗以及上杜罗。甚至还有附近的西班牙省份地图：卡塞雷斯、萨拉曼卡和萨莫拉。看来对于所有通往葡萄牙高山区的可能路径，伯父都为他做足了准备，其中也包括走冤枉路和迷路。

他研究了一会儿全国地图。正如他的判断，塔霍河的西面和北面是葡萄牙的沿海地区，城镇星罗棋布；相比之下，塔霍河东岸与西班牙边境之间的偏远地带则人烟稀少，只有布朗库堡、科维良和瓜达几座城镇在图上闪烁着刺眼的危险信号。或许他能想办法绕过它们。除此之外，都是诸如罗斯马尼尼亚尔、梅莫阿或扎瓦的村庄。怎么会有司机害怕这种地方？他从没听说过这些鸟不拉屎的村子。

他发动汽车，踩了一通脚踏板，然后把变速杆推到一挡。还算顺利。他向右掉转车头，朝着桥开过去。快要上第一座桥时，他犹豫了。这是一座木桥。他想起三十匹马的比喻。引擎的重量不可能也跟三十匹马一样吧？乌利塞斯神父在海上的经历给托马斯留下了很深的印象。当时神父从安哥拉出发，乘船前往他的新教区——圣多美：

> 乘船出海如同行走于地狱，更糟的是乘坐一艘恶臭熏天的小型贩奴船出海。船上挤着五百五十二个奴隶和三十六个欧洲看守。海面时而如死般寂静，时而惊涛骇浪，我们在其间备受煎熬。奴隶没日没夜地呻吟哭号。他们的船舱里热烘烘的恶臭渗入了船的每个角落。

托马斯踩下油门。只有鬼魂才让他心神不宁，奴隶不会。他的船必须连跳三下才能过河。在桥上他心惊肉跳，唯恐把车开进河里。等到终于下了第三座桥，到达河的东岸时，他已经紧张到无以复加。他想，既然自己已经开车上了路，或许应该认真学学如何开车。他停下车，从车厢里取出需要的材料。他坐在方向盘后面，手捧驾驶手册和字典，用心琢磨变速杆、离合器和油门的正确操作方法。手册让他受益匪浅，不过学到的毕竟只是理论，难的是付诸实践。他发现，顺畅地从空挡（尽管伯父称之为“空挡”，他却没发现它“空”在哪里）换到一挡是件无法完成的任务。在这一天余下的时间里，他跌跌撞撞地一次次尝试，结果只往前移动了大概五百米。整段路上，车不断地发出轰鸣，其中夹杂着咔咔的响声，车身抖个不停，不时熄火。他一边开一边骂，直到夜幕降临。

傍晚寒气逼人，他借助微弱的暮色，在乌利塞斯神父的日记里寻找内心的宁静。

如果把葡萄牙帝国比作一个人，那么举着金块的那只手就是安哥拉，而另一只揣在口袋里拨弄硬币的手则是圣多美。

在这里，神父引用了一个愤愤不平的商人的话。托马斯研究过乌利塞斯神父注定要经历的那段历史：神父踏上圣多美岛的时期处在“砂糖时代”和“可可时代”之间。十六世纪晚期，圣多美在蔗糖出口上独占鳌头，而到了二十世纪初的今天，它又成为可可豆首屈一指的产地。两度的繁盛之间绵延着长达三百年的低谷，仿佛一潭死水，充斥着贫穷、绝望与衰败。神父短暂的生命正遇上没落的开端。在那个时代，圣多美岛是一个几近废弃的种植园，它被争斗不休的统治阶级占据。他们为了自己的卑贱生计，不惜以他人的生命为代价，也就是说，通过奴隶贸易。岛上的白人为贩奴船提供补给——水、木材、番薯、玉米面、水果，同时也为了自身利益蓄奴，以种植产量微薄的甘蔗、棉花、米、姜和油棕榈。不过他们更多时候还是充当着奴隶贩子的角色。他们不敢奢望与安哥拉源源不断的农产品供给相抗衡，但他们跨过面前的几内亚湾就能到达盛产黑奴的贝宁湾。圣多美岛因此成为船只横跨大西洋之前的理想中转站，这条堪比地狱的航线后来被称为“中间通道”[1]，这个名字让托马斯联想到肠道。它同时也是

1 也称为“中间航程”，是十五世纪到十七世纪间“三角贸易”的中段。欧洲人把商品运到非洲西海岸交换奴隶，然后把奴隶运到美洲新大陆交换农产品与工业原材料，最后返回欧洲。

进入葡属巴西的完美后门，刚好可以满足殖民地对劳动力的无限渴求。就这样，成千上万的奴隶来到圣多美。“那只口袋里叮当作响的全是失落的非洲魂灵。”乌利塞斯神父评论道。

他搭乘贩奴船前往圣多美并非偶然。他主动要求成为奴隶的神父，负责拯救他们的灵魂。“我希望献身于卑微者中的最卑微者，那些被人类视为草芥却未被上帝遗忘的灵魂。”来到圣多美时，他这样解释自己刻不容缓的新使命：

> 一个半世纪以前，一批年龄在两岁到八岁之间的希伯来幼童被带上岛。这些有毒的种子发芽、生长，毒性蔓延到每一寸土壤，腐蚀那些掉以轻心的人。我的使命是双重的——既要把这些非洲的灵魂再次带回上帝身边，还要扯掉犹太人缠在他们身上的肮脏触须。我作为主的使者终日守候在码头，等待满载而归的贩奴船。船靠岸时，我登上甲板，为那些非洲人洗礼，向他们诵读《圣经》。你们都是上帝的孩子，我不知疲倦地向他们重复。我也在偶然间画下了那幅素描。

他虔诚而勤勉地履行职责，引导陌生人聆听一种陌生的语言，步入一种陌生的信仰。在日记的这个部分，乌利塞斯神父的口吻与那个时代典型的神父没有分别——对主笃信不疑，同时无知、自以为是。托马斯清楚，这一切终将改变。

他心绪难平，几番辗转才勉强入睡。他跟这辆车实在是不合，无论开车还是睡在车上，他都难以安宁。

早起他准备洗漱，却发现车厢里没有肥皂，也没有毛巾。和过去几天一样，他下了好一番功夫才把车启动。他驾车穿过一片平原，路两侧是单调的耕地，前方通往波尔图阿尔托。镇子比他想象中要大。虽然他的驾驶技术已经有了进步，但由此带来的镇定却被四面八方涌出的人潮吓跑了一大半。人们一边挥手，一边呼喊，纷纷靠近。一个年轻人在汽车一侧跟跑。“嗨！”他大喊。

“嗨！”托马斯大声回答。

“这台机器太神奇了！”

“谢谢！”

“你不停下来吗？”

“不停。”

“为什么？”

“我还要赶很远的路！”托马斯喊道。

这个年轻人走开了。另一个年轻人立刻接替了他的位置，兴致勃勃地扯着嗓门与托马斯对话。等到他放弃了，又有人顶上来。在穿过波尔图阿尔托的整段路上，托马斯一直在高声喊话，满足着在车旁跟跑的陌生人的好奇心。最终到达市郊时，他只想振臂高呼，庆祝自己终于能熟练操控这台机器，不过他的嗓子已经哑了。

车渐渐驶入开阔的乡间，他看了一眼变速杆。过去三天的路程不算短，这台机器的耐力也毋庸置疑——但蜗牛也很有耐力。驾驶的优势只有在高挡位才能体现出来，手册上关于这一点讲得很明确，伯父在里斯本也已亲身示范过。他在脑海里不断演练。要么放手一试，要么继续爬行。按照换挡流程，踩离合、松油门、将操纵杆拉到二挡。在这一系列操作中，他的目光始终没离开路面，也没有紧张到忘记呼吸。离合器踏板不住地抖动，仿佛在告诉他，自己已经完成了任务，他可以放心地松开脚。他照做了。与此同时，他脚下的油门踏板似乎在微微前倾，显得迫不及待。他重重踩下去。

这头巨兽跃至二挡，一路飞奔。路面在震耳欲聋的轰鸣声中飞逝在车轮下，他感觉不再是车在前行，而是大地从脚下被拽走，仿佛那种把桌布从摆满物品的桌上猛然抽走的危险戏法。大地以惊人的速度消失，似乎它也清楚，这种戏法只有以电光石火的速度才能奏效。之前他害怕开得太快，现在却害怕开得太慢，因为一旦二挡失灵，后果不仅仅是他撞上某根电线杆一命呜呼，整块脆弱如瓷器的大地也会与他同归于尽。在这种几近疯狂的状态下，他俨然是一只在茶托上叮咣乱颤的茶杯，眼中闪烁着骨瓷般的光芒。

他坐在座椅上纹丝不动，实际却风驰电掣。他亢奋地瞪着前方，内心却憧憬着静谧祥和的风景，像是他前一天见过的宁静葡萄园，或是乌利塞斯神父时常漫步的海滩——在那里，细小的浪花在他脚边纷然落下，仿佛抵达终点的朝圣者五体投地的拜伏。但神父的心里也有自己的苦恼，不是吗？正如托马斯今天在这台地狱般的机器里颤抖不止，乌利塞斯神父在日记里写下那些痛苦的感悟时，手也颤抖不已吧。

神父对于圣多美的美好幻想很快破灭了。对他来说，岛上的自然环境比安哥拉好不了多少。同样的连绵阵雨和持续高温滋养了蔓生的植被。这里的雨季暴雨如注，雨水的间歇是令人窒息的潮湿暑热，两者都让他不胜其苦；到了旱季，滚烫的热浪挟着地面上挤得出水的雾气，同样让他叫苦不迭。他对这种桑拿房一样的天气厌恶至极：“它让绿叶歌唱，让人类死亡。”除此之外，岛上生活充斥着种种不快：制糖厂的恶臭、糟糕的食物、肆虐的蚂蚁、大如樱桃核的虱子，还有他的左手拇指上感染的伤口。

他谈到一种“混血的沉默”，一种小岛的湿热与岛上不幸居民之间的结合。这种混血的沉默无处不在。奴隶们精神萎靡，做什么都需要有人逼迫，就算干起活来也一言不发。至于那些注定在圣多美度过余生的欧洲监工，他们的命令往往简短而缺乏耐心，奴隶即使听清了也多半不会立刻执行，话音落下又是深深的沉默。奴隶在种植园里从日出工作到日落，没有歌唱，甚至没有对话，中午有一个小时吃饭、休息，沉默变得更加难以回避。一天的劳作结束后是无言的晚餐、独处，然后是辗转难眠。圣多美的夜晚比白天更喧闹，那是昆虫的狂欢。日出之后一切周而复始，沉默依旧。

滋养这种沉默的是两种情绪：绝望与愤怒。或者，借用乌利塞斯神父的话，是“黑色的深渊与红色的烈焰”。（托马斯对这两者是多么熟悉！）他和岛上神父的关系日趋紧张。他从未透露自己的不满源自何处。无论出于何种原因，结果都很明确：他和所有人都越来越疏远。在日记里，有关他和欧洲同胞之间往来的记述越来越少。除此之外，他还能和谁交流？社会地位、语言和文化的障碍使得白人与奴隶之间的友好往来困难重重，哪怕这个白人是位神父。奴隶来了又走，与欧洲人的沟通仅限于他们瞪大的眼睛。至于本地土著，他们都是获得自由的奴隶或者白人与黑人的混血儿，有求于白人时总是战战兢兢。和白人交易，为他们工作，然后从他们视野里消失——这是最佳的策略。乌利塞斯神父伤感地写道：

> 土著的小屋一夜之间就消失了，空虚如涟漪一般在白人身边漾开，将他们孤立。我也不例外。我是一个在非洲的孤独的白人。

托马斯停下车，仰头望了望天。下午的天气已经转凉，层云蔽日，不再适宜驾驶。他决定今天到此为止，应当适时钻进貂皮大衣。

第二天沿途人烟稀少，直到科索。那里有一座横跨索拉亚河的小桥，狭窄的桥身下一群白鹭和苍鹭静静地伫立水中，汽车靠近时才惊觉飞起。他欣喜地望见一片橘子树林，那是晦暗天空下仅有的一抹亮色。他盼望太阳能探出头来，因为只有阳光才能造就风景，只有阳光才能让色彩浮现，让轮廓凸显，让生机勃发。

他在一座名为蓬蒂-德索尔的小镇外停了车，走路进城。步行让他身心舒畅。他大步流星地倒着走，几乎已经连蹦带跳。

不过，他身上怎么这么痒？他忍不住挠着头皮、脸和胸口。原来是身体急需洗澡了。他的腋下已经散发出异味，下体也一样。

他进了城。人们盯着他，惊讶于他走路的方式。他找到一间药店，希望能买到汽油——伯父叮嘱过他，要尽可能多地补给。他询问柜台前的男人有没有汽油。他接连换了几种名称，那个不苟言笑的人才点了点头，从货架上取下一只小玻璃瓶，看样子还不足半升。

“还有吗？”托马斯问。

药剂师转过身，又取下两瓶。

“我还想多买些，谢谢。”

“没有了。这是我全部的存货。”

托马斯心里一凉。按照这种补给量，他需要扫荡蓬蒂－德索尔和葡萄牙高山区之间所有的药店。

“好吧，那我就买三瓶。”他说。

药剂师把汽油瓶拿到收银台前。付款的手续一切如常，那人的举止却有点儿古怪。他用一张报纸将那三个瓶子裹好，然后，当另外两个人进店时，他匆忙把包裹塞给托马斯。托马斯注意到那人正死死盯着他，觉得浑身不自在，不禁挠了挠头。“有问题吗？”他问。

“没，没问题。”药剂师回答。

托马斯一头雾水，却也没再说什么。他出了药店，在城里转了一圈，记住之后的行车路线。

一小时后他驱车回到蓬蒂－德索尔，一切都不对劲了。他完全迷失了方向。他在城里兜的圈子越多，就越引人注目。每个拐弯处都有一大群人围观。在一个急转弯处，当他手忙脚乱地转动方向盘时，车再次熄火。

人们潮水般涌来，将他团团围住。有人好奇，有人恼怒。

众目睽睽之下，他仍然镇定地启动了引擎。他甚至感觉可以调到一挡。不过，当他面对方向盘时，却不知道该往哪边打。熄火之前，为了迎合前方急转弯的刁钻角度，他接连打了好几次方向盘。他努力用逻辑分析——这边，还是那边？——但他怎么也无法确定。他注意到紧挨着汽车头灯的人行道上站着个胖男人，约莫五十岁。他穿得比其他人都好。托马斯探出身子，压过引擎的轰鸣朝他大喊："劳驾，先生，求您帮个忙！我的机器出问题了，这个问题很复杂，我不想麻烦您。不过您可不可以告诉我，那个轮子，就是您面前的那个，在转吗？"

那人后退一步，低头看看车轮。托马斯握紧方向盘向一侧转动。在车静止时，这个动作十分费力。

"现在，"托马斯高喊道，"它转了吗？"

那人一脸困惑。"转？没有。如果轮子转起来的话，你的车就动了。"

"我的意思是，它向反方向转了吗？"

那人望向车的尾部。"反方向？不，没有，车也没有往反方向移动。它根本没有动。"

围观的人纷纷点头。

"对不起，是我没说清楚。我不是在问轮子本身有没有像马车轮子那样转，我想问的是，它有没有——”他努力搜寻合适的词，“它有没有踮着脚尖旋转，像芭蕾舞演员那样？”

那人迟疑地盯着车轮，然后看了看左右的人，但他们都不愿擅下结论。

托马斯再次猛打方向盘。“轮子动了吗？难道一点儿也没动吗？”他喊道。

那人高声回应，人群中也响起不少附和声：“动了！动了！我看见了。轮子动了！”

一个声音喊道：“你的问题解决了！”

人群中爆发出欢呼和掌声。托马斯希望他们全都消失。他的帮手——那个胖子，得意地重复道：“动了，比上一次动得多。”

托马斯招手让他靠近。那人只是侧身挪了一小步。

“太好了，太好了，”托马斯说，“非常感谢您的帮助。”

那人矜持地眨了一下眼，然后点点头，动作轻微得难以察觉。假如在他的光头上打一个生鸡蛋，此时蛋黄也只会微微晃动。

“还请您告诉我，”托马斯身体前倾，一字一顿地继续问，“轮子往哪边转了？”

“哪边？”那人重复道。

“是的。轮子是往左转还是往右转的？”

那人低下头，很明显地咽了咽口水。人们都在等待他的回答，一种凝重的沉默在人群中蔓延。

“往左还是往右？”托马斯再次问道。他朝那人又靠近了一些，试图和对方拉近关系。

蛋黄晃了晃。这个瞬间，整个小镇都屏住呼吸。

“我不知道！”最终那个胖子尖声哭了起来，蛋黄洒落一地。他拨开人群，撒腿就跑。望着这位小镇名人迈着罗圈腿，笨拙地沿街跑远，托马斯不禁目瞪口呆。他就这样失去了唯一的盟友。

一个人开口说：“有可能是往左，也有可能是往右。说不清楚。”

旁人纷纷低声附和。现在，人们看样子冷静下来了，最初的好奇心渐渐变为焦躁不安。他的脚已经松开了油门，引擎也熄了火 。他跳下车，把启动摇柄转起来。他恳求聚在车前的人们：“请听我说！这台机器会动，它会跳起来的！为了你们的孩子，也为了你们自己，请大家让开！求求你们。这是最危险的机器。请后退！”

旁边一个人低声提醒他：“啊，德梅特里奥和他妈来了。她可不是好惹的。”

“德梅特里奥是谁？”托马斯问。

“他是镇上的傻子。不过他妈把他打扮得可漂亮了。”

托马斯沿街望去，那位小镇名人又回来了。他还在哭，脸上挂满了亮晶晶的泪珠。在他前面连拉带拽的是一个非常矮小的女人，身着一袭黑衣。她手里握着一支木棒，两眼死死地盯着托马斯。她把儿子的手臂拽得笔直，就像一条小狗迫不及待地扯着不紧不慢的主人。托马斯回到驾驶座，慌乱地开始操作。

他小心地调整，确保车不会猛地前冲。他踩下踏板，车发出一阵低吼，但车身只是微微前倾，仿佛一块积蓄力量的巨石——它脚下起固定作用的小石子已经被移开，但它暂时还未滚下山坡，摧毁山下的村庄。人们倒吸一口凉气，顿时退后几步。他用力踩下油门。他准备孤注一掷，往直觉的方向把方向盘打到底，希望能够蒙对。就在这时，他惊奇地发现方向盘竟然自己转起来，而且还转向了正确的方向，车开始缓慢前行，顺利拐过路口。要不是木棒敲击金属的巨响将他惊醒，他还会继续惊叹于眼前的奇迹。

“你竟敢戏弄我的儿子？”那位护蛋母鸡般的母亲怒喝道。她刚才势不可当地一棒砸下来，车的一只头灯无疑已经报废。他吓得头皮一紧——这可是伯父的心头肉啊！“我要找只羊，把你闷死在它屁眼里！”

车缓缓前移，正好把引擎罩送到这位暴怒的母亲面前。她手起棒落，伴着一声巨响，引擎罩上出现一个凹坑。托马斯想用力踩油门，但是旁边还挤着很多人。“我求求你，请别砸了！”他大叫。

现在侧灯进入了她的火力范围。又一次挥棒。伴着玻璃的碎裂声，侧灯被砸飞了。那个疯婆子的儿子还在没完没了地哀号，她再一次举起木棒。

“我要拿你喂狗，然后再把那条狗吃了！”她尖叫道。

托马斯赶紧踩下油门。那个女人险些打中后视镜，她的木棒顺势砸向车厢侧门的窗户。伴着发动机的一声咆哮，他和受伤的车一同往前跃起，逃离了蓬蒂－德索尔。

开出几公里后，他在一丛灌木旁停下来。他跳下车，检查汽车的伤痕，然后清理了车厢里的碎玻璃。要是伯父知道他的顶尖藏品落得如此下场，一定会大发雷霆。

前方就是罗斯马尼尼亚尔。这不是他曾暗自嘲笑过的偏僻村庄吗？罗斯马尼尼亚尔，你对我毫无威胁，他曾如此自信。现在它会让他为自己的傲慢埋单吗？他决定今晚继续在车里过夜。这次，他在伯父的大衣上面添了一条毯子。他从木箱里取出珍贵的日记，随意翻开一页。

阳光无法给予我慰藉，睡眠也毫无裨益。食物不再让我满足，人类的陪伴亦是徒劳。即便是最简单的呼吸，也在透支我心中所剩无几的乐观。

托马斯深吸一口气，体验着乌利塞斯神父无法找到的乐观。奇怪的是，这本写满痛苦的日记竟能让他如此快乐。可怜的乌利塞斯神父。初到圣多美时他曾满怀希望。在他的心力被疾病、孤独和迷茫耗尽之前，他的大多数时间都花在漫步与观察上。想来这些漫步只是为了排解内心的绝望——在绝望中行走，总好过和绝望一同关进酷热的小屋。所有的见闻，他都一一记录。

今天有个奴隶打着手势问我，我的皮鞋是不是用某个非洲人的皮制成的。它们和人皮一个颜色。那个人是不是被吃掉了？他的骨头是不是被磨成了有用的粉末？有些非洲人相信我们欧洲人是食人族。这种错觉源自他们对我们真实目的的质疑：难道他们被奴役只是为了种地？在他们眼中，一个人的物质生活——也就是我们所说的谋生——不需要特别辛苦的劳作。在热带经营一座菜园费不了多少人力和时间。狩猎虽然难度大一些，但那是一项饶有乐趣的团队活动，即使多出些力气也无人抱怨。如果白人不是出于种地以外的目的，他们为什么要抓那么多人？我向那个奴隶保证，我的皮鞋不是用他同胞的皮制成的。不知我的话是否令他信服。

当年困扰奴隶和乌利塞斯神父的问题，现在托马斯都一清二楚：蓄奴是因为巴西甘蔗田以及之后的北美棉花地对于劳动力的无尽渴求。如果仅仅为了自身的生存，一个男人或者女人不必起早贪黑，但是殖民体系中的齿轮必须不停地转动。

无论他们来自哪片地域、哪个部落，奴隶们很快陷入相同的阴郁状态。他们变得麻木、消极、冷漠。看守越是急于改变他们的态度，越是随心所欲地挥舞皮鞭，那种情绪就越是根深蒂固。在奴隶们各种绝望的表现当中，最让我惊讶的是食土。他们像狗一样刨土，团出一个圆球，丢进嘴里，咀嚼，吞咽。我无法判断，吞食上帝创造的土壤是否违背了祂的旨意。

托马斯转过头，望着四围渐渐没入黑夜的田野。在一片土地上凄惨度日，然后再吃了它？之后乌利塞斯神父写到，他也亲自尝过。

> 黑暗在我体内迸发，化作让灵魂窒息的水藻。我缓慢地咀嚼。味道并不坏，只是牙齿有些不适。还要多久，上帝啊，还要多久？我很难受，但从旁人眼中我看得出，实际的状况其实更糟。走路进城太累了。于是我去了海湾，朝着无垠的海面眺望。

踏上非洲大陆的欧洲人在各种疾病面前举步维艰：疟疾、痢疾、呼吸道疾病、心脏病、贫血、肝炎、麻风病、梅毒，还有其他杂症，再加上营养不良。无论折磨乌利塞斯神父的是其中哪一种，它必然在缓慢而残酷地夺走他的生命。

在托马斯坠入梦乡之际，他想起了自己的儿子。有些日子里，借着去伯父家做客的机会，他在天黑之后溜进用人宿舍中多拉的房间。在忙碌一天之后，她往往已经睡了。他便把熟睡中的加斯帕尔抱起来，揽入怀中。让他惊叹的是，两个人都不曾从睡梦中惊醒。他抱着儿子柔软的身体，轻声哼着歌，多少盼望着他能够醒来，父子一同玩耍。

第二天一早，他在头顶和胸口的奇痒中醒来。他站起身，从上到下仔仔细细挠了一遍，指甲缝里积了好几层黑泥。他已经五天没洗澡了。必须尽快找一间旅店、一张舒服的床，泡个热水澡。他想起自己必须穿过的下一座村庄，那个他曾嘲笑过的对象。正是出于对罗斯马尼尼亚尔村的恐惧，他鼓起勇气尝试了三挡——伯父所谓“汽车机械设计上的巅峰”。车刚启动，他就推进到二挡。他横下心不再犹豫，再次手脚并用，把变速杆一把推到从未触及的挡位。仪表盘上的刻度表闪烁着，似乎不敢相信他的决断。整辆车成为速度的化身。车到三挡，发动机内部的火苗骤起，引擎外壳上仿佛也腾起烈焰，汽车如同一颗流星轰鸣着划过乡间。意外的是，三挡居然比二挡还安静，似乎连声音也跟不上机器的速度。驾驶室两侧疾风呼啸，车速快得难以想象，路旁的电线杆接连掠过，彼此间近得像梳子的齿。电线杆后方的景色在视野中变得模糊，如一群惊慌失措的鱼在他眼前一闪而过。在这片被高速虚化的土地上，托马斯只注意得到车身的轰鸣和零件之间咔嗒咔嗒的撞击声，以及前方的路——它诱惑着他，让他产生幻觉，似乎它是鱼线，而他是上钩的鱼。尽管身处开阔的乡野，他的意识告诉他，或许他正在穿过一条隧道。他被这片喧嚣裹挟着，眼前一阵恍惚，心里却惦记起车的润滑。他想象着引擎的一个小零件慢慢变干、温度升高、迸出火焰，然后整辆车炸成一个七色火球，汽油中绽放出蓝色、橙色和红色的光芒。

没有一个零件起火。车只是叮咣响着，怒吼着，以令人生畏的食欲吞噬着眼前的路。罗斯马尼尼亚尔的村民充满敌意也好，友善好客也好，他一个也没见到。小村在车两侧掠过，眨眼间就消失了。他看见一个人影——是男人，还是女人？那人转身望向汽车，然后摔倒在地。

从罗斯马尼尼亚尔开出几公里后，前方出现一辆同向的驿马车。伯父曾警告过他要避开这种马车，是吧？托马斯放慢速度，准备远远地跟着，直到出现岔路或者等马车自己拐弯。但这条孤零零的乡间小路很快耗尽了他的耐心。小步慢跑的四匹马根本无法与他车内三十四狂奔的良驹相提并论。

他踩下油门。车清了清嗓子，一声咳嗽，然后车身一颤，以勇往直前的气势抓地前冲。他感觉双手被拽向前方，头却不由自主地向后仰。汽车与马车之间的距离逐渐缩短。他看见一个脑袋从马车车顶探出来。那人向他挥手。不一会儿，这辆一直靠右行驶的马车移动到路中央。他们的行驶路线如此飘忽不定，所以伯父才提醒他当心马车吗？他宁可相信这个动作是出于礼貌，马车让到一旁是想让他通过，就像进门时绅士总会请女士先行一样。那人挥动的手臂让他对这一猜测更为笃定。他加快速度，驶向马车右侧，与之并行。车身的每个零件都在抖动。马车上的乘客一面随着车厢前后左右剧烈摇晃，一面紧握窗框，伸长脖子看着他。他们瞪大眼睛，脸上写满了各种表情：好奇、惊讶、恐惧、厌恶。

两名马车夫进入他的视野，他们可以说是他的同行。他松开油门。马车夫和他将相互致意，就像在海上相遇的船长。调查过程中，他曾在多位船长的航海日志里读到过类似的记述。马车和汽车前后左右颠簸的方式与航海颇有几分类似。他举起一只手，准备挥手，嘴角露出一缕微笑。

他抬头看了一眼马车夫，不由得大吃一惊。与神态各异的乘客不同，车夫的表情只有一种：咬牙切齿。刚才转身向他挥手的那人（难道他其实是在挥舞拳头？）正像狗一样向他咆哮，似乎随时会从座位上一跃而起，跳上他的车。赶车那人看上去火气更旺。他的脸涨得通红，嘴里骂骂咧咧。他扬起长鞭，催马向前。鞭子腾在半空，蛇一样蜷起身子，继而伸展、下落，劈出一声尖厉刺耳的脆响，活像一声枪响。直到此刻，托马斯才意识到，那几匹马已经被逼到了极限，这才能踏出雷鸣般的蹄声。他感觉大地在马蹄下震颤，纵然有橡胶轮胎和悬挂弹簧的双重缓冲，马群不可思议的力量依然把他的骨架震得咯咯作响，令他望而生畏。与此同时，他正在缓慢地超越马车，仿佛行人从老者身旁经过，还能气定神闲地掀起帽檐问声好。但在旁人看来，他和马车正以不可思议的速度破风而行，相当于那位老者与行人并排走在两辆飞驰的特快列车上。

当他心无旁骛地专注于驾驶时，他身处自己寂静的一方天地，与世隔绝。现在这层寂静瞬间粉碎，他顿时身陷各种声响的包围：狂奔的马匹鼓点般的蹄声、马车摇晃发出的刺耳咯吱声、车夫的怒喝、惊恐的乘客不安的尖叫、马鞭的厉响，还有汽车的咆哮。他竭尽全力踩下油门。车加速冲刺，但只是缓步超过马车。

一声尖厉的金属声响穿透各种噪声，刺入他的耳膜。赶车人把鞭子从马身上收回，转而抽向汽车的车顶。托马斯痛苦地皱紧眉头，仿佛鞭子抽在他背上。赶车人的副手高举双手，他的头顶上是一只带金属箍的木箱。箱子看上去很沉。他把箱子掷向汽车，它像炸弹一样砸中车顶，紧接着是箱子和里面的物品滑离车顶的刮蹭声。拉车的马距离托马斯不到一米，它们踢起一团沙暴，嘴角甩下大团的白沫，眼球凸起，充满惊恐。马身越贴越近。车夫正赶着它们撞向汽车！我的死期到了，托马斯想。

汽车达到最高时速时，马匹放弃了。汽车坚定地向前冲刺。托马斯稳住方向盘，把车移向道路中央，几乎蹭到右侧领头的马。他在后视镜里看见那匹马被迫扬起头，这才堪堪避过车尾。

他突围成功的瞬间，那群已经精疲力尽的马蹒跚着停下了脚步。车夫冲着他的背影不依不饶地高声咒骂。在后视镜里，他看见乘客挤出马车，和车夫互相指手画脚地争吵起来。

他被这场冲突折腾得身心俱疲，急需停车休整，无奈追兵在后，只得继续前行。他驾着自己不幸的小船越开越远，注意力又回到眼前的路上。他惊魂未定，内心如风暴中的大海。与此同时，身上的奇痒又让他苦不堪言。

他盘点起自己的进度。出门几天了？他一边回想一边计数。一、二、三、四——四个晚上。预计的十天已经过去了五天四夜。只有十天。他甚至还没走出里巴特茹省，不到四分之一的路程。当初怎么会奢望能在短短几天内完成他的壮举？太可笑了。伯父关于魔毯的比方让他昏了头。古代艺术博物馆的馆长不会容忍他迟迟不归。只要他晚回一天，就会被解雇，毫无商量的余地。那就是他赖以生存的职场，自己不过是一枚可有可无的齿轮。他与馆长、藏品管理员以及其他博物馆主管之间的关系并不比乌利塞斯神父与主教和岛上神父的关系好多少。同事们从不一同用餐，只是漠然独处，这样的工作氛围怎能让人愉悦？有时他觉得，乌利塞斯神父在圣多美经历的每一种苦难，在他的博物馆生涯里都能找到。同样单调乏味。同样充满孤独感的工作，却不时被同事间的紧张关系打扰。同样的身体不适——于他而言，是终日置身于潮湿生霉的地下储藏室或者窒热多灰的阁楼。同样让人喘不过气的悲惨境遇。同样挣扎着寻找世事的意义。

我常在种植园中邂逅小小的神龛，它们总是搭建在偏僻的角落。神龛由木材或烤制过的泥土草草搭就，周围散落着贝壳和腐烂的水果。如果它们被毁了（做这件事的人不是我），它们又会在别处冒出来。这些神龛让我欣慰。奴隶们在原来的村庄里曾从事各种手工艺活动，但在这里，他们囿于田间劳作。没有金工，没有木工，没有编篮，没有饰品制作，没有裁缝，没有人体彩绘，没有歌唱，什么也没有。在这座草木疯长的绿色岛屿上，他们像骡子一样夜以继日地劳作。只有在这些神龛上，我才能依稀看到他们过去的影子，那种对于人世幻象的向往。

托马斯陷入了自我怀疑。他的追索是否也是一种“对于人世幻象的向往”？他想象着，加斯帕尔会对乌利塞斯神父的礼物感兴趣，他毕竟还是个天真好奇的孩子，但多拉可能无法理解他。虽然只是在追寻事实真相，他却在做一件会让她不悦的事。

这个念头始终折磨着他。但那件珍宝确确实实存在！他不过是把一件存世之物公之于众。他在心里默默向多拉乞求，乞求她的谅解。它将使所有造物升华，我亲爱的。不，不，不会对神有所亵渎。但他知道多拉不会相信他，他是争不过她的。他仍然不敢停车，只能一边驾驶，一边泪流满面。

在阿塔拉亚村外，他终于停下车。他站在挡泥板上检查车顶的损伤。眼前的景象令人沮丧。飞来的木箱在车顶砸出了一个大坑。车夫手中那条娴熟挥舞的马鞭的破坏力也毫不逊色。车顶明亮的酒红色油漆已是伤痕累累。大块的漆皮几近脱落。他检视车厢内部，顶篷的松木框架已经开裂凸起，像是折断的骨头。

他步行进入阿塔拉亚，希望能找到汽油。他寻到一间小杂货铺。当他把汽油的各种叫法都试过一遍之后，店主才点了点头，取出一只小瓶子。他问还有没有。店主显得很惊讶。这有什么可大惊小怪的！就凭这几瓶燃料，汽车可跑不起来，它可是不知满足的魔鬼。他买下了她的全部存货——两瓶。

当他回到停车地点，把沿途搜集的汽油喂给这头饥饿的巨兽时，他无意中瞄了一眼空瓶上的标签，不禁吓了一跳。专治虱子和跳蚤的杀虫剂！保证毫不留情地杀死所有寄生虫和它们的卵——标签上如此宣称。剂量不限。请勿吞服。切勿靠近火焰。

这样一种污秽的液体，店主和药剂师怎么就不问问他为何需要那么多？他当作燃料购买，他们却当作杀虫剂售卖。他们以为他是一场寄生虫聚成的龙卷风，他的头顶是欢快起舞的虱子、跳蚤及其同类的国度。难怪他们从不正眼瞧他。他愣住了。显然如此。显然如此。除此之外再没有别的解释。店主和药剂师猜得没错。他浑身奇痒，痒到几近癫狂，恰恰因为他就是一场寄生虫聚成的龙卷风，他的头顶就是欢快起舞的虱子、跳蚤及其同类的国度。

他看了看另一只手。他正在倾倒的那只瓶子已经见底了。这是最后一瓶。他原本有多少？差不多十五瓶。旅途伊始，车厢里就装了好些汽油瓶，它们堆在油桶旁边，一路咣当作响。现在他一瓶也没了，多一瓶也找不到。他抠住油箱小小的圆形开口，好像可以将它拉开似的。他做不到。一只装满汽油的浴缸能让他从当下的折磨中解脱出来，但在痛苦与解脱之间还隔着一道窄门，它死死紧闭。

他想知道，是谁碰过他？是谁碰过他的衣服？是谁把寄生虫传染给他的？他一定是在波沃阿－德圣伊里亚或者蓬蒂－德索尔被传染的。在那两地他都蹭到了别人的肩膀。为了把汽车从围观的人群中拯救出来，他还是贴着人们的身体蹭过去的。

他把自己从上到下疯狂地挠了一遍。

天空变得阴沉。雨点落下来，他钻进车内避雨。挡风玻璃上的雨水汇成变幻的条纹，模糊了他的视线。雨越下越大，直至暴雨倾盆，他这才想起伯父从没提过汽车在雨中的性能。他不敢冒雨驾驶，决定等到雨停。

黄昏与黑夜相继浮现，形如瘴气。睡梦中几辆马车从四面八方朝他飞驰而来。他浑身冰冷。他的脚从驾驶室的边缘伸出车外，被雨浇得透湿。浑身的瘙痒也不时让他醒来。

到了早晨，雨依旧下个不停。天太冷了，他可不想在雨里洗澡，只能打湿双手擦了把脸。唯一的宽慰来自乌利塞斯神父在岛上经受的苦雨。那里暴雨如注，日夜不息，简直让人精神错乱。相形之下，这场温和的欧陆细雨算得了什么？

这条荒凉的小道只有农夫偶尔经过，他们无一例外地停下脚步，和他聊上几句。有些人沿路走来，要么独行，要么牵着一头驴；其他人则穿过农田走来，他们是正在巡视自己小小领地的农场主。每个人似乎都对打在身上的雨点毫不在意。

农夫一个接一个，反应如出一辙。他们察看车轮，觉得它们精致小巧。他们端详后视镜，觉得它们妙不可言。他们打量控制台，觉得它令人生畏。他们凝视引擎，觉得它高深莫测。每个人都认为这辆汽车是个奇迹。

唯一例外的是一个牧羊人。他看起来对这个新鲜玩意儿并不感冒。“我能在你旁边坐一会儿吗？”他问，“我淋湿了，很冷。”

他的羊已经把汽车团团围住，外面有一条小个儿的牧羊犬围着羊群绕圈，一边汪汪直吠。羊群的咩咩声绵延不绝，让人坐立不安。托马斯向那人点了点头。他绕到车的另一侧，爬进驾驶室，在托马斯身旁坐下来。

托马斯期待他开口说话，但那个古板的老头两眼直视前方，一言不发。时间一分一秒地过去。沙沙的雨声连绵不断，羊在叫，狗在吠，沉默分外鲜明。

最后还是托马斯先开口。“我来告诉你我为什么旅行。这段路非常艰苦。我在寻找一件失落的珍宝。我花了一年时间确定它可能的方位。现在我知道了，或者说我就快知道了。我已经很接近了。一旦找到，我会把它带回里斯本的国家古代艺术博物馆，其实它配得上巴黎或者伦敦的一流博物馆。我说的这件东西，它——嗯，我不能告诉你它是什么，但它是一件惊世之物。它会让人瞠目结舌。它会让观者哗然。有了这件东西，上帝会为他对我挚爱之人的所作所为付出代价。”

乡下老头唯一的反应不过是看了他一眼，然后点点头。除此之外，似乎只有羊群听懂了他心血来潮的自白，齐声发出一波“唉——”的叹息。这群羊可不是童话里乳白色的蓬松云朵。这些家伙长着瘦骨嶙峋的脸、凸起的眼球，身上的羊毛坑坑洼洼，屁股上沾满了粪便。

“跟我说说，”他问牧羊人，“你对动物怎么看？”

那个牧羊人又看了他一眼，不过这次他开口了。“什么动物？”

“嗯，比如这些动物，”托马斯回答，“你怎么看你的羊？”

那人一字一顿地说：“我靠它们过日子。”

托马斯沉吟了片刻。“是的，靠它们过日子。你的话很深刻。要是没有你的羊，你就过不了日子，你就得死。这种依赖性创造了某种平等，对吗？不限于你个人，而是对整体而言。在你和羊的组合里，你们位于跷跷板的两端，中间某处有个支点。你必须保持平衡。在这个意义上，我们并不比它们更强。”

那人对他的话无动于衷。这时托马斯身上忽然一阵奇痒。现在瘙痒已经遍布全身。“对不起，我有些事情要处理。”他对牧羊人说。他沿着车侧的踏板移进车厢。在车厢里，透过宽敞的前窗，牧羊人的后脑勺清晰可见。托马斯在沙发上辗转翻滚，用指甲冲着折磨他的小恶魔们一阵乱挠，以压制瘙痒。强烈的满足感随之而来。牧羊人没有回头看一眼。

为了遮风避雨，他挂起一张毯子挡住破碎的侧窗，并用车门把它夹紧。雨水敲落在车顶，化作单调的鼓点。他拨开零乱的装备，在皮沙发上为自己辟出一块容身之所，然后用另一条毯子把自己裹好，紧紧蜷起身子……

他蓦地惊醒。他不知自己睡了五分钟还是五十五分钟。雨依然在下，牧羊人已不见了踪影。他透过雨痕密布的车窗望出去，看见前方路上一团隐约的灰影——那群绵羊。他打开车门，站上踏板。牧羊人在羊群中间，仿佛行走在云端。狗仍旧绕着羊群奔跑，不过托马斯已经听不见它的叫声。羊群沿路远去，从路旁拥入一条去往乡间的岔道。

托马斯透过雨帘看着羊群渐渐变小。就在它们即将消失在一道山脊背后时，那个已经缩小成一个黑点的牧羊人停下脚步，转过身来。他是在寻找某只走散的羊，还是在看他？托马斯使劲挥手。他也不知道那人是否注意到他的告别。黑点消失了。

他回到驾驶室。副驾驶座上放着一只小包裹。拆开包裹，里面有一块面包、一块白色乳酪和一小罐封好的蜂蜜。这是圣诞礼物吗？圣诞节是哪天？还有四天吗？他意识到自己已经记不清日期。无论如何，这是牧羊人的馈赠。他深受感动。于是他大快朵颐。太美味了！他不记得何时曾享用过如此可口的面包，如此美味的奶酪，如此香甜的蜂蜜。

雨停了，天空渐渐转晴。在等待冬日的阳光烘干路面的工夫，他给车上了机油。然后他迫不及待地上路了。路过小镇阿雷什时，他步行进了城。运气不错，他找到一间像样的药店。

“你的存货我全要了。我那几匹马身上全是虱子。”柜台后的男人拿出常见的小瓶汽油时，托马斯对他说。

“你可以去问问伊波利托，那个铁匠。”药剂师说。

“他怎么会有这种东西？”

“我猜是马给他带来了生意，包括那些身上爬满虱子的马。你的脚怎么了？”

“我的脚？”

“是的。出什么问题了？”

“我的脚没问题。为什么这么问？”

“我看见你是怎么走路的。”

“我的脚非常健康。”

托马斯迈着那双非常健康的脚，倒着穿过小镇，在一条小巷里找到伊波利托的铁匠铺。他惊喜地发现这位铁匠居然有一只巨大的汽油桶。托马斯高兴得简直要晕过去了。这些库存不仅足够喂饱他的汽车，还能抚慰他饱受蹂躏的身体。

“兄弟，我需要很多。我有十二匹马，它们身上全是虱子。”

“哦，你不能把这玩意儿用在马身上，会伤到它们的。它对皮肤的腐蚀很厉害。你需要一种兑水的粉末。”

“那你怎么会有这么多汽油？拿来干什么？”

“给汽车用的。那是一种新式机器。”

“太棒了！我就有一辆，而且正好需要加油了。”

“你刚才怎么不说？”那个乡下人乐呵呵地说。

“我一心惦记着我的马。那些可怜的牲口。”

托马斯对那十二匹受苦的马的真挚关爱令铁匠伊波利托大为感动。他耐心细致地讲解：如何用热水冲兑去虱粉，仅须涂抹患处，晾干之后再小心梳理、清除虱子。从头部开始，往后往下梳遍全身。这是个很费时的活儿，但爱马之人理当如此。

“把你的马牵来，我帮你处理。”伊波利托出于相同的爱马之心，不由得脱口而出。

“我不住在附近。我是开车来的。”

“看来你为了这种错误的药跑了很长一段路。我就有这种粉末。你刚才说十二匹马？六筒应该够了，八筒保险一点儿。你还需要梳洗的工具，保证品质上佳。”

“谢谢。我真是松了口气。你卖汽油多久了？”

“差不多六个月。”

“生意好吗？”

“你是我的第一个顾客！我这辈子还没见过汽车呢。不过别人跟我说，它是马车的未来。我可是个精明的生意人，说真的。我懂得经商之道。与时俱进非常重要。没人想买过时的东西。你需要成为第一个传播消息、展示商品的人。这是垄断市场的诀窍。”

“你是怎么把这一大桶汽油搬来的？”

"用马车运来的。"

听到这个词，托马斯心里一颤。

"不过你懂的，"伊波利托补充道，"我没告诉他们这是给汽车用的。我说是用来给马匹除虱的。他们对汽车的态度很奇怪，那帮赶车的。"

"是吗？快有马车来了吗？"

"哦，大概再过一个小时。"

托马斯撒腿朝他的车跑去，他是面朝前跑的。

他挟着银行劫匪的气势，在轰鸣声中开着伯父的雷诺回到铁匠铺。面对托马斯带来的这台躁动吵闹的机器，伊波利托又惊又喜，同时难掩惧色。

"这就是汽车？真是个吵死人的大家伙！我得说，这是一种美丽的丑陋。让我想起了我老婆。"伊波利托大声说。

托马斯熄了火。"我完全同意——我指的是汽车的部分。老实说，我觉得它是一种丑陋的丑陋。"

"嗯，也许你是对的。"铁匠陷入了沉思，大概在思考汽车将怎样毁掉他的生意和生活方式。他皱起了眉头。"好吧，生意归生意。汽油从哪儿灌进去？指给我看看。"

托马斯急切地伸出手指。"这里，这里，这里，还有这里。"

他让伊波利托灌满了油箱、油桶和所有装除虫剂的玻璃瓶。他焦急地盯着那些瓶子，迫不及待想举起一瓶把自己全身浇透。

托马斯付了油钱，又要了八筒马用去虱粉和品质上佳的梳洗套装。“欢迎下次再来！”伊波利托高声喊道，“记住，逆着毛从后往前梳。从头开始，往后往下梳遍全身。可怜的牲口！”

“谢谢，谢谢！”托马斯一边加速离开一边高喊道。

出了阿雷什，他离开大路，拐上一条有路标的岔道，希望绕过人口密集的尼萨城。他相信，即使地图上小路的标志模糊不清，它也能指引他绕过尼萨，重返大路。拐进岔道不久，他又拐上另一条岔道，随后是下一条。路面每况愈下，到处都是石块。他用尽浑身解数穿行其间。与此同时，路面高低起伏如同汹涌的海浪，他的视线大大受阻。乌利塞斯神父乘船穿过广阔海域驶向岛屿时，也是这般情景吗？

在他徜徉于海面之际，小路彻底消失了。先前尚能辨认的平整路面被千篇一律、石块密布的荒野取代。小路仿佛一条注入三角洲的河流，将他放逐到无垠的海面。他继续前行，但最终耳边响起了理性的声音，敦促他原路折返。

他掉转车头，但各个方向看上去毫无分别。他糊涂了。四面都是同样的旷野，崎岖、干燥、寂静，目之所及只有银绿色的橄榄树和升腾在空中的大团白云。他迷路了，与世隔绝了。夜晚即将到来。

最终他停车过夜并不是因为迷路，而是出于另一个更为私密的理由：寄生虫大军向他的全身发动了总攻，他再也招架不住了。

他在一块高地上停了车，车头轻轻抵住一棵树。树木散发的馥郁芬芳弥漫在空气中，感觉分外温柔。周围没有一丝声响，没有虫鸣，没有鸟叫，没有风声。耳朵捕捉到的唯有他自己的声响。万籁俱寂，他的目光变得敏锐，那些傲立在寒冬石缝中的细弱野花格外夺目。粉红色、浅蓝色、红色、白色——他不知晓它们的品种，却深深为它们的美丽所打动。他深吸一口气。他完全可以想象这片土地曾是传奇的伊比利亚犀牛的最后栖息地。它们在此间漫步，自由而狂野。

无论他往哪个方向走，都不见一个人影。他一直希望等到一个没人的地方再解决他的问题，现在终于找到了。是时候了。他回到车前。没有一个人，没有一种生物，能够忍受这种奇痒。在用魔力药水扫荡敌人之前，他决定最后一次沉浸在恣意搔痒的畅快之中。

他将十根手指高高举起，指甲黑得发亮。随着一声战士般的怒吼，他投入了战斗。他的手指划过脑袋——头顶、头侧、后颈——然后是胡须浓密的脸和脖子。他的动作快速、猛烈、充满激情。我们为什么会在经历痛苦或快乐的时刻发出动物般的叫声？他不知道，但他发出了动物般的叫声，露出了动物般的表情。他喊道："啊啊啊啊啊！"然后是"哦哦哦哦哦！"他扔掉外套，解开纽扣，脱掉衬衫，扯下内衣。他向身上和腋下的敌人发起攻击。胯下是瘙痒的重灾区。他松开皮带，把裤子和内裤褪到脚踝处。他用力抓挠毛发茂盛的阴部，手指仿佛动物的爪子。他何时体验过如此的舒爽？他停手细细回味一阵，又重新开始。他一直挠到两条腿。指甲里有了血迹，没关系。但是那帮无赖又在他的股沟里重新集结，因为那里也毛发丛生。他浑身体毛密布。看着自己白皙的皮肤上冒出的一丛丛浓密的黑毛，这一向让他觉得极为难堪。多拉喜欢用指尖抚摸他的胸毛，这个动作总能给他安慰，若非如此，他只会对自己的体毛感到厌恶。他简直就是一只猿猴。因此，他非常重视理发，刮胡子也一丝不苟。平常他是个干净整洁的人，谦逊而内敛。但是此刻他被瘙痒逼疯了。他的脚踝被裤子绊着。他踢掉鞋，脱下袜子，拽下一只裤腿，然后是另一只。这下好多了，现在他可以抬腿了。他用两手一起攻击股沟，投入战斗：两只手左拍右打，两只脚交替跳跃，他发出动物般的嚎叫，露出动物般的表情，喊道："啊啊啊啊啊！"然后是"哦哦哦哦哦！"

在处理阴部时，他的两只手像蜂鸟的翅膀一样拍打，脸上挤出酷似猿猴的满足神情。就在这时，他看见了那个农夫。就在不远处，正盯着他，盯着这个在一辆没有马的怪异马车旁一丝不挂地蹦跳、疯狂地搔痒、发出动物般嚎叫的男人。托马斯当场僵住了。那人已经看了他多久？

这种时候还能怎么办？如何才能挽回颜面，拯救他最起码的尊严？他收起脸上野性的表情，站直身子，迅速弯腰捡起衣物，然后尽可能庄重地走向汽车，消失在车厢里。难以启齿的羞辱带来彻底的麻木。

太阳落山了，天空漆黑一片，黑暗与孤独重重压在他身上。而且，这场彻头彻尾、毫不留情、让人无处躲藏的羞辱并非祛除寄生虫的良药。他身上依然覆盖着骚动的昆虫部落，他几乎能听见它们的响动。他小心翼翼地推开车门，探出头，环顾四周。

没有人。农夫已经走了。托马斯点燃一截蜡烛。无论把蜡烛放在哪里，他都担心会损坏汽车的豪华内饰，于是他拔下一个汽油瓶的塞子，把点燃的蜡烛塞在瓶口。效果十分理想。车厢内一片温馨，仿佛一间迷你的客厅。

他走到车外，仍然一丝不挂。他取出一筒马用去虱粉和两瓶汽油。他要比伊波利托的建议更进一步。他要用汽油来混合去虱粉，而不是用水，这样药膏的杀伤力就能加倍。况且他也没水了。车厢水桶里的水一部分被他喝了，剩下的都喂了汽车。他只剩下一皮袋葡萄酒。他在锅里搅拌汽油和去虱粉，直到药膏不稠也不稀。这东西难闻极了。他用手指挑起来，开始往身上抹，疼得龇牙咧嘴。经过一场抓挠，他的皮肤变得异常娇嫩，药膏敷上去热辣辣的。不过一想到它带给寄生虫的致命打击，他就觉得值了。瓶上的标签写着：剂量不限。他欣然接受，毫不迟疑。敷完头脸之后，他开始抹腋下、前胸和肚皮，接着是腿脚。他在阴部抹了厚厚的一层。哪儿的药膏脱落了，他就补上双倍分量。到了屁股，他在汽车侧面的踏板上放了一大团药膏，然后一屁股坐上去，完工。他昂着头，胳膊夹着身体，两手张开贴在身上，端坐着一动不动。任何的动作，哪怕是呼吸，不仅会松动药膏，还会加剧灼烧感。

这是来自地狱般的灼烧感。他尽力去适应，但还是做不到。药膏似乎已经烧穿了他的皮肤，开始侵蚀血肉。他正在被活烤。寄生虫也一样。它们和它们的卵正成千上万地死去。他只须再忍耐片刻，它们就全死了。在那之后，他可以慢慢恢复。他继续等待，像一块呲呲作响的烤肉。

就在这时，意外发生了。只听“嘭”的一声巨响，震耳欲聋。他从脚踏板上弹起来，部分因为惊吓，部分因为爆炸的冲力。他瞪大眼睛回过头，寄生虫和疼痛都被抛到脑后。车着火了！之前只有一支火苗在汽油瓶口摇曳，现在车厢里到处是成片的火焰。他的脑后一阵刺痛，这才意识到火苗已经从车厢跳到了他的头上。火一瞬间就蔓延到他的胡须、胸口、全身。“呼”的一声，他毛茸茸的阴部化作一团橙色的火球。他痛得大叫起来。幸运的是，去虱粉是不可燃的。但他的脸上、胸口、阴茎处仍传来阵阵刺痛——油火烧穿了去虱粉和体毛，直抵他赤裸的皮肤。他蹦跳着，两手拍打身体，将火苗扑火。火终于灭了，他立在原地，一柱黑烟从他头顶升起。

车还在燃烧。他朝它跑去。半路上，他从地上捡起前一天遮在破窗上挡雨的湿毛毯。他冲进车厢，挥舞着毯子四处拍打，同时抛洒去虱粉，终于将火扑灭。

他把木箱从车厢里拖出来，打开箱盖。乌利塞斯神父的日记在箱子的保护下安然无恙。他如释重负，差点儿哭出来。但是车厢——看看它的惨状！沙发的皮面焦黑发脆，两侧的面板烧焦了，天花板蒙了一层漆黑的灰。除了驾驶室的挡风玻璃，其余全部窗户都震碎了，碎玻璃溅得到处都是。食物、驾驶装备、衣服全都焦黑残破。所有的一切都被灰烬和碳化的去虱粉覆盖。还有这难闻的气味！

他喝尽最后一点儿残酒，清理了驾驶座上的碎玻璃，然后赤裸着躺在驾驶座的毯子上，盖上貂皮大衣。疼痛折磨着他的肉体，伯父在梦里向他咆哮。夜间寒气袭人，灼烧的痛感却分毫不减。

天亮了，他哆哆嗦嗦地穿上衣服。无论多么小心，衣服还是刺痛着他脆弱的皮肤。他尽可能仔细地清扫车厢。他再次打开木箱检查日记。他不愿失去与乌利塞斯神父之间的联系。他在这位神父身上看到了一个因为遭受苦痛而变得完美的人，一个榜样。如果遭受痛苦却逆来顺受，你一无是处；如果遭受痛苦时奋起反抗，你就是个了不起的人。这就是他要做的：他要奋起反抗。他要向葡萄牙高山区继续前进，不达心愿誓不罢休。

不过他遇到一个始料未及的问题：挡在车头的树。距离太近，没法绕过它。迄今为止，他还没遇到过这种情况。车前总有足够的空间，让他可以调整方向盘，驱车前行。他大声叫喊、斥责、诅咒。他试图想出解决办法，而答案显然只有一个：把树砍倒。车厢的必备工具中有一把斧头。他刚才见过它，上面落满了黑灰。他那位无微不至、深谋远虑的伯父无疑就是为了眼前这种情况才准备了斧头。不幸的是，若想彻底摆脱困局，他必须砍倒车前的所有障碍。但这棵树那么大，树干那么粗，他浑身还那么疼！

他心里打起了退堂鼓。微风穿过车厢，他望着装满资料的木箱，终于重拾破碎的信心。他抄起斧头，在树后站定，抬手抡了起来。他砍啊，砍啊，砍啊。虽然砍得树皮纷飞，灰白的木头却坚韧而顽强。斧头的利刃一次又一次被弹回，只留下最细微的斧痕。对他而言，要每次砍在同一位置实在是强人所难。而且每砍一下，粗糙的衣服就会刮蹭他娇嫩的皮肤。

不一会儿，他已经大汗淋漓。他停下来休息，吃饭，然后继续。上午就这样过去了。不知不觉下午也过了一半。

临近黄昏，他已经在树干上砍出一个大坑。砍痕已经有树干一半深，树却没有一丝要倒下的意思。他的手掌磨得通红，已经开始流血。但双手的疼痛丝毫无法掩盖全身的痛楚。他精疲力尽，无以为继。

他再也砍不动了。障碍必须清除——就现在。他决定借助身体的重量把树干压断。他一脚踩在挡泥板边缘，一脚蹬在前盖上，伸手抓住最近的树枝。空手握着树皮简直是一种酷刑，但他仍然成功地用腿钩住另一根树枝，上了树。在一整天的苦工之后能够相对轻松地爬上树，他心情大好。

他沿一根树杈往外移动，两手分别握紧一根树枝。可以预见，树倒时他也会跟着掉下去。不过树不算高，他也做好了心理准备。

他开始前后晃动身体，不去理会掌心里钻心的疼痛。树冠晃啊晃啊。他期待在某一刻听到一声脆响，然后以最短的距离落地。

这棵树却一声不响，带着橡胶般的弹性缓缓倒下。托马斯回过头，看见地面一寸寸靠近。落地很轻柔。但是他的双脚从树枝上滑落，毫厘不差地被最重的树枝压住。他疼得一声大叫。

他把脚挣脱出来。他动了动脚趾，没有骨折。他转身看了一眼汽车。就在这个刹那，他清楚地看到此前数小时埋头苦干时忽略的问题：树桩太高了。汽车底盘是绝对越不过树桩的。他应该在低得多的位置下斧。但即便如此，现在树干仍然与树桩相连。树倒了，却没有折断。树干与树桩连接的部分扭曲着，要砍断它难上加难。即便他能砍断树干，并且就算树桩很短，他能把树拖开吗？实在难以想象。这可不是一丛灌木。

他的努力全部付之东流。这棵树要了他。他瘫倒在纠缠的树枝当中，窝囊地哭了起来。他闭上眼，任由悲伤把自己吞没。

一只手搭在他肩上，他听到一个声音。

“朋友，你受伤了？”

他惊恐地抬起头。一个农夫仿佛从天而降。他身上的白衬衫亮得晃眼。托马斯正抽泣着，猝不及防地呛了一下，用手背抹去泪水。

“你被扔出来这么远！”那人说。

“是的。”托马斯回答。

那人看了看汽车和那棵树。托马斯原以为他问自己从树上掉下来飞出多远（其实他寸步没动，他还在树冠里面，就像鸟在窝里）。但农夫指的是从车里飞出来。他一定以为托马斯开车撞上树干，从车里飞到了树上。

“我的手脚疼死了，而且我渴得要死！”托马斯说。

农夫伸出一只胳膊抱住他的腰。虽然他身材矮小，却是个健壮的人。他把托马斯半扛起来，搀着他走到车旁，扶他坐在脚踏板上。托马斯揉着脚踝。

“有哪儿摔伤了吗？”那人问。

“没有。只是擦伤。”

“喝点水吧。”

那人掏出一个葫芦。托马斯大口大口喝起来。

“谢谢。谢谢你的水，谢谢你帮我。真是太感激了。我叫托马斯。”

“我叫西芒。”

西芒盯着地上的树、汽车的破窗、烧焦的车厢以及车身上密布的凹陷与划痕。“多可怕的事故！这机器的劲儿真大！”他感叹道。

托马斯希望西芒没注意到地上的斧头。

“可惜了这棵树。”西芒补了一句。

“你的树？”

“不是。这片树林是卡西米罗的。”

托马斯这才意识到这棵树也是一个生灵，而不仅仅是个障碍物。“它多老了？”

“看样子有两百到三百岁了。一棵好树，能结不少橄榄。”

托马斯吓得不知所措。“太对不起了。卡西米罗一定会很生气吧。”

“不会的，他能理解。每个人都会遭遇意外。”

“卡西米罗是不是岁数挺大，圆脸、白头发？”

“没错，卡西米罗就是那个模样。”

这么说来卡西米罗就是昨晚的那个农夫，那个目睹托马斯的寄生虫之舞的人。托马斯怀疑他对橄榄树的遭遇会持不同的看法，也不会那么宽容。

“你觉得这台机器还能开吗？”西芒问。

“我觉得它还行，”托马斯回答，“它很结实。不过我需要把它往后挪。这可有点儿难。”

“挂到空挡，我们一起推。”

那个词又出现了。托马斯不明白这台机器的空挡怎么能让它向后移动，但西芒看起来胸有成竹的样子。

“已经在空挡了。只需要松开手刹。”托马斯说。

他穿上鞋，爬进驾驶室，用发痛的手松开手刹。什么也没有发生。他怀疑西芒脱口而出的解决办法比自己的砍树方案强不了多少。

“来啊。”西芒说。

托马斯来到车前，站在他身边。推车这事儿听上去有点儿不可靠，但是考虑到这位热心人不仅刚刚帮了他，此刻还在车前蓄势待发，他出于礼貌，用一侧肩膀顶住汽车。

“一——二——三！”西芒喊道。然后他用力推，托马斯也一起推，尽管并未真正发力。

他惊喜地看到车动了。他惊呆了，竟然忘了跟着车移动，结果脸朝下摔倒在地。短短几秒钟的工夫，车就已经离开树桩三个车身的距离。

西芒两眼放光。“这机器太不可思议了！”

“是啊，没错。”托马斯略带敷衍地说。

他从地上爬起来时悄悄捡起了斧头，顺手把它藏在腿后，放回车厢。西芒一直用无比赞赏的眼神盯着车。

托马斯此刻唯一想做的，就是在原地睡上一觉。不过一旦卡西米罗过来，看到此情此景，他就不得不解释对这棵活了两个半世纪的橄榄树犯下的暴行。他原地休整的念头顿时烟消云散。再说，他已经迷路了，如果在这里过夜，明早他还是会找不着北。

“西芒，你能不能帮我找到离开这儿的路？我可能迷路了。”

“你想去哪儿？尼萨吗？”

“不是，我刚从那里来。我要去罗当旧镇。”

“罗当旧镇？你可偏得够厉害的。不过没问题。我认识路。”

“太棒了。你能帮我发动汽车吗？”

双手如此疼痛，他一想到摇手柄这个苦差就绝望得要晕过去。他猜西芒会乐意帮忙。他猜得没错。农夫的脸上绽放出灿烂的笑容。

“好，没问题。你想让我怎么做？”

托马斯向他演示如何转动手柄以及启动的方向。当这台机器咆哮着复活时，西芒犹如被闪电击中一般。托马斯招手让他上车，西芒快活地跳进驾驶室。托马斯把车推到一挡，车启动时，他瞄了一眼他的乘客。西芒的表情印证了托马斯在伯父身上所看到的——这台机器能把成年男人变成孩子。西芒饱经风霜的脸上乐开了花。即使他现在高声尖叫或是咯咯傻笑，托马斯也不会感到奇怪。

“我该走哪条路？”托马斯问。

西芒伸手指了指。每过几分钟，西芒就会纠正他的路线。没过多久，地面上有了路的痕迹。一条像样的路出现了，路面平整，而且有路肩。车开得越来越轻松，速度也越来越快。西芒的兴奋之情分毫未减。

开了半个多小时，他们找到一条真正让人安心的大路。托马斯停下车。

“从没想过我看到一条路会这么高兴。哪边是罗当旧镇？”他问。

西芒指了指右边。

“太谢谢你了，西芒。你真是帮了大忙。我必须报答你。”托马斯把手伸进焦黑色外套的口袋。

西芒摇了摇头。他费尽力气才说出话来，仿佛舌头遗失在身体的深处。“对我来说，最大的报答就是让我坐在这辆神奇的车里。应该是我来谢你。”

“这没什么。很抱歉把你带出来这么远。”

“走路回去不算远。”

西芒恋恋不舍地离开副驾驶座，托马斯继续前行。“谢谢，再次感谢！”托马斯喊道。

西芒不停地挥手，直到消失在后视镜里。

不久，车开始不自觉地偏向一侧，同时伴着噗——噗——噗——噗的响声。托马斯意识到可能出故障了。他踩下离合，然后踩下刹车。

他绕车转了几圈才发现右前胎有点儿——他寻找着合适的形容词——扁。圆形的轮胎瘪了下去。驾驶手册里有几页讲过这种突发状况。最初阅读时，当他确认这些圆形的轮胎不用润滑，就跳过了那几页。现在他取出手册，往回翻到和情况符合的章节。他的脸变得煞白。这是一项复杂的大工程。在把操作步骤从法语翻译过来之前，他就已经意识到这一点。

搞清楚千斤顶的原理和用法；组装；在车下放好千斤顶；把车顶起来；取出螺钉，卸下轮胎；换上备胎；拧紧螺钉，固定备胎；把一切还原——有经验的司机大概会花半个小时。他用带伤的手干了两个钟头。

最后，他的双手沾满油污，隐隐作痛，身上汗流浃背，酸痛难当。好歹完工了，可以继续上路。他本应开心，却只感到发自内心的疲惫。他回到驾驶室，怔怔地望着前方。头顶阵阵刺痛，新冒出的烦人胡楂儿也把脸扎得生疼。“够了！够了！”他喃喃自语。痛苦对一个人意味着什么呢？它会让他开窍吗？他会因此有所领悟吗？在乌利塞斯神父的例子里，绝大多数时候，答案似乎是否定的。托马斯记得一个颇具说服力的事件：

> 今天我目睹了种植园里的一场争斗。两个奴隶之间的冲突。其他人一脸麻木地围观。争斗的起因是一个女奴，她也无动于衷地看着。无论谁获胜，她都是输家。那两个

人用我无法理解的语言不断地大吼，最初只是用语言和手势，随后动起了拳头，最后抄起了家伙。整件事发展迅速，从受辱的颜面到受伤的身体，从擦伤流血到疯狂砍斫，直到结局到来：一个奴隶死去，身上刻着深深的伤痕，头被劈掉了一半。这时，其他奴隶，包括那个女人，都转身继续工作，以免监工来到现场。获胜的奴隶满眼冷漠，他往尸体上撒了些土，然后继续砍斫甘蔗。没有一个奴隶站出来报告或解释，控诉或辩护。唯有沉默着，为甘蔗松土。死者的尸体会迅速消亡，最初是被昆虫、肉食性鸟类和野兽分食，接下来阳光和雨水会加速这一进程。不久他就只剩下一个鼓包。只有当监工直接踏上这个鼓包时，残损的黑色皮肤下才会现出白骨和腐烂的血肉。这时监工才会明白那个失踪的奴隶到底去了哪里。

对于这个令人毛骨悚然的场景，乌利塞斯神父只写下几句感想：

主的伤口亦是如此，与那个死去奴隶的创伤无异。祂的双手，祂的双脚，祂被荆棘冠冕刺破的前额，尤其是体侧被士兵的长矛刺穿的伤口——殷红的伤口，非常、非常明亮，引人注目。

耶稣的受难是如此“殷红”和“引人注目”。但那两个在他眼前活生生争斗至死的人的苦难呢？他们不值一提。相比那些旁观的奴隶，乌利塞斯神父并没有体现出更多的责任感，他并没有挺身而出，去报告或解释，去控诉或辩护。他似乎对奴隶的苦难熟视无睹。或者，更准确地说，他似乎从中看不出任何异样：**他们在受难，但我也一样。所以，有什么可大惊小怪的？**

随着托马斯越开越远，景色也起了变化。他熟知的葡萄牙大地有一种庄严的美丽。这块土地珍视劳作的声音，无论来自人还是动物。这是一块忠于责任的土地。现在荒野的迹象开始入侵。地面上袒露出大块的圆形岩石，暗绿的植被低矮、干枯，成群的山羊和绵羊游荡着。他从这些凸起的岩石上看到了葡萄牙高山区的影子，就像从破土而出的树根上嗅到树的气息。

他有些迫不及待了。他正在靠近布朗库堡，这是一座实实在在的城市，他精心设计的乡间路线上最大的城市。他心生一念：自己要在半夜开车穿过城区。这样他就能避开人群，因为带来麻烦的总是人。窄巷、市街、大道——这些他都能应付，只要没有一群人盯着他，冲他大喊，一层层围拢过来。假如他在凌晨两点以三挡的速度穿过布朗库堡，那么他顶多遇到几个夜班工人或醉汉。

布朗库堡进入了视野。他把车停下来，步行进城，一如既往地倒着行走。一个赶车人搭了他一段。他很幸运，因为进城的路途其实并不近。那人问他有没有看见路边那辆奇怪的马车，他说看见了，但没说自己就是车主。那人提起那台机器的语气里带着惊叹和担忧。让他吃惊的是它浑身上下的金属壳，他说，让他想起了保险箱。

在布朗库堡，托马斯确定了行驶路线。他欣慰地发现，通往城北乡间的那条路远离闹市，仅从城区的西北角绕过。只是路口略显复杂。

他向三个药剂师讲述了他的马感染虱子的故事，到手了十瓶汽油，同时也不可避免地买了三筒马用去虱粉。他用两个袋子分装这些补给，一手一个。他想找间旅店洗澡休息，却屡屡吃闭门羹，连餐馆都不待见他。几个店主都上下打量了他一番，瞧瞧他焦黑的脸和烧焦的头发，其中一个甚至捏了捏他的鼻子，然后他们的手都指向大门。他累得无力抗议。他在一间杂货店买了食物，坐在公园长椅上吃了。他在喷泉池里喝水，大口地吞咽，一边把水泼在头和脸上，用力擦洗沾在头皮上的黑灰。他后悔没带上两个牛皮酒袋，要不就能灌满水了。之后，他倒着走回停车地点，布朗库堡在视线中渐渐远去。

他待在车厢里等待夜晚的降临，随意翻看那本日记来打发时间。

圣多美岛上奴隶的来源曾引发乌利塞斯神父的兴趣，他在日记里记录新到的奴隶的出身："来自姆邦杜部落"或"乔克韦部落"。不过对于来自葡萄牙势力范围以外的非洲奴隶，他的记录就语焉不详了。圣多美的地理位置得天独厚，进港的船只来自各个国家——荷兰、英国、法国、西班牙。不久以后，面对数不胜数的奴隶，他感到疲惫。他强打精神为他们祈祷，他们在他眼中变得毫无分别。“一个灵魂从何而来，”他写道，“真的重要吗？伊甸园的放逐者千差万别。无论从何而来的灵魂都是灵魂，他应当被祝福，应当被带到上帝的仁爱之前。”

但是有一天，他的态度发生了变化。乌利塞斯神父一反常态地奋笔疾书：

> 我到达码头时，一艘荷兰贩奴船正在“卸货”。四个被抓来的奴隶引起了我的注意。我远远地看着她们戴着镣铐、踉跄着走下跳板。这些可怜的灵魂是什么人？她们无精打采地迈步，弯着腰，没有一丝生气。我明白她们的感受。我和她们一样疲惫。那种炽热的激情再次降临在我身上。耶稣心怀众生：罗马人、撒玛利亚人、希利尼人，以及其他所有人。我亦当如此。我想靠近一些，但我太虚弱了，阳光又太毒。船上的一个水手经过，我和他打招呼，指着奴隶问他。他告诉我，她们是在刚果河流域深处的一次突袭中被俘的，并非来自部落交易。三个女人和一个孩子。我的荷兰语很差，没有完全听懂水手的话。我听到他用了“艺人”这个词。她们大概会从事某种表演。他并没有在这个词上附加任何下流的意味。什么？刚从刚果的丛林里被抓来，就要在新大陆为白人提供餐后娱乐？我对他说。他笑了。
>
> 我听说她们四个现在被关在加西亚的种植园里。那个孩子的母亲攻击了一名监工，为此被打成重伤。她们不愿穿衣服，看样子也没能提供像样的娱乐。她们的命运很快

就会有定论。

尽管我已经虚弱到无法长时间站立，今天我还是去了加西亚的种植园，偷偷进入阴暗闷热的地窖里看望囚犯。那个反抗的女人已经伤重而死。她的尸体仍在那里，她的孩子无力地依偎在她身旁，近乎昏迷。地面上散落着正在腐烂的水果。另外两个还活着的女人是想绝食吗？我和她们说话，虽然知道她们一句也听不懂。她们无动于衷，似乎听不见我的声音。我为她们祈福。

我又去了一次。一股恶臭袭来！那个孩子基本没救了。起初，那两个活着的人像昨天一样对我不理不睬。我为她们读《马可福音》。我选择《马可福音》是因为那是最谦卑的福音书，揭示了救世主最接近人性的时刻，他虽然饱受怀疑和焦虑的煎熬，仍然闪耀着仁爱的光辉。我不断念诵，直到疲劳、高温和恶臭几乎将我摧垮。于是我在沉默中静坐。当我准备离开时，其中一个女囚，那个最年轻的少女，动了。她爬过来，靠在墙边，和我隔着栏杆相对。我轻声对她说："主爱你，孩子。你从哪里来？告诉我关于伊甸园的事吧。告诉我你的故事。我们都做错了什么？"她没有任何回应。时间慢慢流逝。然后她转过头看着我的眼睛，只是匆匆一瞥就转身离开了。她猜到从我这里得不到任何东西。我什么也没说。我的舌尖上不再有任何言不由衷的布道词句。我蜕变了。我看见了。我已经看见了。我看清了。那短短一瞥让我看清了一种不幸，在此之前，它从未在我心中激起涟漪。步入囚室时，我以为自己是一名基督徒，出来时，我明白自己其实是一个罗马士兵。我们与野兽无异。

我今天再去的时候，她们都死了，尸体已经被拖走焚烧。如今她们自由了，一直以来，她们本该如此自由。

乌利塞斯神父的下一则日记言辞激烈，充满了控诉。他简略记述了自己和岛上政要以及宗教权威之间的最终决裂。他在教堂里大闹了一场，用呼喊和抗议打断了弥撒。事件处理得十分迅速。

今天主教召见了我。我告诉他，我遇见了我们所轻贱的人，然而在面对面的时刻，我发现了我们之间的平等。我们并不优于他们，我对他说，事实上，我们还不如他们。他朝我大嚷，说即使是天堂的天使和地狱的罪人也分等级，所以人世间也应有等级。这种界限绝不可模糊。我被赶了出来。我惊讶于他雷霆般的盛怒和将我逐出教会的决绝。在他眼里，我已不再是神职人员。但我感到上帝的双手依然支撑着我。

托马斯每每读到这一段都觉得不可思议 。把法国和英国的海盗逐出上帝的门庭是顺理成章的事，赶走荷兰水手也不无道理，毕竟他们比雇佣兵好不了多少，但是将一名肩负圣职的神父驱逐出教会？即使以圣多美的标准，这一裁决也显得太过严厉。不过，一个以奴隶制度为生的地方自然会敌视狂热的解放者。

就在那个时期，乌利塞斯神父第一次提到了“礼物”。每次读到这句话，托马斯都会心里一震。

> 现在我清楚了自己的使命。我会在死神带走我之前把这件礼物献给上帝。我感谢祂让我在加西亚的种植园里画下那幅素描——就在我去那间地狱般的囚室探视的那一日。她的眼睛让我见到光明。我将为我们犯下的罪行做证。离开伊甸园以后，我们已堕落至深！

托马斯翻到下一页，第一千次凝视神父提到的那幅素描。就是这幅画，就是画中的那双眼睛，让他开始了自己的追索。

夜幕降临在这片土地，是时候开车穿过布朗库堡了。他点亮仅存的一盏侧灯，拨动粗大的灯芯。火焰舞动着，散发出一圈温暖的光。幸存的那盏头灯里跳动着明亮的白色火焰，它嗞嗞叫着，仿佛一条发怒的蛇。它的光由水晶玻璃灯罩聚拢向前。要是头灯的光不那么左右不均该多好。他的独眼巨人形象着实狼狈。

他回想了一遍预定路线。他脑子里存了一系列路标。在每个需要做出选择的路口，他都记住了某处细节——一幢房子、一间商铺、一栋楼、一棵树。夜间不再有熙攘的人群，他可以游刃有余地寻找正确的路。

他有了一种骑着萤火虫的幻觉。当他从侧灯旁走开时，它的光晕让这个画面亦幻亦真。然而，就在发动汽车的那一刻，所有的幻象都烟消云散。汽车震颤着发出怒吼，令人联想到一条龙，尽管这条龙口中喷出的火焰是那么微弱。

火焰不仅微弱，而且毫无作用。这两盏灯虽然凑近了看很亮，置于无边的黑夜里却不过是针尖大小的光点。头灯唯一能做的，只是映出车头下方路面的大致轮廓，而且就连这活儿它也干得不怎么样。前方的一切——每一道车辙，每一次转弯——都让他措手不及，恐慌不已。

他唯一的反应是捏紧喇叭——他明白这完全不合逻辑，却忍不住一次次重复，仿佛夜晚是一头横在路中间的黑色母牛，几声喇叭就能吓得它跳到路旁。

在他摸索着前往布朗库堡的这一路上，车的挡位从没超过一挡。

在葡萄牙，阳光常如珍珠般柔和闪烁，它撩人心弦，亲切友善。这里的黑夜同样拥有独特的质感。你会发现稠密、浓烈、涌动的黑色凝聚成团，浮在房屋的阴影里，在普通旅店的院子里，在高大乔木的背后。夜入三更，这些黑色凝块扩散开来，像鸟儿一样飞到半空。在葡萄牙，夜晚是一个朋友。这是他平日里熟知的日日夜夜。只有在他遥远的童年，夜晚曾是恐惧的温床。那时的他战栗，哭喊。每次父亲都是他的救星，睡眼惺忪地走到床边，将他揽入怀中。他会贴着父亲宽大温暖的胸脯进入梦乡。

布朗库堡没有像里斯本那样点亮夜晚的街灯。他路线上的每个路标虽然在日光下那么醒目，现在却蒙上一层迷雾。街巷如巨型乌贼的触须般蜷曲起来。他始终没能找到那条穿过城北的路。相反，布朗库堡成了恐惧的温床。他试图保持同一方向直到城市边缘，无论如何只要出城就行。但每条街道的尽头都是个三岔口，每条岔路都把他带回城市的深处。更糟糕的是人。和四周的房屋建筑一样，人们也会毫无征兆地从黑暗中现身，他们的面孔突然定格在独眼汽车的白色灯光里。有些人惊恐地大喊，他们的恐惧也感染了他，然后他们愣在原地一动不动；其他人转身就跑。在深夜的静谧里，汽车的声响着实刺耳，他还不断地按着喇叭，不过是想提醒路人。一开始路上行人寥寥，但随着他像一只疾行于海底的盲眼生物那样穿过城市，越来越多的人拉开百叶窗，越来越多的人拥入街道，衣衫不整却两眼发亮。他提到二挡，把他们甩在身后。没过多久，在城里又兜了一个圈之后，他遇到了更多的人。他看见他们，他们也看见他。他们朝他跑过来，他拐进另一条街。他加到了三挡。

如果无法逃跑，那就必须躲避。连续几个转弯后，他在空无一人的大街中间仓促停下车。他匆忙吹灭侧灯和头灯的火苗。黑暗与寂静将他淹没。他侧耳倾听。那群夜游神会找到他吗？他壮着胆子往外走。他从街角探出头，往外面的街道望去。一个人影也没有，只有让人放心的黑暗。看来他们被甩掉了。

接下来的漫漫长夜里，他徒步穿行于布朗库堡。他确定了行车路线，准备天亮就出发。

在他的午夜城市探险中，他走入一个不起眼的广场。广场中栽了树，置了长椅，广场中心一座孤零零的雕像笼罩在黑暗里。他看到什么东西动了一下，吓得跳起来，然后才意识到那是什么。白天这座广场是个市集。小贩的摊位依然伫立，桌下散落着丢弃的腐坏货物，有水果、蔬菜，或许还有肉。穿梭在垃圾之间的是狗。城市在短暂的惊扰后重回梦乡。夜晚的巨大穹顶之下，在如海底一般的寂静中，他看着这些流浪狗吞食人们的弃物。它们满怀希望地四处翻找、细嗅，偶尔有所发现便欢喜地大嚼。其中几条狗抬头看了看他，然后继续搜索。它们接受了他，正如他接受了它们。

回到车上，他感到了深海生物缩回外壳重获庇护般的释然。他在车厢里躺下小憩。然而，行走和缺觉让他极度疲惫。他睡过了头。某个胆大的旁观者按下喇叭，他猛地惊醒。他发现车厢窗外贴满了人脸，一双双睁大的眼睛盯着他，鼻息声此起彼伏。他用力推门才让人群退后，挤出一条缝下了车。他站在踏板上，呼吸着新一天的新鲜空气。难熬的一晚终于过去了，但现在似乎布朗库堡全城的人都在围着他，像明亮的蓝色海水一样波涛汹涌，拍打着他的车，喧嚣声有如礁石上飞溅的海浪。他一如往常地高声嚷嚷着请大家避让，人们眨着眼睛不明所以，汽车启动时他们一片惊呼，他猛踩油门冲出重围。这一切令他精疲力尽。他不停地开，直到困得脑袋耷拉到方向盘上。

他于午后醒来，迷迷糊糊地估算了一下。他尽力回想过去每一天中最难忘的记忆——第一天，那几座桥、蓬蒂－德索尔、马车，诸如此类——然后竖起一根手指。很快，一只手的手指全竖了起来，另一只手也竖起了四根手指。九天，如果没算错的话。

今天是他上路的第九天。短暂的假期就快用完了。两天后的早晨，馆长就会等他回去上班。他双手抱住头。还不到一半路程。他应该放弃吗？但即使半途而废，他也无法及时赶回里斯本。现在掉头等于失败两次—— 他的工作和他的追寻。如果继续向葡萄牙高山区进发，他只会丢掉工作。而且如果他的追寻大获成功的话，或许还能保住职位。所以他要继续向前，他要百折不回。那是唯一明智的选择。不过天就快黑了。他明天再百折不回吧。

地貌一路变换，气候也由热转冷。葡萄牙内陆地区的冬季阴冷潮湿，车厢的金属框架和穿过破碎车窗的冷风加深了寒意。托马斯走出车厢。除了路面隐约的微光，目之所及只有黑暗。他想，动物知道无聊，可它们是否懂得孤独？他认为它们不懂。这不是同一种孤独，这是肉体和灵魂上的双重孤独。他属于一个孤独的种族。他回到沙发上，把自己裹进貂皮大衣，再盖上三张毛毯。他或许短暂地睡着了，但即使如此，他也梦见了一个寒夜，梦见自己瑟缩在一辆汽车的车厢里，等待着。无论清醒时还是在梦中，他都处于同样的悲惨境遇。在这几小时里，一个问题困扰着他：哪天是圣诞节？他是不是已经错过了？

第二天一早，他顺利发动了汽车，顿时心情大悦。路旁的土地越发贫瘠，农耕的痕迹一一隐去，远古的岩层逐渐裸露出来。跃入眼帘的，皆是高耸的明亮岩层，简单、纯粹，一望无际。

他开始频繁迷失方向。在此之前，路还算好走，幸亏有地图，再加上几分运气，他倒没怎么迷路。离开布朗库堡之后，好运不复存在。日子过得一片混沌。他绝望地开进一座村庄，拉着一个村民问："我找拉波拉－多科阿已经三天了。请告诉我，它在哪里？哪个方向？"那个年老的村民惊恐地望着这个一身臭气、面容憔悴的男人和这台同样一身臭气、面容憔悴的机器（昨天和前天他都看见这人驾着这台机器呼啸着穿过村庄），怯生生地说："这里就是拉波拉－多科阿。"另一次迷路时，托马斯央求路人告诉他阿尔梅达在哪里，那个本地人笑了，大声回答："阿尔梅达？不在这儿，哥们儿。阿尔梅达在边境的另一边。"托马斯瞪着那人的嘴，惊恐地意识到他说的不是轻柔的葡萄牙语，而是粗鲁的西班牙语。他开足马力冲回葡萄牙，生怕他未曾留意的那条边境线现在会像无法逾越的山脉般升起。

指南针也不管用了。无论在哪条路上，它总是指向远离道路的荒野。指针颤抖着，如同他颤抖的身体。

迷路的原因多种多样，迷路的状态和迷失的感觉却是相同的：麻木、恼火、倦怠、绝望。经过马塞杜－迪卡瓦莱鲁什之后的某个地方，一群野孩子向汽车投掷石块，大象皮革被砸破，金属车罩被砸得坑坑洼洼，最糟的是，驾驶室的挡风玻璃也碎了。这意味着他不得不迎着呼啸的寒风驾驶。他穿上外套，戴上护目镜和帽子，可惜缺了那双精致的皮手套——它们在车厢火灾中被烧得焦脆。他又一次遇上爆胎，而这次他必须得修了，因为挂在脚踏板上的那只已是换下的破胎。

一天下午，他终于抵达了目的地。虽然没有任何路标，但地图表明他已进入葡萄牙高山区——从逐渐向上的坡度和路旁越发陡峭的崖壁就能看出来。他欣喜万分。很快，很快他就能找到梦中的教堂，他独到的眼光将得到完美的证明。使命即将达成。他将面对一尊非同寻常的十字架苦像，向它倾诉过去一年他背身行走时对自己说过的话，还有他的愤怒，他的绝望。他的脸上洋溢着灿烂的笑容。

道路很快变得平坦和缓。他迷惑地左右张望，发觉自己正在驶过一个国家虚荣的产物。每个国家都渴望炫耀自己的山脉，将其视作掌上明珠，因此这片贫瘠的荒野——高度不足以被誉为“山峰”，用作农田又嫌高——被安上了一个雄伟的名字。但是葡萄牙高山区并没有高山。这里没有高过山丘的东西，也没有所谓的“群山环绕”，只有一片广袤、起伏的草原，几乎不见树木；这里凉爽、干燥，被明朗沉静的阳光漂得发白。他期待见到积雪和岩石，眼前却只有低矮蔓生的金黄色荒草。草原蔓延到目光尽头，其间只点缀着零星的小片树林。仅有的“山峦”是一些表面坑坑洼洼的怪异圆石，它们体形庞大，是某种剧烈地质运动的遗迹。草原各处流淌的小溪散发出意想不到的活力。这片草原，正如它的同音词所暗示的那样[1]，是人们前往某地中途的临时落脚点。历史上一代代贫困的本地人迫不及待地离开这片贫瘠的土地，搬去世界各地更宜居的地区，他同样希望尽快穿过此处。沿途经过的村庄凝聚了他在村庄之间的开阔地带里感受到的孤寂。他遇到的每一个男人和女人都散发着岁月和孤独的气息，却

1　英文原文中“草原”的用词是 Steppe，它的同音词指 Step（台阶）。

没见到一个孩子。这些人住在简陋的四方形石屋里，屋顶铺着页岩，人的房间搭在牲口棚的上方，这样人畜之间形成了共生的关系——人获得温暖和食物，动物获得饲料和安全。这片土地不适宜深耕细作。只能见到小片耐寒的黑麦、大块的菜地、栗子树林、蜂房、大量的养鸡棚、猪圈，以及成群游荡的山羊和绵羊。

此处夜晚的严寒是他在葡萄牙未曾经历过的。入睡时他裹紧毛毯，穿上能找到的每一件衣物。他把帆布雨篷剪成小片，用它们勉强修补破损的车窗，于是车厢内变得十分昏暗。他点起蜡烛取暖。一天清晨，当他醒来时，发现大地已被皑皑白雪所覆盖。等到下午三四点钟，雪化了大半，他才敢开车上路。没了挡风玻璃，驾驶时异常寒冷，他不得不放慢车速。

白天总有一些时刻让他注意到这片风景的美丽。它往往与地貌无关，更多取决于天气和光线的变幻。他不再像身处南部地区时那么容易迷路，因为村庄日渐稀少，道路也寥寥无几。不过这些道路都破败不堪——多年前它们由一个雄心勃勃的政府铺设，却被之后的每一届政府遗忘。实际上，整个地区似乎都被当权者遗忘了。然而，和所有乡村一样，一座座教堂在葡萄牙高山区竖立起来。各个村庄争相书写自己的历史。他仔细研读地图，锁定了五座村庄：圣儒里奥－德帕拉索斯、桑塔利亚、莫弗雷塔、瓜德拉米尔和埃斯皮尼奥塞拉。倘若能如他所愿——一定会的，一定会的——那么在其中一座村庄里，他会发现那件被变幻莫测的历史洪流冲刷上岸，由乌利塞斯神父的痛苦凝结成的作品。

他先去了圣儒里奥－德帕拉索斯村。村庄教堂的木制十字架苦像平淡无奇。瓜德拉米尔教堂的祭坛上的苦像也是一样。

意外发生在去埃斯皮尼奥塞拉的路上。

他在一个明朗的黎明醒来。空气明净、无味、干燥，完全不同于气味繁复的葡萄牙海岸空气。他行走在路旁的沙砾上，鞋底爆出沙沙的干涩脆响。一声鸟鸣令他一惊。他仰起头。就在那个瞬间，一只猎鹰冲着一只鸽子俯冲下来。空气中一阵震颤，几片羽毛零乱飘落，猎鹰的身影划出一道平滑的弧线，利爪紧紧抓住殒命的鸽子，继续优雅飞行。它扇动翅膀，重上高空。托马斯目送它消失在远方。

行驶了大约一小时之后，道路变得开阔平坦，两侧的土地也一样。就在那时，在汽车引擎盖的前翼上，那个孩子出现了——更准确地说，是那个孩子的手出现了。那一幕那么诡异，那么出人意料，他简直无法相信自己的眼睛。是一根树枝吗？不，确定无疑那是一只小手。如果一个孩子摁着车头站起来，那里正是手的位置。人的身体被汽车碾过时是什么声音？显然就是他此刻听到的：轻柔、短暂，“砰”的一声。

和每个受到惊吓的人一样，他的脑中时而一片空白，时而又转得飞快。他必须看看那个孩子。也许他只是受了伤，也许他只是吓坏了。假如真是个孩子的话。他伸头出去，向后张望。

他看见车后的路上有个越来越远的鼓包。小小的一团，一动不动。

他停下车，走出车外。他摘下帽子和护目镜，屏住呼吸。那个鼓包很远了。他背身朝它走去。他每次回头，它都更近一分，他的胸口也更紧一分。他越走越快，心脏在胸膛里狂跳。他终于忍不住转身朝那个鼓包跑去。真的是个孩子。看上去五六岁，穿着偏大的衣裳。一个大脑袋的农家男孩，一头令人惊讶的金发，一张可爱、漂亮的脸，只是被一道道污垢弄脏了。什么样的葡萄牙人会有这样的眼睛——蓝色？返祖现象，还是外国血统？四目相对，让他心惊胆战。

“孩子，你还好吗？孩子？”

最后一句他喊得很大声，仿佛死亡只是一个听力问题。孩子的眼睛一眨不眨，苍白的脸上凝固着严肃的神情。托马斯跪下来，触摸孩子的胸口。他只感到凝重。一条涓涓血流出现在孩子身下，以河流惯常的方式在地面上流淌。

托马斯浑身战栗。他抬起头。一阵微风拂过。无论目光投向哪个方向，都是一如既往的壮丽景色：近处的荒野植被、远处的农田沟壑、道路、天空、太阳。所有的一切各归其位，时间依照自己的韵律流淌。然后，眨眼之间，没有任何警告，一个小男孩打乱了所有的秩序。田野当然会注意到；它们会升起，掸去尘土，凑上前投来关切的目光。道路会像蛇一样翻卷起来，发布哀伤的声明。太阳会在悲戚中暗淡下去。重力也会深陷沮丧，各种物体浮在空中，质疑存在本身。但是，这些都没有发生。田野依然沉默，道路依然笔直，早晨的阳光不曾眨眼，依然射出清冷的光。

托马斯回想最后停车的地点。那是在几公里之前。他打了个盹儿，前额靠在方向盘上，引擎仍然在转。这个孩子会不会是趁那个时候爬上车头，而他正低着头未曾留意？

孩子总是爱玩的。

这种事加斯帕尔也做得出来：爬上一台热乎乎的、抖动的机器，看它到底是什么样子。

“对不起，小家伙。”他低声说。

他站起身。除了离开，还能怎么办？

他以自己惯常的方式行走，那个孩子一直留在他的视野里。恐惧在他心中翻腾。他一只手抓起恐惧，把它塞进一个盒子，拧上盖子。如果他尽快离开，这一切便可如同没发生过一样。现在这场事故只存在于他心里，它是一道私人的印记，一道只留在他良心上的刻痕。除了他，没有谁会在意。看啊，风依然在吹，时间依然在流淌。况且，只是一场意外。它就这么发生了，他毫无恶意，对过程也一无所知。

他转身就跑。当他跑到车头伸手转动摇柄时，发现引擎罩上的小盖子是开着的。盖子位于罩子的最前端，司机从驾驶室里是看不见的，这样的设计是为了不用掀开外罩就能检查引擎。那个孩子是不是把它当作一个圆形迷你游乐室的入口了？为什么孩子一定要有这么强的好奇心？他能想象男孩是如何趴在车头，脚大致踩在哪里，手抓住哪里。底盘外沿、摇柄底座、悬挂弹簧的末梢、支撑头灯的细杆、开着的盖子的边缘——对于一只小猴子来说，有那么多选择。一个多么舒适的藏身之处，或许当温热躁动的机器猛然启动时他还有些兴奋，然而，恐惧和疲劳接踵而至。速度那么快，震动那么剧烈，路面如同一条激流在车下转瞬即逝。

他关上盖子，转动摇柄，然后匆忙回到驾驶室，把车推到一挡。他迟疑了片刻，考虑前方和身后各有什么。车猛地一震，开始向前移动。他踩紧油门，汽车开始加速。他把它调到二挡，然后是三挡。他看了看车侧面的后视镜。影像摇晃不定，但仍可以看清那个鼓包。他收回视线，盯着前方的路。

他并没有开出多远。路蜿蜒着没入高处的一片松树林。他停下车，关上引擎，静静地坐着。然后他抬起头，从没有玻璃的前窗看出去，透过树丛望向来路。他离那段路已经很远了，但仍然能注意到移动的物体。他看见一个微小的人影，只是一个点。那人在跑。他通过狂奔的双腿隐约看出那人的衣着，推测那是一个男人。那人一直跑，然后突然停下来，向前一扑，很长时间一动不动。最后，那人站起身，把那一小团从路上抱起来，沿原路往回走。

托马斯的心在下沉。他作为一桩盗窃案的受害者，现在却犯下一桩盗窃案。两次被偷走的都是孩子。两次他的善良和悲伤对于结局都无能为力。两次都是命运在作祟。有苦难也有好运，但他的好运再一次用尽了。他忽然感觉自己被吞噬了，仿佛他是一只在水面上挣扎的小虫，一只巨大的嘴将他一口吞下。

过了很久，他回过头。他启动汽车，继续上路。

在埃斯皮尼奥塞拉的教堂他没有发现任何宝物，在莫弗雷塔同样一无所获。只剩下桑塔利亚的教堂了。如果乌利塞斯神父的十字架苦像不在那里，他该怎么办？

去桑塔利亚的路上，他开始感到不适。疼痛一波接着一波，每次来袭时他似乎都能清晰地感觉到胃的边界。边界之内，绞痛紧咬住他不放。阵痛稍一缓解，下一波痉挛接踵而至，然后恶心的感觉蔓延到全身。爆发是剧烈的。唾液充满他的口腔，它的味道、它的存在，进一步加重了恶心。他停下车，跌跌撞撞下了车，浑身发抖，冷汗直冒。他双膝跪地，秽物从口中喷涌而出，一股白色的激流喷溅在草地上。腐烂奶酪的恶臭。他蹲下直喘气。恶心的感觉再一次势不可当地涌上来，他又吐了一次。吐完之后，胆汁把喉咙烧得生疼。

他蹒跚着回到车上。他在后视镜里照了照。他邋遢不堪，眼窝深陷，头发黏连蓬乱，衣服脏得看不出原样。他简直就像一串烤肉。他度过了一个阴森、失眠的夜晚，一双蓝色的眼睛和一张悲伤阴沉的小脸在他眼前挥之不去，他的胃不住地收紧又放松。他猛然醒悟，自己的病是因为那个孩子。那个孩子在他的体内推搡。

第二天早晨，他来到一座名叫图伊泽洛的村庄。这是个阳光灿烂的日子，村里的广场却空无一人。他下了车，从广场中央的水池里掬水喝。他应该洗个澡，但他实在打不起精神，也不太在乎。他更想找个地方买些吃的。葡萄牙高山区的小村里，村民大多自给自足，或者通过物物交换维持生活，有时一户人家也可以是一间非正式的商店，但在图伊泽洛，连这样的商店也找不到，只有大片的菜园和放养的牲口。这座村子里到处是动物：猫、狗、鸡、鸭、绵羊、山羊、奶牛、驴、鸟。等他回到车上，腹痛又一次袭来。他刹住车，定定神。这时，村里的教堂进入他的视线。那是一座低矮的建筑，朴素、简洁，但仍独具魅力。灰白的石墙在阳光下闪着微光。他向来认为质朴的建筑风格最适合宗教氛围。在教堂里，唯有圣歌飞扬，其他华丽之物都只是在假借信仰之名展示人类的傲慢。图伊泽洛的这座教堂，没有高耸的尖顶，没有肋拱，也没有飞扶壁，但它更贴切地体现了步入教堂的信众真实的谦卑。这座教堂不在他的名单上，但进去坐坐或许能让他暂时忘却腹痛和内疚。

他试了两扇门，都锁了。转身离开时，他看见一个女人。她站在不远处看着他。

“今天亚伯拉罕神父钓鱼去了。如果你想进去的话，我有钥匙。”她说。

他有些犹豫。还有一段路要开。前方还有许多未知。但是她在邀请他。而且他注意到，这个女人很美。一位乡间美人。这让他心情一振，同时也让他心里一疼。曾经，他的生命中也有这样一位美丽的女子。

“太感谢您了，夫人。”

她自我介绍到她名叫玛丽亚·多雷斯·帕索斯·卡斯特罗，并让他稍等片刻，转身消失在转角。他坐在教堂的台阶上等待。只需和一个女人打交道让他舒了口气。闯入这个不知名的小村却免受人群围困之苦，他着实心存感激。

卡斯特罗夫人回来了。她取出一把巨大的铁钥匙。“教堂的看门人是我的丈夫拉斐尔·米格尔·桑托斯·卡斯特罗，但他这个星期都不在。”一番叮叮当当之后，她开了锁，推开教堂的门。她让到一旁，请他进去。

“谢谢。”他说。

里面很暗，因为窗户很小，而且他刚从明亮的阳光下走进来。他来到中堂中央，站在两排长椅间唯一的走廊中。他依然腹痛难当。孩子，别再推搡了！他担心自己会吐在教堂里。他希望卡斯特罗太太别跟得太近。还好她没有。她待在门口，让他独处。

他的双眼逐渐适应了昏暗的光线。石头壁柱以圆拱相连，构成了白色墙壁的框架。壁柱顶端的柱头朴实无华。这里的墙壁一片空白，没有教堂里常见的耶稣受难主题壁画，窗户上也没有彩绘玻璃。他背身沿中堂往里走。一切都肃穆、简单。教堂在他眼中回归了其原初的形象：一个容身之处、一个避难所、一个港湾。他感到疲惫不堪。

他注意到教堂狭小的窗户、厚重的墙壁和筒形穹顶。罗马式风格很晚才传到葡萄牙，也过了很久才日渐式微。看样子这是一座典型的小型罗马式教堂，没有留下岁月的印记，后世也没有被改建。一座被遗忘的存在了七个世纪之久的教堂。

“这座教堂是什么年代的？”他大声问。

“十三世纪的。”那个女人回答。

得知自己判断无误，他心中甚喜。他沿着走廊慢慢后退，每一步都小心翼翼。两翼的耳堂映入眼帘，无惊无喜。他转身面对祭坛，俯身坐在第二排的长椅上。他深吸一口气，抬头望向祭坛和上方的十字架苦像。这尊苦像不像那种随处可见的刻意引人哀思的标准雕像，看样子是文艺复兴早期的作品。耶稣的长脸、加长的手臂，以及缩短的双腿显示出艺术家笨拙的尝试——他试图校正观者仰视时的视觉误差。在仰视的观者眼中，加长的手臂和缩短的腿看上去比例刚刚好。它比不上曼特尼亚或者米开朗琪罗的杰作，但也极具表现力，耶稣的面部尤其如此，对于情绪的刻画接近巴洛克风格。这件作品通过透视的手法表现出耶稣人性的一面，这一尝试值得称道，大约出自十五世纪早期。

他忽然感到一阵恶心，下意识地捂住嘴。**孩子，住手！**他站起来，稳住身体，背身沿着走廊往后退。在准备转身出门之前，他最后扫视整座教堂，目光再次落在十字架苦像上。这凝神一瞥让他与它心念相通。这一瞥不仅缓解了他肉体的痛苦，还平复了杂念丛生的心绪。

抬起一只脚，放到另一只脚前面——这感觉很不自然，但他不愿让目光离开十字架苦像。他向前走过去。这尊苦像不是文艺复兴时期的。它的年代距离今天更近些，他已经可以确定它的年代——一六三五年。这么说来，它的确是巴洛克风格的，或许应该称之为非洲巴洛克风格。绝对错不了，他眼前的就是乌利塞斯神父的十字架苦像。它就在这里，从圣多美漂洋过海而来。啊，真是个奇迹！乌利塞斯神父在日记中的描述和他用双手打造的实物简直毫厘不差。手臂、肩膀、悬挂的躯体、弯曲的腿，还有，最重要的，那张脸！现在他终于看清了眼前的一切，这尊苦像确实在闪耀，在尖叫，在怒吼，在咆哮。当圣殿的帷幕自上而下一分为二，真正的上帝之子一声大喝，吐出他最后的气息。

“劳驾——”他朝卡斯特罗夫人大喊。

她向前几步。

他指着教堂正中的苦像问她：“那是什么？”

那女人一脸困惑。“那是我们的主，耶稣基督。”

“是的，但是那表现的是什么？”

“十字架上的受难。”

“但他是什么模样？”

“人的模样。上帝深爱着我们，所以把自己的儿子赐给了我们。”她简略地回答。

“不对！”托马斯喊道。他微笑着，尽管腹部的每块肌肉都在痉挛，“这上面是一只黑猩猩！一只猿猴。面部描画得很清楚——脸上的毛发、鼻子、嘴。虽然有浓密毛发的遮挡，那些特征也显而易见——如果你见过猿猴的话。还有他的长臂和短腿，它们不是艺术上的夸张，它们是猿猴的四肢！黑猩猩的四肢就是这样的，上身长、下身短。你明白了吗？你们这些年来一直在向一只钉在十字架上的黑猩猩祈祷。你所谓的上帝之子并不是神——**他只是十字架上的猿猴！**”

大功告成了。这尊苦像，一旦被公之于众，会让其他所有苦像无地自容。他喃喃自语：**看吧。你带走了我的儿子，现在我要带走你的儿子。**

他想让自己的笑声显得轻松些，但他的胜利被汹涌的情绪吞没——那是一种深不见底的悲哀。他努力克制着。这就是拿撒勒人耶稣的真相，一个生物学上的现实。所有的科学研究结果都指向我们存在的物质性。此外，这尊苦像美得令人窒息，发现它并把它带回博物馆的荣耀将归属于他。然而，那种悲哀越来越深。他望着乌利塞斯神父的猿猴苦像。**不是神——只是动物。**

他一手捂着嘴跑出教堂，一句福音诗毫无征兆地回响在他的脑海。耶稣因为犹大的出卖而被逮捕，信徒们纷纷离他而去。马可说：**有一个少年人，赤身披着一块麻布，跟随耶稣，众人就捉拿他。他却丢了麻布，赤身逃走了**[1]。

他此刻不也同样赤着身子？

卡斯特罗夫人看着他离开，他倒着走路的怪异姿态让她惊讶不已，他仿佛被一阵风拖出了教堂。她没有跟随他，而是走到祭坛前，抬头端详那尊苦像。那人刚才说什么？猿猴？她眼中所见的耶稣，臂长是因为他怀抱众生，脸长是因为他的悲伤。她从没觉得这尊苦像有什么奇怪。制作者已经尽力而为了。而且她的注意力更多放在亚伯拉罕神父身上。更何况，她祈祷时总会闭上眼睛。那只是一尊十字架苦像。即使他是猿猴也没什么关系——是就是吧。他依然是上帝之子。

她觉得自己应该去看看那个陌生人。

托马斯背靠汽车，剧烈地干呕着。从直肠到咽喉，他成了一整块痉挛的肌肉，仿佛被那个孩子攥在手心，像块湿抹布一样拧来拧去。他从眼角的余光瞥见一位神父出现在广场上，一手握着钓鱼竿，另一手提着穿成一串的三条鱼。

亚伯拉罕神父看见了玛丽亚·多雷斯·帕索斯·卡斯特罗，她一脸困惑的表情；他看见了传闻中的那种新式马车（不过这辆车实在状况堪忧）；他也看见了车旁那个衣衫褴褛的陌生人，他

1　出自《马可福音》(14:51-52)。考虑到普通读者对思高本中的译名不太熟悉，本书中宗教人物译名及《圣经》引文采用和合本《圣经》中的译法。后同。

正在撕心裂肺地干呕。

托马斯爬进驾驶室。他想离开。他迷茫地盯着方向盘。如果要避开旁边的墙，车需要向右转。那意味着他手中的方向盘应该向哪边打？没等他找到答案，心中泛起的悲楚就将他吞没。方向盘最终还是彻底击溃了他。他哭了起来。他哭泣，是因为感到恶心至极。他哭泣，是因为连日的驾驶令他身心俱疲。他哭泣，是因为磨难刚过去一半，他还需原路开回里斯本。他哭泣，是因为他蓬头垢面，狼狈不堪。他哭泣，是因为人在异乡，连挨数日，每晚睡在寒冷逼仄的车里。他哭泣，是因为他丢了工作，今后该何去何从，该怎么维持生计？他哭泣，是因为他发现了一尊十字架苦像，而他其实已经不在乎它了。他哭泣，是因为思念父亲。他哭泣，是因为思念儿子和爱人。他哭泣，是因为杀死了一个孩子。他哭泣，是因为，是因为，是因为……

他哭得像个孩子，上气不接下气，泪流满面。我们不过是普普通通的动物。这就是我们，我们只有自己，仅此而已——我们与上帝之间并不存在更神圣的联系。早在达尔文之前，一位举止疯狂却头脑清醒的神父在一座非洲荒岛上遇见了四只黑猩猩[1]，领悟到一个重大的真理：我们是直立行走的猿猴，而非堕落凡尘的天使。随之而来的孤独感压得托马斯快要窒息了。

“神父，我需要你！”他大喊道。

亚伯拉罕神父把渔具扔在地上，朝那个可怜的陌生人跑去。

1　此处“黑猩猩”并非指真正的猩猩，而是指非洲黑人。当时的欧洲白人视黑人为动物。

第二部分　归途

PART TWO | HOMEWARD

欧塞比奥·洛佐拉缓缓念诵了三遍主祷文。念诵完毕，他开始倾诉内心对主的赞颂，并向祂祈求。他的思绪飘忽不定，却总能回到当下；他的话语时断时续，最终仍能连贯成句。他赞颂上帝，并向祂赞美自己的妻子。他祈求上帝保佑她和他们的孩子。他祈求上帝赐予他长久的支持与庇护。然后他反复念诵了二十多遍“基督圣体[1]”，一是因为他身为医师——具体说是病理医师——以研究人的身体为业，二是因为他身为上帝的信徒，以对主的承诺为念。他站起身，回到办公桌前。

他自认是一名严谨的医师。他开始审视刚刚写完的一段话，目光酷似一个回望新犁过的垄沟的老农，想要确认自己的活儿干

1　在基督教中，“基督圣体”一词有两个主要含义：一是指耶稣在最后的晚餐上对着面包说“这是我的身体”，二是圣徒保罗在《哥林多前书》和《以弗所书》中用该词指代基督教会。有时也指耶稣复活后在天堂的身体。

得还不赖，垄沟里能长出庄稼。他想要确认自己的报告是否足以阐明病因，这个段落是否达到了他一贯的高水准，它是否真实、清晰、简明、确凿？

他正在处理积压的工作。今天是一九三八年十二月的最后一天，距离新年只剩下几个小时。几天前，他刚象征性地度过了一个凄凉的圣诞节——其实他也没有过节的心情。桌上铺满了报告，有些摆在显眼处，其余的按重要程度错落有致地叠放，还有一些等着结案归档。

办公室里很安静，门外的走廊也静悄悄的。布拉干萨的人口不足三万，但城中的圣弗朗西斯科医院在上杜罗地区首屈一指。他在这间医院担任主任医师。医院的其他区域灯火通明，充斥着喧哗与忙碌——人们哭喊着冲进急救病区，病房里的病人一个劲儿按铃，把护士拖入无休止的对话。病理分析区位于这些喧闹楼层之下的地下室，这里总是阒然无声，就像所有的病理分析区一样。他希望把这种气氛维持下去。

他加了三个词，又划掉一个。这个段落完成了。他最后读了一遍。他认为，病理医师是医生当中唯一懂得写作的。其他所有希波克拉底[1]的追随者都把病人的康复视作自己的胜利，但他们写下的那些文字——诊断、处方、治疗建议——在他们眼中只是转瞬即逝的必要工序。那些只求病人康复的医生，一旦看到病患重新站起来，就会转而处理下一个病患。诚然，每一天都会

1 古希腊医师，西方医学奠基人，被誉为“医药之父”。

有病患步履轻盈地离开医院。不过是个小意外，或只是偶染风寒——他们如此安慰自己。欧塞比奥会在重病患者身上花更多心思。他会留意那些病患离开医院时蹒跚的脚步和蓬乱的头发，他们绝望的表情和眼中的恐惧。尽管百般不情愿，他们清楚地知道，总有一天他们都在劫难逃。有很多种方式可以吹灭生命脆弱的烛火。一股冷风在我们所有人身后追赶。当一截燃尽的蜡烛头被送来，灯芯乌黑成灰，侧面凝固着成行的烛泪，如果在葡萄牙布拉干萨的圣弗朗西斯科医院，负责处理的医师要么是他，要么是他的同事何塞·奥塔维奥大夫。

每具遗体都是一本写满故事的书，每个器官都是一个章节，所有的章节由共同的叙述者来联结。欧塞比奥的专长就是阅读这些故事，用解剖刀翻开每一页纸，最后在故事结尾处写一篇读书报告。报告必须准确反映他在“书”中所见。这像是一种冷静务实的诗歌创作。和所有读者一样，他也受到好奇心的驱使。这具尸体上曾经发生过什么？如何发生？为何发生？他搜寻那个手段高超、无可阻挡、此刻却隐匿不见的影子，那个终将降临在我们每个人身上的影子。死亡是什么？尸体躺在那里，但那只是结果，而非死亡本身。当他找到一个严重肿大的淋巴结或长满异样皱纹的组织时，他知道自己正紧追死亡的足迹。但有趣的是，死亡出现时常常伪装成生命，比如一团生长旺盛的异形细胞，或者，它像杀人犯一样在逃离现场前留下一条线索：一把冒烟的枪、一条动脉外壁的硬化结块。他总是在第一时间检视死神的作品，那时它刚刚转过墙角，衣角的沙沙声没入一片静寂。

他靠在椅背上伸了个懒腰。椅子“吱呀”一声响，仿佛上了岁数的骨头。他注意到工作台上有一份报告，就在显微镜靠墙摆放的位置。它怎么会在那儿？工作台下面的地板上又是什么——另一份报告？还有他办公桌上的玻璃杯——它已经干透了，简直是在积灰。他坚信适度饮水对于人体至关重要。生命在于润泽。他应该把杯子洗净，倒上新鲜清凉的水。他摇了摇头。别再胡思乱想了。他有许多东西要记录，不仅仅是用溶液和切片，还要通过文字。对于每一个案例，他必须收集病人的临床病史、尸检发现以及组织学分析结果，并将它们融合成清晰连贯的整体。他必须专注于工作。专注，说你呢，要专注。找到恰当的词。再说，还有其他尚未完成的报告。有一篇他已经拖了很久，今晚必须完成。一具血肉模糊的尸体，已经放了好几天了，一半曝露在空气里，一半泡在水里，不久就会腐烂膨胀。

一阵响亮的敲门声吓了他一跳。他看了看表。晚上十点半。

“进来！”他喊道。声音里难掩恼怒，如同水壶嘴里喷出的蒸汽。

没人进来。但他感觉到坚硬木门的另一侧有一个沉默的存在。

“我说进来！”他再次大喊。

门把手依然没有响动。病理学不是一门经常需要处理突发状况的医科。病人，或者说他们的活检样本，基本上总是可以等到第二天早晨，至于死者就更有耐心了，所以门外不大可能是一个接到紧急病例的医护人员。况且病理医师的办公室都安排在外人不易找到的位置。有谁会在这个时辰，在新年前夜，费尽周折来医院的地下室找他？

他心烦意乱地站起身，桌上的几份报告被撞得一片散乱。他绕过桌子，握住门把手，拉开门。

他面前站着一个五十多岁的女人，面容和蔼可亲，长着一双褐色的大眼睛，手里拎着一个袋子。见到她他很惊讶。她看着他，张口说话，嗓音温暖而低沉："为何远离不救我，不听我唉哼的言语？我白天呼求，你不应允；夜间呼求，并不住声。我如水被倒出来。我的心在我胸中，如蜡融化。我的嘴唇枯干，如同瓦片。啊，亲爱的，快来助我！[1]"

欧塞比奥轻不可闻地叹息一声，不过这种情绪转瞬即逝，他开心地笑了。门口的女人是他的妻子。她偶尔会来办公室看他，只是很少这么晚。她名叫玛丽亚·路易莎·莫塔尔·洛佐拉。他对她的抱怨早已烂熟于心。它们大多摘自《诗篇》第 22 篇，她最爱的一篇。其实她在世俗生活中没有一丝值得痛苦的理由。她的身心都很健康；她住在一幢漂亮的房子里；她从没想过要离开他或者他们居住的城市；她有一群知心好友；她从没真正感到无聊过；他们有三个成年的孩子，个个都健康幸福——简言之，她拥有幸福生活的全部要素。只是他的妻子，他亲爱的妻子，是一个业余神学家，一个半吊子神父。她格外认真地对待生

1 此处的话引自《圣经·诗篇》(22:1–15)，用词稍有变化。

命的法则和她自身的尘世烦忧，一心以约伯[1]自勉。

她喜欢引用《诗篇》第22篇，尤其是第一行："我的神，我的神！为什么舍弃我？"他心想：这句悲叹是以"我的神，我的神"开头的。即使他帮不上她什么忙，有人聆听多少会有点儿好处。

在和妻子的相处中，他需要时时聆听——他确实如此，却很少能帮上忙。她的嘴唇也许真的枯干如瓦片，但她从不引用《诗篇》第22篇里的下一句——"我的舌头贴在我的牙床上"——因为那会是一句谎言。她的舌头永远不会贴在牙床上。玛丽亚热爱从口中迸出的语言。对她来说，写作是熬鸡汤，阅读是小口喝汤，只有话语才是香喷喷的烤鸡。所以她热爱说话。她无时无刻不在说话。独自在家时，她自言自语；独自上街时，她自言自语；自从三十八年前他们相遇的那天起，她就在他耳边说个不停。他的妻子是一段滔滔不绝的话语，其间没有一处真正的结尾，只有暂停。但她从不会胡言乱语，并对他人的胡言乱语缺乏耐心。有时她对朋友的愚蠢谈话很不耐烦。她给她们端上咖啡和蛋糕，听她们说东道西，之后抱怨道："一群豚鼠，我身边全是豚鼠。"

他猜想妻子读过关于豚鼠的书，看来它们的某种特征激起了她的厌恶：它们弱小，它们完全无害却也毫无防备，它们怯懦，它们简单地满足于啃上一两颗麦粒而对生命不寄予更多的期

---

1 在《圣经》中，约伯原本拥有幸福的家庭，却被灾难夺走了亲人、健康和财富。他在痛苦中试图寻找命运的答案。

望。作为一名病理医师，他倒挺喜欢豚鼠。它们确实在各个方面都很弱小，特别是比起生命赤裸裸的残酷与无常。他解剖的每一具尸体都向他低语："我是一只豚鼠。你能否用你的胸膛温暖我？"胡言乱语——妻子会这么评价。她对死亡缺乏耐心。

在他们年轻的时候，他喜欢情人间充满爱意的喁喁私语，玛丽亚对此也容忍过一段时间。虽然他的职业乍一看很残忍，他却有一颗柔软的心。当他第一次遇见她——那是在大学的咖啡馆里——他觉得她是自己见过的最迷人的造物。这个严肃女孩的美丽点燃了他心中的火焰。一看见她，他的耳畔就回荡起歌声，整个世界光彩夺目。他的心怦怦直跳，满怀感激。但是不久后她就投来不屑的眼神，告诉他不要那么多废话。他清楚地意识到，他的使命是倾听她的话语，然后适当回应，避免用轻浮的言语惹恼她。她是沃土是阳光是雨露，他只是让庄稼生长的农夫。他是个必不可少的配角。他对此欣然接受。他那时深爱着她，如今同样深爱着她。她是他的一切。她依然是沃土是阳光是雨露，他依然乐于做那个让庄稼生长的农夫。

只是今晚他希望做一些工作。显然这不可能了。"滔滔不绝"已经向他袭来。

"嗨，我的天使，"他说，"见到你太惊喜了！袋子里有什么？你应该没去买东西。这会儿所有商店都打烊了。"他凑过去吻了妻子。

玛丽亚没有搭理他。"死亡是一扇难以叩开的门。"她平静地说。她走进他的办公室。"欧塞比奥，这是怎么了？"她大声说，“你的办公室简直一团糟。实在太不像话了。你让客人坐哪儿？”

他看了一眼自己的办公室。确实凌乱不堪。病理医师工作时接待的病患一般不需要坐下，也不在乎整洁与否。他们通常平躺在走廊对面的工作台上，没有一句怨言。他把工作台前的椅子搬过来，放在办公桌前。“我没想到你今晚会来，我的天使。来，坐这儿。”他说。

“谢谢。”她在椅子上坐下，顺手把袋子放在地上。

他收拢桌上的报告，把它们塞进手边的文件夹里，和其他文件夹摞在一起，再把它们通通放到地上。他伸脚把这堆文件夹踢进桌下的暗处。然后，他一只手抓起桌上零碎的纸片，并用掌边拂拭那些让人难堪的积尘，另一只手用作簸箕，把垃圾倒进桌边的纸篓里。好了，这下好多了。他坐下来，隔着办公桌与那个端坐的女人四目相对。丈夫与妻子。

“我终于找到答案了。我必须告诉你。”她说。

答案？问题是什么？

“好，你说吧。”他说。

她点点头。“我最初尝试着从笑入手，因为你喜欢笑。”她说，脸上却没有一丝笑意，“你见过的，我读的那些书。”

他想了想。没错，这样就能解释她为什么会读那些书。过去几个月里，她从最钟爱的科英布拉书商那里订购了阿里斯托芬、莎士比亚、洛佩·德·维加、莫里哀、乔治·费多的戏剧和几本薄伽丘、拉伯雷、塞万提斯、斯威夫特、伏尔泰的大部头。

读这些书时，她总是正襟危坐。他自己没读过这些高深的书，也猜不透她为什么要读。不过他对她的事从不干涉。

“幽默不适合用来解读宗教，”她继续说，“幽默或许能够指出宗教的诸多过失——比如屡见不鲜的道德沦丧的神父，或是假借耶稣之名的嗜血狂魔——但是幽默无法带来真正的宗教启迪。那只是为了幽默而幽默。更糟的是，幽默会曲解宗教，因为宗教当中容不得轻佻——我们不要误把轻佻和快乐混为一谈。宗教中充满了快乐。宗教就是快乐。所以，轻佻地嘲笑宗教，就会不得要领。倘若你只是想找乐子，倒也无伤大雅；但如果你想真心悟道，那就误入歧途了。你懂我的意思吗？”

“虽然明白得有点儿晚了，但我想我能懂。”他回答。

“然后我试着读童书，欧塞比奥。耶稣不是说过，我们必须像小孩子一样承受神国[1]吗？所以我重读了从前我们念给雷纳托、路易莎和安东听的那些书。”

他的脑海里浮现出三个孩子小时候的样貌。那几个小家伙面对母亲的喋喋不休，仿佛热带的孩子对付多雨的天气——他们不顾大雨滂沱，跑到屋外的水洼里尽情嬉戏，放声大笑。她从不会因为这些欢声笑语而气恼。他努力把注意力拉回到妻子身上。

“这些书唤起了许多幸福的回忆，同时我也有些伤感，因为孩子们都长大了。但是它们毫无宗教上的启迪。于是我继续寻找。然后，答案赫然出现在我面前，灵感就来自你最喜欢的

1　见《路加福音》（18:17）。

作家。”

“是吗？真有意思。当时我见你一头钻进阿加莎·克里斯蒂的书，还以为你想在刻苦研究之余休息一下。”

他和她都是阿加莎·克里斯蒂的忠实读者。从最早的《斯泰尔斯庄园奇案》开始，他们读过她所有的书。多亏了葡萄牙侦探小说协会的不懈努力，她的每本小说一被翻译成葡萄牙文，他们就能收到新书。葡萄牙读者总是翘首企盼，所以翻译进行得很迅速。这对夫妻都懂得不要在对方沉浸在新书中时前去打搅。等到两人都读完了，他们会一同重温案情，讨论那些自己本该捕捉到的线索以及误导他们走入死胡同的破案思路。阿加莎·克里斯蒂的明星侦探是赫尔克里·波洛——一个自负、长相古怪的小个子比利时男人。不过在波洛那颗鸡蛋形的脑袋里藏着最敏锐最具洞察力的大脑。他的“灰色细胞”（他这样称呼自己的大脑）永远忠于理性，总是有条不紊地运转。那些细胞总能觉察到他人视而不见的细节。

“《尼罗河上的惨案》真是一本天才之作！她的下一本书应该快出了。”他说。

“肯定快了。”

“你从阿加莎·克里斯蒂那里找到了什么答案？”

“先让我回顾一下心路历程，”她回答，“这条路蜿蜒曲折，所以你一定要专心听。我们先从耶稣的神迹讲起。”

耶稣的神迹。她最爱的话题之一。他瞥了一眼显微镜旁边的钟。今夜会很漫长。

“你的显微镜有什么问题吗？”妻子问。

“没问题。”

“在显微镜里看到的东西对你理解耶稣的神迹毫无帮助。”

“你说得对。”

“盯着钟看也不能拯救你的未来。”

“你说得很对。你渴吗？在我们开始讨论之前，你要不要喝口水？”

“用那个杯子？”她不屑地瞥了眼书桌上那个脏兮兮的玻璃杯。

“我会把它洗干净。”

“这还差不多。我暂时还不渴。不过你提到了水，还真是切题——我们等会儿再回来说水。现在，听仔细了。耶稣的神迹——他有那么多神迹，如果我们认真想想，会发现它们可以归为两类。一类是施惠于人身体的神迹。这类神迹有很多。耶稣让盲人复明，聋子复聪，哑巴开口，瘸子走路。他缓解高烧，治愈癫痫，祛除心理疾病。他帮助麻风病人摆脱病痛。一个饱受血漏之苦十二年的女人触摸了他的斗篷，出血立刻止住了。当然，他还令死者复生：不仅有睚鲁的女儿和拿因城寡妇的独子——这两人都刚刚死去；还有拉撒路——他死了足足四天，尸体已经开始发臭。我们可以把这一类称为耶稣的医疗神迹，它们在他的神迹中占了绝大部分。”

欧塞比奥想起今天早些时候他做的尸检，想起那些散发出死亡恶臭的躯体。那具糜烂肿胀的浮尸无论对眼睛还是鼻子都是极大的考验，即便对于专业医师也不例外。

“但还有其他神迹，它们在医疗之外的方面施惠于人的身体。”妻子继续说道，“耶稣让渔夫的网装满鱼。他把鱼和面包由少变多，让数千人果腹。在迦拿，他把水变成酒。通过缓解人们的饥渴，耶稣再次施惠于人的身体。他平息风暴，使门徒的船免于倾覆，也是同样的道理。类似的神迹还有他让彼得用鱼嘴里的钱币交纳殿税——要不是这样，彼得一旦被抓住，免不了一顿鞭笞。”

欧塞比奥默默地想，玛丽亚施惠于他的身体，他对她也一样。相爱，并且乐在其中，还有比这更大的幸福吗？他们如同春天里的比翼鸟。情欲随岁月渐渐淡去，那种满足感却依然如故——那种拥有一个坚固温暖的小窝的舒适感觉。他的心中再次燃起对玛丽亚的爱。初次见面时，她没提到自己的姓氏是Legion[1]，也没说她的心里住着《圣经》里所有的先知和门徒，还有一大群教会神父。她怀孕生产之时——她说，每次生产的磨难开始前，她体内都会有某种东西像盘子般碎裂——即使在那种时候，当他坐在等候室里听着她的喘息、呻吟和尖叫之时，她仍然在布道。医生和护士走出手术室时都若有所思。他不得不提醒他们告诉他新生儿的状况。尽管她正在忍受煎熬而他们专注于工作，她仍能引发他们思考。他是怎么找到这样一位集美丽和智慧于一身的妻子的？他的运气怎么这么好？他微笑着向妻子眨了

1 Legion一词是《马可福音》和《路加福音》里对于耶稣治好附魔之人的神迹的统称。玛丽亚的姓氏是Legion，有双关的意味。

眨眼。

“欧塞比奥，别闹了。时间很宝贵。”她低声说，“那么，为什么耶稣会施惠于人的身体呢？显然，他展示神迹是为了让身边的人信服——他们确实信服了。他们惊叹不已。但耶稣为什么要通过治愈疾病、拯救饥民来证明自己是救世主降临呢？别忘了，他完全可以像鸟一样翱翔，就像魔鬼让他做的那样；或者，如他自己所说，他可以将山峰投入大海。这些神迹同样配得上救世主的身份。为什么偏偏要选择有关惠及身体的神迹呢？”

欧塞比奥仍然一言不发。他累了。更难熬的是，他饿了。他想起妻子脚边的那个袋子。也许他应该去办公室的小洗手池洗玻璃杯，然后在走回办公桌的路上偷瞄一下袋子里的东西。她来时总会给他带些吃的。

妻子自问自答道：“耶稣之所以展示这些神迹，是因为它们在我们最需要的地方带来福音。我们的身体都会遭受痛苦和死亡。那是我们的宿命——这一点你最清楚，亲爱的，你整天都在解剖腐尸。通过疗愈疾病、消除饥饿，耶稣在我们最虚弱的时刻与我们相逢。他减轻了我们血肉之躯的重负。这对我们的触动远胜过其他神力的展示，无论是在空中飞翔还是将山峰投入大海。”

“现在我们来谈谈耶稣的第二类神迹——诠释教义的神迹。这类神迹仅仅出现过一次。你知道是哪一次吗？”

“告诉我吧。”欧塞比奥柔声说。

“是耶稣在水面行走。那是独一无二的神迹。耶稣让众门徒上船先行。他们出发了，耶稣上山祈祷。夜幕降临。门徒顶着风奋力摇橹，不过并没有风暴，他们的生命不存在任何危险。漫漫长夜，他们艰难划行。破晓时分，他们看见耶稣朝他们的船走来，他的双脚踩在海面上。他们惊慌不已。耶稣让他们放心：‘是我。不要怕。’在马太的记述中，彼得问主他是否可以走到他那里去。‘你来吧。’耶稣说。彼得从船上下去，在水面上走，往耶稣那里去，但他感到风势很强，就害怕起来，并开始下沉。耶稣伸手拉住他，把他带上了船。迎面吹来的风就停了。

“为什么耶稣要在水面行走？他是要挽救一个即将淹死的灵魂，还是想施惠于某人的身体？都没有。彼得在水中的遇险发生在耶稣的水上行走之后。还有其他动机吗？清晨时分，耶稣从遥远的岸边开始了他神奇的行走，最初他只身一人，后来在海上除了门徒之外再没有旁人，因为船早已远离海岸。也就是说，这次神迹没有任何服众的必要。在水面上行走没有让任何人受益，也没有唤醒任何具体的希望。无人祈求，无人期待，甚至也无人需要。为什么如此反常的神迹会出现在福音书这样言简意赅、精挑细选的文本里？而且这次特殊的神迹很难被隐藏。它出现在两部对观福音书[1]《马太福音》和《马可福音》里，还出现在《约翰福音》里。它是极其少见的在多本福音书里均有记载的神迹。它意味着什么，欧塞比奥，它意味着什么？在一个灵光乍现的瞬间，我顿悟了。”

1 又称为“同观福音”或“符类福音”，指《新约》中的前三本福音书，即《马太福音》《马可福音》和《路加福音》。它们在结构、内容、词语表达上都大致相近，而与第四福音书《约翰福音》有很大不同。

他这才回过神来。一向如此。她滔滔不绝，他不知不觉就上了钩，像《圣经》故事里的一条鱼。她悟到什么了？

“我领悟到，从表面上看，耶稣行走于水面的神迹似乎没有价值。然而，如果我们意识到它是借一件事比喻另一件事——换句话说，是一则寓言——那么这个神迹就令人豁然开朗了。游泳是一项现代发明，耶稣那个时代的人还不会游泳。如果他们掉进深水，他们会沉下去淹死——这是不折不扣的事实。如果我们把水比作生命的经验，那么它也是宗教意义上的真理。男人和女人都是脆弱的，他们在自身的脆弱中下沉。耶稣不会下沉。一个沉入水中的人会自然而然地向上看。他看见了什么？当他被令人窒息的黑暗包裹时，他看见头顶上方能使人得救的明亮光线和纯净空气。他看见耶稣。耶稣站在那些在脆弱中挣扎的灵魂上方，给予他们救赎。这解释了彼得在水上的不幸遭遇：他只是凡人，所以会下沉。按照寓言的解读方式，它关乎我们的脆弱、耶稣的圣洁以及祂赐予的救赎，于是这个神迹显现出全新的含义。

“此刻，我问自己，为什么唯独这个神迹需要寓言式的解读？难道我们不能用类似的方式来解读施惠于人体的神迹，以获得更深的感悟？我从没这样想过。我真是个可怜的笨女人。我总以为耶稣疗愈身体的神迹确有其事。在我的想象中，耶稣真的治好了麻风病、失明和其他疾病，他也的的确确为上千人提供了食物。但难道主只是一个赤脚大夫和兜售面饼的小贩吗？我不这么认为。那些施惠于人体的神迹一定也有更深的寓意。”

“什么寓意？”欧塞比奥顺着她的话问道。

“除了象征永远的国[1]，还能是什么？耶稣每一次神奇的疗愈都是我们最终归去之处的缩影，**前提是我们守得住信仰**。只要守住了信仰，你将从血肉之躯中获得解脱，你将永不受饥寒之苦。你明白这有多重要吗？”欧塞比奥大着胆子点了点头。玛丽亚的声音温暖舒缓，如黄油一般柔和。要是他能把它吃下去该多好。他瞥了一眼座钟。“耶稣行走于水面的神迹告诉我们应该如何阅读《圣经》。如果我们只是把福音书看成四名记者的报道，那么它们的内容就被简化了，寓意也削弱了。如果我们把福音书的语言视作比喻和象征，它们就能引导我们到达一定的道德深度，进而领悟真理。那就是耶稣自己使用的语言，对不对？他是如何教导世人的？”

“福音书里说：‘若不用比喻，就不对他们讲[2]。’”

“没错。遗失的羊的寓言、芥子的寓言、无花果树的寓言、酵母的寓言、撒种的寓言、浪子的寓言，等等。那么多的寓言。”

芥末酱羊肉，配上炖无花果和一杯葡萄酒——那么多可以吃的寓言，欧塞比奥想。

“寓言是以简单故事为依托的比喻。它是一个百宝箱，只有打开它才能参透其中的奥妙。而开启这些宝箱，使它们一览无余的唯一钥匙，就是比喻。

“最后，只有一件神迹如《圣经》中记载确有其事。它是我们信仰的支柱。那就是主的复活。清楚了这一点，我们就可以理

---

1 《但以理书》(4:3)中说：“他的国是永远的！”

2 引自《马可福音》(4:34)。

解耶稣讲述的故事和关于他自己的故事。这是基督教的本质：一件独一无二的神迹为众多故事所簇拥，如同一座岛屿被大海环抱。”

欧塞比奥轻咳了一声。“你还没把这些发现告诉塞西利奥神父吧？”

塞西利奥神父是本地的神父，也是玛丽亚常常报以白眼的对象。有她在场时，那个可怜人看上去总像鸡窝里一只没有下够蛋的母鸡。

“干吗？你想被逐出教会吗？那个白痴只知道按照字面意思解读《圣经》。他的布道简直是对我的信仰的侮辱。他蠢得跟头牛一样。”

“但是他人很好。”欧塞比奥温和地说。

“牛也很好。”

“那些都非常有趣，我是说你刚才的话。”

“我还没说完。我在寻找，你还记得吗？因为有一个问题。”

“是的，你找到答案了。”

“啊，我的心跳得好快！我现在想喝一杯，你能把那个杯子洗了吗？”

玛丽亚弯腰从袋子里取出一瓶红酒放到桌上。欧塞比奥脸上露出灿烂的笑容。“玛丽亚，上帝保佑你！”他迫不及待地开了瓶。醒酒时，他把杯子细细刷了一遍。

“我没有别的杯子了。”他说，“你用杯子喝，我用瓶子直接喝。”

“那像什么话，我们用一个杯子喝。”

“好。”他把瓶中的琼浆倒入玻璃杯，它像萤火虫一样烁烁发光。他舔了舔嘴唇，想象红酒滑过喉咙的快感，但还是把酒杯递给妻子。“你先来，我的天使。”

玛丽亚若有所思地抿了一小口。她闭上眼睛，感受酒中精华渐渐渗入身体。她舒了一口气，睁开双眼。“酒不错。”

她把酒杯递给他。他喝了一大口，发出满足的叹息声，然后一饮而尽。“啊！真不错。再来一点儿。”他又倒了大半杯。

玛丽亚又喝了一小口。“我够了，”她说，“新年快乐。”

“什么？”

“如果你连时间都注意不到，看钟还有什么用？看看那两根指针。现在是午夜。已经是一九三九年了。”

“你说得没错。新年快乐，我的天使。希望这是一个好年头。”

他喝完酒，重新坐下。现在轮到他像萤火虫一样烁烁发光了。他有几分恍惚，这时妻子又开口了。

“为什么耶稣要讲述寓言？他为什么既要讲故事，又要在故事里现身？**为什么真理要借助虚构的手法？**一方面，小说家、诗人、剧作家和其他以创作为生的手艺人像弹拨曼陀林一样玩弄语言，创作出富含隐喻的故事。另一方面，拿撒勒人耶稣[1]却鲜有史料记载，这难道不奇怪吗？里斯本一个不起眼的政府官员来到布拉干萨，他是个不值一提的谨小慎微的小个子男人，报纸却长

---

1 拿撒勒是以色列北部的一座城市，据称耶稣在此地长大。拿撒勒人耶稣意味着耶稣在历史上确有其人。——编注

篇累牍地报道，这些报纸甚至还会被存档。或者就说你，你的工作，欧塞比奥。一个人死了，这再正常不过；但你为他写了份报告，把一个速朽的生命化为不朽。然而，上帝之子降临城中，他四处游走，他与所有人见面，他的神迹让人惊叹不已，他被谋杀了——**却没人记录这一切**？当这颗伟大的神圣彗星撞击地球时，它唯一的痕迹只是**一系列口述的传说**？

“在基督纪元的第一个世纪，异教徒留下了上百份文稿。没有一份提到过耶稣。没有一个同时代的罗马人——官员、将军、政客、历史学家、哲学家、诗人、科学家、商人、任何类型的作家——提到过他。在任何公共场所的铭文或者存世的私人信件中都找不到有关他的蛛丝马迹。他没有出生记录，没有审判报告，也没有死亡证明。他死后一个世纪——整整一百年之后！——才出现两份关于耶稣的记述：一份来自小普林尼，一个罗马元老院议员及作家，另一份来自塔西佗，一位罗马历史学家。一封信和几页纸——这就是这个帝国狂热的官僚和骄傲的权贵的全部贡献。要知道，帝国的下一个宗教由耶稣创立，帝国的首都将成为他的信众的国都。所有异教徒都忽视了那个将把他们从罗马人变成基督徒的男人。这实在难以想象，就像法国人忽视了大革命一样。

“如果当年犹太人有更多关于耶稣的记录，那也都佚失了。谋害他的法利赛人没有留下一句话，犹太法庭没有留下一句话，审判他的宗教委员会也没有留下一句话。历史学家约瑟夫斯两次简要地提到耶稣，但距离他在十字架上的受难已经过去了二十年。在有关拿撒勒人耶稣的史料当中，所有来自非基督教渠道的记载合在一起也不过几页纸，而且全是二手的。它们的内容毫无新意，在基督教文献中均有记载。

“不对，不对，不对。史料对我们毫无帮助。我们对于耶稣的血肉之躯的了解全部来自四位寓言家。更叫人惊讶的是，这几位吟游诗人从没见过耶稣。马太、马可、路加和约翰——无论他们是谁，他们都没见过耶稣。和罗马人与犹太人一样，他们也是在耶稣殉难多年后才开始书写。他们是蒙受感召的抄写员，记录和整理了那些数十年来的口头传说。于是，耶稣通过这些口口相传的古老故事来到我们中间。一个人以这种方式在历史上留下印记，是多么随意、多么冒险啊！

“更奇怪的是，似乎耶稣自己想要这样。犹太人极度热衷读写。犹太人的每根手指都是一支笔。上帝对我们其他人只是口述，犹太人却得到了刻有文字的石板。然而，比起文字，竟有一个举足轻重的犹太人更偏爱转瞬即逝的声音。他选择飘忽不定的口头传说，而非白纸黑字的事实。为什么采取这种方式？为什么不以伟大的战神救世主的形象出现，如同犹太人所期望的那样？为什么要讲述故事，而非书写历史？”

妻子领着他穿过一条又一条富丽堂皇的走廊。现在，欧塞比奥预感到，他们就快步入正厅了。那里有宏大的舞池、辉煌的吊灯和高大的窗户。

“我想，那是因为耶稣想再一次施惠于我们。一个故事就是一场婚礼，我们这些听众就是看着新娘一步步走近圣坛的新郎。在这场幻想的结合里，故事诞生了。和每一桩婚姻一样，这种结合让我们置身其中；而且，就像没有两桩完全相同的婚姻，我们对故事的理解和感受也因人而异。故事对我们的感召如同上帝对我们的感召，它直接触及人心，而且我们欣然向往。故事有益于人的心灵。耶稣行走在世间，他的平静让我们安心。只要他还透过故事触摸着我们，只要他的指印还留在我们惊愕的脑海里，我们就与他同在。所以，他出现时并没有骑着一匹奔驰的马，而是端坐在一个故事之上。

“想象一下，欧塞比奥。想象你应邀参加一场宴会，面前是一张奢华的餐桌，上面摆着美酒佳肴。你尽情吃喝，直到酒足饭饱。这时你会转向主人，询问刚吃下肚的那些牲口的事吗？你也许真的会问，也许还能得到一些牲口的信息，但这怎么能跟你刚享用的大餐相提并论？我们必须放弃这种对历史上耶稣其人的还原主义追索。他无法被找到，因为那不是他选择留下印记的地方，也不是他选择的方式。耶稣讲述故事，也活在故事里。我们的信仰是对他的故事的信仰，在对故事的信仰之外几乎别无他物。圣言即故事，故事即圣言。”

玛丽亚深吸一口气。她的脸上洋溢着微笑。“现在，故事仍与我们同在。于是我找到了答案。那就是阿加莎·克里斯蒂。”

她弯腰从脚边的袋子里掏出一摞又一摞书。都是欧塞比奥很熟悉的：《褐衣男子》《蓝色列车之谜》《七面钟之谜》《寓所谜案》《悬崖上的谋杀》《三幕悲剧》《古墓之谜》《尼罗河上的惨案》《神秘的奎因先生》《ABC 谋杀案》《埃奇威尔爵士之死》《罗杰疑案》《斯泰尔斯庄园奇案》《死亡草》《死亡之犬》

《斯塔福特疑案》《东方快车谋杀案》《沉默的证人》《悬崖山庄奇案》。这么多封面鲜亮的精装本，全堆在他的桌上，其中几本砰然落地。

“最初我是在重读《东方快车谋杀案》时忽然萌发这个想法的。我注意到列车从东方开来。故事围绕着十三名乘客展开，其中一个是恶棍，是犹大。我注意到这些乘客来自各行各业，拥有各种国籍。我注意到其中一个调查人员，赫尔克里·波洛的助手，康斯坦丁医生。耶稣的故事不也是个东方故事，并且因为另一位康斯坦丁[1]而被世人传颂吗？耶稣不也有十二位门徒，其中一个不就是犹大吗？巴勒斯坦不也是一列混杂着各国籍民众的东方快车吗？赫尔克里·波洛的外国人长相常遭人指指点点，每次却总要靠他解开谜题。救世的异邦人——这不也是看待耶稣的一个角度吗？这些发现引导我用新的眼光来审视阿加莎·克里斯蒂的侦探小说。

“我注意到一系列事件。每个不经意的事件都暗藏玄机。阿加莎·克里斯蒂的故事是对于有启示性的线索的叙述，因此语言直白简明，段落和章节短小庞杂，和福音书一样。只有关键点才会被讲到。侦探小说和福音书一样，也在去芜存菁。

“我注意到，在阿加莎·克里斯蒂的故事里几乎完全见不到孩子，因为谋杀案无疑只是成年人的娱乐；孩子在福音书里基本也没有出现，因为福音书同样只针对成年人。

“我注意到那些洞悉真相的人总是遭到怀疑和蔑视。那显然

1 指罗马皇帝君士坦丁大帝（Constantine the Great）。他是第一位皈依基督教的罗马皇帝，承认在罗马帝国内部有信仰基督教的自由。

也是耶稣的遭遇。但是看看年迈的马普尔小姐，她总能洞悉真相，所有人却对此感到惊讶。赫尔克里·波洛也一样。那个怪模怪样的小个子男人怎么可能洞悉一切？但他确实洞悉一切。这是温和者的胜利——在阿加莎·克里斯蒂的小说里如此，在福音书里同样如此。

“最严重的罪行莫过于夺走一条生命，这一直是阿加莎·克里斯蒂故事的核心。这也是耶稣故事的核心。在这两类故事的叙述中，不计其数的角色被简要地介绍，都出于同一个目的：将所有嫌疑人罗列在读者面前，让他们观察谁屈从于恶魔的诱惑，谁却不为所动。坚忍与懦弱并立，在福音书和阿加莎·克里斯蒂的故事里都是如此。在这两类故事里，灵感出现的方式如出一辙：我们被告知事实，但事实本身善恶难辨；然后我们获得一种解读，这种解读为事实赋予意义。耶稣的寓言采用这种讲述方式：先是全面的阐述，然后是解释。比如耶稣的受难。他的殉难和复活正是先讲事件经过，再由保罗进行解释，并赋予其意义。阿加莎·克里斯蒂的侦探小说的结局也一样：赫尔克里·波洛先回顾所有的线索，再向我们揭示它们的含意。

“见证者的角色同样至关重要。无论是耶稣还是赫尔克里·波洛都无暇提笔书写。他们满足于生活在话语的世界。所以见证者变得必不可少，否则我们怎么知道他们说了什么、做了什么？不过这其实是水到渠成。一个人在自己的领域里做出那么不可思议的事，人们觉得有义务作为见证。见过耶稣的人会在余生里向家人、朋友和陌生人讲起他，直到他们的话传到保罗的耳朵里，然后是马太、马可、路加和约翰。阿瑟·黑斯廷斯也是如此——他在众多的赫尔克里·波洛故事中扮演类似华生医生的叙述者角色，忠实程度堪比福音书的讲述者。

“但是，每个证人在某种程度上都是不可靠的。我们在阿瑟·黑斯廷斯身上可以清楚地看到这一点。他总是比赫尔克里·波洛慢半拍，要靠波洛给出合理的解释。然后我们意识到愚钝的人并不只是阿瑟·黑斯廷斯。我们同样会遗漏线索，曲解事件关键，无法领会要点。我们也需要赫尔克里·波洛为我们解惑。耶稣的情况也一样。他身边围绕着数不胜数的阿瑟·黑斯廷斯，他们永远会遗漏线索，曲解事件关键，无法领会要点。他也需要向门徒解释一切，这样他们才能跟上他的脚步。即便如此，门徒的理解也多有偏颇，他们对于耶稣的言行无法达成共识。看看福音书吧：四本书，每本都和其他几本略有不同，每本都和其他几本有逻辑冲突，就像同一案件的不同证词常常互相矛盾一样。

“在阿加莎·克里斯蒂的侦探小说里，凶手总比我们预想的离我们更近 。想想《褐衣男子》《七面钟之谜》《三幕悲剧》《ABC谋杀案》，尤其是《罗杰疑案》——我只是随便举几个例子。我们的目光对于远方的恶魔很敏锐，但是距离越近，道德的近视就越严重。边界变得模糊，焦点难以辨认。于是当凶手揭晓时，你的反应是：‘你也有份，布鲁图？’[1] 当犹大——好心的加略人犹

1 原文“Et tu, Brute?”是一句拉丁语名言 。罗马执政官恺撒被元老院议员行刺时，他发现行刺者中包括自己最信任的助手及养子布鲁图（Brute），于是在绝望中说出这句遗言。这句话在关于背叛的描写中被广泛引用。

大，我们亲爱的朋友和旅伴——被证明是叛徒时，门徒们一定也是这副表情。我们总是对于身边的恶魔视而不见，总是心甘情愿地把头转开！

“说到视而不见，有一个有趣的现象。我们读阿加莎·克里斯蒂的小说时总是身不由己。我们必须读下去。我们想知道是谁干的，怎么干的，为什么要那么干。然后我们找到了答案。我们惊讶于案犯的精心设计。啊，凶手的头脑多么冷静，他下手多么狠辣。我们如饥似渴的好奇心得到了满足，我们放下书本——然后我们瞬间就忘记了凶手是谁！难道不是这样吗？我们却忘不了受害者。阿加莎·克里斯蒂可以把小说取名为《罗杰疑案》或《埃奇威尔爵士之死》，却毫不担心读者会丧失兴趣。受害者已经摆明了，我们忘不了他。但是凶手那么快就从我们的头脑里消失了。在阿加莎·克里斯蒂所写的众多小说之中，我们随手翻开一本，会下意识地想：*我读过这本吗？让我看看。她死了，对，我记得，但是谁干的？哦，不记得了。*我们必须重新读上一百页才能想起是谁夺走了一条人命。

“我们把同样的健忘用在福音书上。我们记住了死者。我们当然记得住。但我们记得住是谁杀了他吗？假设你在街上随便拦一个人，问：‘立刻告诉我，是谁谋杀了耶稣？’我猜那人多半张口结舌。到底是谁谋杀了拿撒勒人耶稣？谁应当对此负责？是加略人犹大吗？嘿！他不过是个工具，一个帮凶。他背叛了耶稣，他把他卖给了搜捕他的人，但他并没有杀害他。那么，是不是本丢·彼拉多——那个宣判耶稣死刑的罗马执政官？也很牵强。他知道耶稣是无罪的，想把他释放，也更愿意把巴拉巴钉在十字架上，但他最终屈服于愤怒的民众[1]。彼拉多宁可牺牲一个无辜的人，也不愿眼睁睁看着骚乱爆发。所以他是一个懦夫，另一个谋杀案的帮凶，但他也并非真正的凶手。

“那么，是谁犯下的罪行？广义上讲，是罗马人吗？耶稣的确是被罗马士兵绑起来的——命令由罗马军官下达，遵照一个罗马行省的罗马律法。不过有谁听说过这么模糊的凶犯？ 神之子被一个早已消失的帝国的无名奴仆杀害，只为安抚一个争吵不休的本地族群——我们在神学上能接受这样的观点吗？如果这是事实的话，难怪没人记得凶手是谁。

“啊！但是显而易见：是犹太人谋杀了耶稣！这话听上去很熟悉，对不对？一群工于心计的犹太长老和罗马当局沆瀣一气，阴谋除掉一个带来麻烦的同胞。（我们只记得恨犹太人，却忘了恨意大利人——为什么会这样？这真是一种耻辱！）但是，如果该负责的是犹太人，那么是哪几个人？他们叫什么名字？我们知道大祭司该亚法。还有其他人吗？没有别的名字被提及。实际上，和犹大、彼拉多一样，该亚法也只是帮凶。犹太人不能公开杀死犹太人——记得十诫吗？该亚法必须找到下得了手的人。于是他和同辈的长老煽动民众，让民众决定耶稣应该被钉死。他们承担着真实的、实质性的罪名。如果民众大声疾呼，要求释放耶

1 据《圣经》福音书的记载：按照惯例，巡抚在逾越节期间会按民众的意愿释放一名囚犯。巡抚彼拉多将强盗巴拉巴和耶稣一同带到犹太群众前，询问两者中应释放哪一个。群众在大祭司的挑唆下要求处死耶稣。彼拉多迫于压力，释放了巴拉巴，判处耶稣死刑。

稣、钉死巴拉巴，彼拉多一定会照办，该亚法的阴谋就无法得逞，犹大也不必退还沾血的钱。

“看样子我们已经找到了答案：拿撒勒人耶稣的死，罪在民众。严格来讲，首先是民众被寂寂无名的官员欺骗，然后被寂寂无名的长老煽动，希望耶稣被处死，最后没名没姓的士兵动手杀死了他。但一切都源自民众，还有比民众更没名没姓的吗？民众的定义，不就是无名氏吗？这样看来，整件事水落石出：有罪的犹太人，有罪的罗马人——他们只是挡箭牌，是混淆视听的熏鲱鱼[1]，这和阿加莎·克里斯蒂的惯用手法如出一辙。难怪那些随处可见的粗人会认为隔壁的犹太人杀死了耶稣，因为那更具体。但神学上的事实是：无名氏杀死了拿撒勒人耶稣。那么谁是无名氏呢？”

玛丽亚顿了一下。片刻的沉默后，欧塞比奥如梦初醒，意识到妻子正在等待他的回答。

“哦！我不太清楚。我从来没有——”

“无名氏就是你，就是我，就是我们所有人。我们杀死了拿撒勒人耶稣。我们就是民众。我们就是无名氏。写进历史的不是犹太人的罪，而是我们所有人的罪。但是我们那么快就忘记了这一点。我们不喜欢罪过，对吧？我们惯于文过饰非，将罪过转嫁给他人。而且正因为我们厌恶罪过，所以我们记不住福音书里是谁杀死了受害者，就像我们记不住阿加莎·克里斯蒂的侦探小说

1 “熏鲱鱼”（red herring）是一句英文俚语。欧洲人在训练猎犬追踪狐狸时，会故意放置气味独特的红色熏鲱鱼作为干扰。因此“熏鲱鱼”指分散注意力的线索。

里是谁杀死了受害者。

“说到底，这难道不是形容耶稣生平的最简洁的方式吗——一起谋杀案？一条生命被夺走，受害者完全无辜。是谁干的？谁有作案动机和时机？尸体上有什么痕迹？它说明什么？这需要一名优秀的侦探来破案。凶案发生多年以后，这位一世纪的赫尔克里·波洛出现了，他就是塔尔苏斯的保罗。基督教始于保罗。最早的基督教文献就是保罗的信件。我们从这些信中获知耶稣的故事，这比福音书上的耶稣生平早了若干年。保罗立誓把耶稣的事件查个水落石出。他使用自己的‘灰色细胞’，四处查访，听取证词，仔细查看事件记录，搜集线索，研究每一个细节。在去往大马士革的路上，他眼前闪现出一个画面，顿时恍然大悟。在调查接近尾声时，他得出了唯一可能的结论。然后他开始布道，开始书写；耶稣也从一个失败的弥赛亚[1]变成了替我们背负原罪的神子。保罗使得拿撒勒人耶稣的案件真相大白。在阿加莎·克里斯蒂的小说里，悬案的破解带给我们某种快感，同时读者也被她惊人的创造力折服。与此类似，耶稣的复活及其意义同样在基督徒心中唤起一种大欢喜——这种欢喜更进一步，它是持久的快乐；基督徒感谢上帝惊人的创造力，以及祂无限的悲悯。在这里，一个问题曾困扰保罗：一位慈爱的神为何会被意外处死，然后又复活？唯一的答案是：耶稣通过复活来洗刷我们的罪过。赫尔克里·波洛会由衷地赞同保罗解谜的逻辑。

1 《旧约》中先知们预言的救世主。

“福音书里的世界是严酷的。那里充满了苦难——身体的苦难，灵魂的苦难。那是一个善恶分明的世界，善者一心向善，恶者穷凶极恶。阿加莎·克里斯蒂的世界也同样严酷。我们中有谁跟赫尔克里·波洛和简·马普尔一样，生活在谋杀案频发的世界里？而且在那些凶案背后，有多少邪恶暗流涌动！我们的世界不是那样的，对吗？我们中大多数人既没见过那么多善，也没见过那么多恶。我们航行在一条中间航道上。然而，谋杀案仍会发生，有时规模还很大，对不对？一战结束还没多久。隔壁的西班牙人正在肆无忌惮地相互屠戮。现在不断有谣言说，另一场大战就要在我们这块大陆打响。我们这个世纪标志性的罪行就是谋杀，欧塞比奥。无名氏依然活在我们中间。那条中间航道只是一个幻觉。我们的世界同样严酷，我们只是躲在运气和紧闭的双眼构筑的避难所里。等到运气用尽，等到眼皮被撕开，你该怎么办？

“令人悲伤的现实是：无论医生怎么说，都不存在自然的死亡。每一起死亡对于某个人来说都是一次谋杀，它不公正地夺走了一个被深爱的生命。即使我们中最幸运的人在生命中也至少会遭遇一次谋杀，那就是我们自身的死亡。那是我们的宿命。我们全都活在自己扮演死者的谋杀案里。

“唯一在道德高度上堪比福音书的现代文学只有地位低下的侦探小说。如果把阿加莎·克里斯蒂的侦探小说放在福音书之上，用一束光透射下来，我们能看出两者遥相呼应，处处暗合。我们会发现相同的结构和类似的叙述。他们是同一座城市的两幅地图，是关于同一种存在的两个比喻。它们折射出同样清澈的道德之光。这就能解释为什么阿加莎·克里斯蒂是世界历史上最受欢迎的作家。她的感染力和《圣经》一样强烈，她像《圣经》一样家喻户晓，因为她是一位现代使徒，一位女性使徒。在男人们喋喋不休两千年之后，该轮到女人了。这位新使徒回答了耶稣曾回答过的问题：我们要如何面对死亡？因为悬案终将告破，迷雾消散无踪。我们必须以同样的方式面对死亡：破解它，赋予它意义，把它放进人生的历程当中，无论这一切有多难。

“然而，阿加莎·克里斯蒂和福音书有一点关键区别。我们不再活在预言与奇迹的时代。和福音书里的人们不同，我们不再有耶稣活在我们中间。马太、马可、路加和约翰的福音书是关于神的存在的记述。阿加莎·克里斯蒂的书是关于神的**缺席**的福音书。她的书是写给现代人的现代版福音书。现代人更多疑，更不愿接受信仰。因此耶稣仅出现在片段之中，藏在不起眼的痕迹间；他披着斗篷，戴着面具，身影模糊，隐于暗处。但是你看——他就在她的姓氏里[1]。更重要的是，他近在咫尺，低声耳语。”

玛丽亚·洛佐拉打量着丈夫的反应，一丝微笑爬上她的脸庞。他也向她微笑，却没有说话。老实说，听到她把耶稣基督和使徒保罗拿来跟阿加莎·克里斯蒂和赫尔克里·波洛相提并论，这让他感到别扭。一个来自英格兰托基市的四十八岁中年女人，

1 阿加莎·克里斯蒂的英文姓氏是 Christie，恰好含有 Christ（基督）一词。

一个创作了大量引人入胜的娱乐小说的作家——如果罗马教皇听说出了这么一个劲敌，他心里一定不痛快。

玛丽亚又开口了，柔和的声音飘过来，仿佛一个拥抱。“这太棒了。我们这个时代最持久的挑战不就是信仰与理性的结合吗？要我们把生活植根于那一丝遥远的神圣，这太困难，也太不合情理。信仰是崇高的，但不切实际：人怎么可能日复一日地活在一个永恒的理念里？理性却来得容易得多。理性是现实的，它的回报立竿见影，它的作用显而易见。然而，理性也是盲目的。理性，就其自身而言，无法为我们指引方向，尤其是在逆境当中。我们如何在两者间求得平衡，如何让信仰和理性和谐共存？拿你来说，欧塞比奥，我认为问题的答案藏在这样的故事里：它们出色地展现了理性，同时又让你贴近拿撒勒人耶稣。如此一来，即使在内心动摇的时刻，你也能坚守信仰。因此，我送给你：阿加莎·克里斯蒂。”

她看上去光彩照人。这两个单词构成的礼物包裹在层层演说词当中，此刻落进他的怀里。根据自己数十年的经验，他明白现在到了他回应的时刻。他却意外地张口结舌。什么？耶稣的神迹，耶稣施惠于人的身体，耶稣行走于水上，寓言家耶稣被其他寓言家挽救，耶稣是一桩谋杀案的受害者，耶稣是阿加莎·克里斯蒂故事背景中一个低语的身影——所有这些迂回曲折的论点，**只是为了证明他在阅读自己最爱的作家作品时可以获得更崇高的宗教慰藉？**他结结巴巴地说：“谢谢你，玛丽亚。我还没从这个角度思考过阿加莎·克里斯蒂。这是一个——”

“我爱你。”妻子打断他，“我做这些都是为了你。你只读阿加莎·克里斯蒂。下次你卧病在床、情绪低落的时候，就拿一本她的书，幻想你在一条船上。涉水而来，站在船边的人就是拿撒勒人耶稣。他开始为你朗读阿加莎·克里斯蒂。怜爱你的主啊，祂温暖的呼吸掠过纸页，吹拂在你脸上。彼时彼刻，你怎能不绽放笑颜？”

“啊，玛——玛——玛丽亚！”他大声喊道。这突如其来的口吃是怎么回事？他望着她，明白了自己的感激之情从何而来。他的沃土、他的阳光、他的庄稼、他的雨露。“我的天使，你真是太体贴了！我太感动了。”

他站起身，绕过桌子向她走来。她也站起身。他张开双臂拥抱她。他们接吻。她的身子很冷。他紧紧抱着她，用自己的身体温暖她。他把头倚在她肩上，说：“真是一件很棒的礼物。我真幸运，能——”

她从他怀里挣脱，轻轻拍了拍他的脸颊。“别客气，我亲爱的丈夫，别客气。你是个好人。”她叹了口气，“我该回家了。能帮我把书装进袋子吗？”

“当然！”他俯身捡起掉在地上的书。他们一起把所有阿加莎·克里斯蒂的书装回袋子，并肩走到几步外的门口。他拉开门。

“你把牛奶忘在外面了，”她站在门口说，“三天了。已经馊了，臭死了。我没有注意到，因为我从来不喝那东西。如果你今晚要通宵加班的话，回家时顺便买点儿新鲜牛奶。还有面包。记得别买小扁豆面包，吃了会放屁的。最后说一句，我还给你买了个小礼物。现在别看。我要走了。”

但他仍想留住她，感谢她为他准备的礼物。他和挚爱的妻子已经共度了三十八个年头，他依然想向她倾诉。

“我们一起祈祷吧？”他问。这是他打断妻子思路的惯用伎俩。

“我太累了。不过你祈祷吧。而且你还有工作要做。你在忙什么？”

他看了看书桌。工作？他完全忘了他的工作。“我有好几篇报告要写。有一个案子尤其让人不舒服——一个女人被推下了桥。一桩邪恶的谋杀。”

他叹了口气。

“只有婴儿和小孩的尸检比这更糟——那些器官全都小得像玩具。除此之外，再没有比腐烂的人体更令人作呕的了。死后两到三天，尸体开始腐烂，腹部出现标志性的绿斑，它逐渐蔓延到胸部和大腿上部。这种绿色源自肠道菌群释放的一种气体。人活着的时候这些细菌帮助消化食物，但在死后它们帮助消化肉体。这类朋友在自然界里无处不在。这种气体里含有硫黄，所以很难闻。一部分气体会从直肠逸出，所以往往你还没看见腐尸就已经闻到气味。不过很快你就会看到剧烈的变化。当这种气体让皮肤完全变色之后，它开始造成尸体鼓胀。眼球会从浮肿的眼皮间鼓出来；舌头从嘴里伸出来；子宫整个儿翻过来，被挤出体外；肠子也从肛门里挤出来；皮肤的颜色持续改变。仅仅一周时间，假如尸体经历了完整的湿性坏疽分解，那么一具苍白的尸体会从浅绿色变为紫色，再变为暗绿色，沿着静脉浮现出大理石状的黑色条纹。水疱慢慢胀大又破裂，在皮肤上留下坑坑洼洼的脓斑。尸液从鼻孔、嘴和其他身体出口渗出。在这些液体里可以找到两种化学物质，它们叫作腐胺和尸胺——这两个名称准确地传达出它们的气味。死后两周，尸体已经肿得浑身紧绷，尤其是腹部、阴囊、胸部和舌头。最苗条的人也会变得肥胖臃肿。肿胀的皮肤开裂，然后整片整片地滑落。再过一周，头发、指甲、牙齿都会脱落。大多数脏器已经破裂，并开始液化，包括大脑——它最后的固体形态是一种暗绿色的凝胶。所有器官化为一条恶臭、黏稠的小溪，从骨架上缓缓流淌下来。

“在体外，细菌之外的其他微生物也加入丑化尸体的过程。各种鸟类啄食腐肉，为成群的小型入侵者辟出入口。它们中有苍蝇——主要是食肉蝇和丽蝇，它们会产生大量的蛆——还有甲虫、蚂蚁、蜘蛛、螨虫、马陆、蜈蚣、黄蜂，等等。每种入侵者都以其独特的方式毁损尸体。还有更多的毁损者：鼩鼱、田鼠、老鼠、狐狸、猫、狗、狼、猞猁。这些家伙啃噬面部，撕下成块的肉，扯掉整条胳膊或腿。这一切都发生在这具尸体上——就在不久以前，它还是一个鲜活、完整、会站会走、会微笑会大笑的生命。”

“太可怕了。”玛丽亚说。

“没错。从现在开始我会尽量避开那座桥。”

妻子点点头。“信仰是对死亡的回答。再见。”

她抬起头，他们最后亲吻了一下。她迷人的脸如此贴近他的脸！她的身体紧紧依偎在他怀里的那种感觉啊！她从他怀抱里挣脱出来。微微一笑，一个告别的眼神。她走出办公室，沿走廊往外走。他跟着她出了门。

“再见，我的天使。感谢你所有的礼物。我爱你。”

她消失在拐角处。他对着空荡荡的走廊出了会儿神，然后回到办公室，关上门。

他的办公室变得空旷、静谧。也许他应该再祈祷一次，尽管作为一名拿撒勒人耶稣的虔诚信徒，他的祈祷很少得偿所愿。况且他上了岁数，双膝跪地也没那么容易。屈膝的动作伴着呻吟，身体各个零件缓慢地运转，颤巍巍地保持平衡，间或还会身不由己地猛然一松。最终，两只膝盖顶在坚硬冰冷的大理石地板上，硌得生疼（这样的地板却非常适合清理血渍和尸液）。他扶着桌子，缓慢地跪下。然后他想起来：玛丽亚还提到一件礼物。他看了看桌面。她一定是趁他弯腰捡地上的书时把礼物放在了桌上。没错，几份报告下面凸起一个先前没有的鼓包。他站起来，伸出手去。一本书。他把它拿在手里，翻过来。

《死亡约会》，作者阿加莎·克里斯蒂。他在记忆中搜索。书名看上去不太眼熟，封面似乎也没见过。但她有太多的书、太多的封面。他查看版权页：一九三八年，就是今年——或者说几分钟前的今年。他的心提到了嗓子眼儿。阿加莎·克里斯蒂的新书！《尼罗河上的惨案》的续篇。它一定是昨天刚从葡萄牙侦探小说协会寄来的。祝福他们。祝福他的妻子——她让他先睹为快，这是额外的礼物。

报告可以等。他在椅子上坐下。或者，如妻子建议的那样，他在一条小船上坐下。他的耳畔响起一个声音：

> “你明白的，不是吗？她必须得死！”
>
> 这句质问飘进寂静的夜，像是在那里悬浮了片刻，紧接着便越飘越远，消失在死海之中。
>
> 赫尔克里·波洛正抓着窗户把手，愣了片刻。他皱了皱眉，最后还是坚决地关上了窗户，这样就可以杜绝那些伤人的夜间凉气了！赫尔克里·波洛从小就懂得，外面的空气还是留在外面的好，尤其是夜晚的凉气更是有害健康的。
>
> 他拉上窗帘，严整地遮住窗户，走向床边，脸上浮现笑意。
>
> “你明白的，不是吗？她必须得死！”
>
> 对于赫尔克里·波洛这位侦探来说，在耶路撒冷的第一个晚上就听到这么一句话，着实有些引他心生好奇。
>
> “显然，无论我走到哪儿，犯罪这码事总是缠着我。”他喃喃自语。[1]

欧塞比奥怔了怔。一本开端于耶路撒冷的阿加莎·克里斯蒂小说？上一本书的故事发生在尼罗河，再上一本的故事发生在

1　译文摘自新星出版社 2015 年简体中文版《死亡约会》，朱琳译。

美索不达米亚——一路围绕着巴勒斯坦——现在竟然来到圣城耶路撒冷。听过玛丽亚的一番话之后，这个巧合令他惊讶。她一定会用这个新发现来佐证她的理论。

一阵敲门声把他惊醒。那本书像鸟儿一样从他手里飞起。“玛丽亚！”他喊道。她回来了！他几步冲到门前。他必须告诉她。

“玛丽亚！”开门时他又大喊了一声。

一个女人站在他面前。不过这不是他的妻子，而是另一个女人。这个女人更老。一个身披黑衣的寡妇。一个陌生人。她睁大眼睛打量着他。她脚边放着一个破旧的手提箱。这个女人为什么这么晚还外出？他留意到，这个女人很美，尽管她的美貌被皱纹掩盖，被时间模糊，被黑色的农妇衣着所遮挡。光彩照人的面颊，迷人的身材，优雅的体态。她年轻时一定是个引人注目的美人。

“你怎么知道是我？”女人吃惊地问。

“对不起，我把你当成别人了。”

“我叫玛丽亚·多雷斯·帕索斯·卡斯特罗。”

原来她也叫玛丽亚。她是谁？她不是他的玛丽亚，他的妻子。她是另一个玛丽亚。她想要什么？她来这儿干什么？

“有什么我能帮你的，卡斯特罗太太？”他生硬地问。

玛丽亚·卡斯特罗还以一个问题。“你是那个处理尸体的大夫吗？”

这么说也未尝不可。“是的，我是病理部的主任欧塞比奥·洛佐拉大夫。”

“我需要和你谈谈，大夫先生——如果你有空的话。”

他探出身子看了看走廊，寻找妻子的身影。她不在。她刚才一定和这个女人擦肩而过。他默默叹了口气。又一个想找他谈话的女人。难道她也担心他的救赎？今夜还有多少《圣经》里的先知在等着他？他只想做一些工作，赶一赶进度。再说了，从什么时候开始病理学家也要接门诊，而且是在这样的深夜？他已经快饿死了。如果他要通宵工作，当初就该带点儿吃的来。

他打算劝这个女人回去。不管她哪里不舒服，她应该去看家庭医生，她应该去挂急诊。他伸手准备关门时，蓦然想起：耶稣下葬时没有男人帮忙。只有女人来到他的墓地，只有女人。

或许桌上的某份尸检报告和她有关？亲戚，或者爱人。对他来说，与死者家属见面是极不寻常的。他自认为在寻找悲伤的起因方面是个行家，但是对于悲伤本身，以及如何面对它，那既非他的医学专业，也非他的天赋所在。所以他才选择了病理学。病理学是一门局限于纯科学的医学，不必耗费精力和病人打交道。但是在练习如何追踪死亡之前，他首先学习的是生命本身。现在有个活生生的女人需要和他交谈。他提醒自己，这正是医学最初的使命，即减轻痛苦。

虽然已疲惫不堪，他仍然强打精神，用尽量温和的语气说：“请进，卡斯特罗太太。”

那位老妇提起手提箱，走进他的办公室。“非常感谢，大夫先生。”

“这儿，坐这儿吧。”他指着妻子刚坐过的椅子。办公室里还是一团糟，他的工作台上铺满了报告——地板角落里的那份报告又是怎么回事？不过现在只能将就了。他坐下来，隔着桌子面对他的新访客。医生与病人。唯一不合时宜的是桌上的红酒和地板上的阿加莎·克里斯蒂小说。

“我有什么能帮你的？”他问。

她犹豫片刻，然后下定决心。“我从葡萄牙高山区的图伊泽洛村来。”

啊，原来如此。人烟稀少的葡萄牙高山区偶尔会有人一路赶来布拉干萨，因为那片荒凉的高原上一间医院也没有。的确，那里连商业区都没有。

“是关于我的丈夫。”

“是吗？”他鼓励她说下去。

她没有回答。他等待着。他要等到她的爆发。她隐忍的悲伤会以追问的形式出现。他需要寻找委婉的词语来解释她丈夫的死因。

“我试着写下来，”最终她说，“但是那事写在纸上实在太下流了。不过说出来更糟糕。”

“没关系。”他用抚慰的语气回答，尽管他发现她的用词很奇怪。**下流？**“这种事非常自然，而且无可避免。它会发生在我们每个人身上。”

“是吗？在图伊泽洛可不是这样。这种事在我们那儿很少见。”

欧塞比奥皱起眉头。难道这个女人生活在一个长生不老的村庄，只有极少数人会收到死神无理的邀约？妻子常说他把太多时间花在了死人身上，有时反而忘记了如何和活人打交道。他没听错吧？她刚才确实问过他是不是处理尸体的大夫？

“卡斯特罗太太，死亡面前众生平等。我们都必须经历。”

“死亡？谁说死亡了？我是说性爱。”

这个令她恐惧的字眼终于蹦了出来。玛丽亚·卡斯特罗不再有顾忌，一吐为快：“爱以一种我最预想不到的方式进入我的生活。它伪装成一个男人的模样。我很惊讶，就像一朵花第一次看见一只蜜蜂朝它飞去。建议我嫁给拉斐尔的人是我母亲。她征求了我父亲的意见，他们一致认为这是一桩不错的婚事。这不完全是包办婚姻，但如果我不愿嫁给拉斐尔，我必须找到一个站得住脚的理由。我自己也想不出来。所以我只能认命，不过这有何难？我从小就认识他了。他是村里的一个男孩。他总在村子里，就像地里的一块石头。我肯定在还没学会走路的时候就见过他。他比我大几岁，大概在我还是婴儿的时候就见过我。他个儿瘦高，长相招人喜欢，比村里其他孩子更安静、更害羞。在母亲提议我和他相伴终生之前，我和他待在一起的时间大概还不到二十分钟。

“回忆往事，我记起我们确实有过一面之缘。大约一两年前，我出门办事，与他恰好遇上。他正在修一道门。他让我帮忙握住某件东西。我弯下腰，我的头离他的头很近。一阵风吹过来，把我的一缕头发刮到他的脸上。我感觉到那种温柔的拍打。

我抬起头，绾起头发，看着最后几缕发丝拂过他的脸颊。他微笑着，看着我的眼睛。

“我还记得他吹奏的那支美妙的笛子，那支木头做的小玩意儿。我喜欢它的声音，就像春天的鸟鸣。

“然后父母提议我们结婚。我想，有何不可？我早晚得结婚。我不愿孤独终老。他无疑会对我有用，我也会尽我所能对他有用。我开始用一种新的眼光看待他。要嫁给他了，我很开心。

“他小时候父亲就去世了，所以我们去问他母亲。她没什么意见，他应该也是一样。每个人的想法都是：有何不可？于是我们抱着‘有何不可’的态度结了婚。一切转眼间就发生了。婚礼只是走个过场。神父尽职尽责地主持仪式。没有一分钱浪费在欢庆上。我们搬进了拉斐尔的叔叔瓦莱里奥送的一间棚屋，直到后来找到更好的房子。

“那是婚礼之后我们第一次独处。门还没关好，拉斐尔就转身对我说：‘把衣服脱了。’我斜眼看着他，说：‘不，你把衣服脱了。’‘好吧。’他回答。然后他飞快地脱了个精光。那一幕真叫人难忘。我从没见过不穿衣服的男人。他走过来，抓住我的乳房，捏了一下。‘舒服吗？’他问。我耸了耸肩，说：‘还行。’‘这样呢？’他更温柔地捏了一下，指尖掐住我的乳头。‘还行。’我回答，不过这一次没有耸肩。

“接下来他表现得很大胆。他来到我身后，紧紧地贴着我。我能感觉到他的‘黄瓜’顶着我。他的手在我裙下摸索，一路往下，最后停在那里。我没有挣扎。我猜这就是结婚的代价——我必须忍受这件事。

“‘舒服吗？’他问。

“‘我说不好。’我答。

“‘那么这儿呢？’他试着在那儿附近捅了捅，问道。

“‘我说不好。’我答。

“‘这儿呢？’

“‘说……不好。’

“‘这儿呢？’

“忽然间我说不出话了。一种感觉渐渐爬满我的全身。他碰到了一个地方，令我的舌头发干。哦，太舒服了。这是怎么回事？

“‘这儿呢？’他又问了一遍。

“我点点头。他的手继续同一动作。我往前弯下腰，他也随着我弯下腰。我失去了平衡，我们在房间里跌跌撞撞，碰倒了一把椅子，撞上了一堵墙，掀翻了桌子。拉斐尔紧紧抱着我，倒在他的弟弟巴蒂斯塔送的小地毯上。整个过程中他的手始终没停，我一直沉浸在那种感觉当中。我不知道那是什么，但它就像一列火车隆隆碾过我的身体，随后什么东西爆炸了，仿佛那列火车忽然冲出隧道进入光明。我任它碾压我。它经过之后我几乎无法呼吸。我转过头对着拉斐尔。‘现在我要把衣服脱了。’我说。

“当时他二十一岁，我十七岁。性欲是一个全新的发现。之前它都去哪儿了？我的父母把性欲比作沙漠。我是他们种下的一株坚韧的植物。除此之外，他们的生活里充斥着苦涩和艰辛的劳作。教会能教给我性欲吗？这个想法本身就很可笑，即使我愿意在上面浪费时间。教会教导我为某些事感到羞耻，而我对这些事一无所知。至于我身边的那些人，无论老少，或许他们在我成长过程中多少有所暗示，有些隐晦的说法，偶尔还口无遮拦，但我都没能理解那些话的真正含意。

“最后我意识到：我从未感知过性欲。我的身体已经准备就绪，心也蠢蠢欲动，性欲却依然沉睡。就像一片处女地，谜一般沉默。然后拉斐尔和我走到一起。在朴素的衣服和羞涩的举止之下，我们发现了自己身体的美好，仿佛土地里隐藏的金子。此前我们对这些事毫不知情。我不知道‘黄瓜’是什么，也不知道它是干什么用的。我不知道它能为我做什么，也不知道我能为它做什么。他同样对我的‘鸟巢’一无所知。他盯着它，目瞪口呆。**真是个奇怪的东西**，他的眼睛像是在说。**你见过你的东西吗？**我的眼睛回答。**是的，是的**，他的眼睛气喘吁吁地回答，**这一切都太奇怪了。**

“最神奇的是，我们知道该做什么。一切水到渠成。我们抚摸，我们渴求，我们做爱，一气呵成。令我愉悦的同样令他愉悦，令他愉悦的同样令我愉悦。生活中有些事就是这样，不是吗？邮票的快乐在于被舔湿了贴在信封上，而信封的快乐在于被贴上邮票。每一方都从不知晓对方的存在，只是自然而然地相遇。拉斐尔和我就是邮票和信封。

“另外让我们惊讶的是，在婚姻的掩护下，我们平日里表现得多么中规中矩。我从没想过身为一个葡萄牙人可以如此美妙。

“有段时间我去邻村给学校老师当助手，下班后我会沿着山脊一路赶回家。山上其实没有路，但那是回到我们小窝的最快途径。我攀爬巨大的岩石，穿过一道道篱笆。路上还有几堵石墙，好在墙上有门。一旦通过倒数第三道门，我就能望见他的身影。他在山下我们的第二块地里，羊群在那里吃草。巧的是，就在我到达那道门的同时，他也正好看见我。每次我都会想，**多么神奇的巧合！我刚一跨过这道门，他就看见了我。**他听不到我的声音，因为距离实在太远，但他通过逐渐暗淡的天色和对时辰的估计，知道我快回来了，于是他不时回头眺望，为这种巧合创造机会。他一看到我就会加倍卖力地干活儿，推搡着把羊群赶回羊圈。牧羊犬看见主人接管了它的活儿，忍不住欢声大叫。

“他往往等不及把活儿收尾就往回跑，我也一样。他比我快，但他还有许多事要做。他冲进院子，大声吆喝鸡群。等我离家近些了，我能听见鸡群疯狂的咯咯声。它们被挨个儿扔进鸡圈。还有猪，它们等待着泔水晚餐。还有别的活儿。农场里有数不清的活儿。我从山顶一路跑到屋后。我笑着大喊：‘我会先到的！’他离前门近，我离后门近。我还差几米的时候，他会丢下手里的活儿转身往屋里跑——让农场见鬼去吧。两扇门猛地拉开，有时他先，有时我先。无论谁先谁后，两扇门都会砰地关上，小屋被震得地动山摇。我们面对面，上气不接下气，头晕目眩，满心欢喜。为什么那么迫不及待？为什么那么狂野地在乡间奔跑？为什么丢下农活儿？因为我们渴望赤裸相拥。我们扯下衣服，仿佛它们着了火。

"婚后几个月的一天，母亲和我一起做蜜饯。她问我拉斐尔和我有没有'亲密'过。那是她的说法。她和我父亲婚后的前十八个月里，父亲压根儿没碰过她。我不知道那十八个月里他们都干了什么。背对背躺在床上，睁大眼睛，在死一样的寂静中等待睡眠的到来？母亲担心的是孙子孙女。她的家族人丁稀少。她自己是独生女，五十四年的婚姻中也只生养了一个独生女。她担心我也染上家族的少孕。我告诉母亲，拉斐尔和我每天晚上都'亲密'，有时白天也'亲密'——如果我们碰巧都在家的话，比如星期天。有些早晨我们会赶在出门之前'亲密'一次。有时我们会连续'亲密'两次。

"母亲看着我。'我问的是行动，那种行动。'她压低声音说，尽管身边并没有别人。

"难道母亲以为我说的是睡觉吗？我们每晚早早上床，有时白天也打个盹儿？有时我们早早醒来，马上又睡个回笼觉？有时候我们连着睡两觉？她以为我们像猫一样又懒又困吗？

"'是的，是的，妈妈，'我回答，'我们一直在行动。如果半小时之后我能见到他，我们多半还会做。'

"母亲的眼里流露出惊讶、不安和恐惧。**每天晚上？星期天？**别忘了，那可是上个世纪的事。如今时过境迁，一切都那么现代化。当时我仿佛看到母亲脑海里《圣经》飞快地翻过。蜜饯做好了。我可以走了。

"'他可是我的丈夫。'我告诉她，一边用屁股撞开门。

"她从此再没提起这个话题。至少她现在期待上帝能赐给她一群孙子孙女。她会把他们视作掌上明珠，在村里四处炫耀。另一方面，我的回答也提供了绝佳的八卦素材。我母亲就是这么一个爱嚼舌根的假正经，和所有谈性色变的假正经没什么两样。从此以后，村里的男人看我的眼神似笑非笑，岁数越大的老家伙眼睛就眨得越厉害；至于女人，无论年轻姑娘还是老太太，表情里都混杂着嫉妒、鄙视和好奇。从那天起，母亲在离我家还有一百米时就会弄出惊天的动静，生怕我不知道她来了。

“在孙子孙女的数量上，她的希望落空了。事实证明，我和她一样不擅生育。考虑到邮票多么频繁地贴在信封上，我们收到的信实在少得可怜。只有一封姗姗来迟的信，一封让人喜出望外的信，一个可爱的男孩。他从我肚子里出来的时候没有哭，而是发出一串笑声。当我把我们的小熊崽抱到母亲面前时，她已经老糊涂了。我完全可以递给她一只咕咕叫的小鸡，她脸上会露出同样空洞的笑容。”

那位老妇的脸上隐约浮现出微笑，却并不空洞。

“如今我老了，睡眠对我渐渐成谜。我记得睡着的样子，却记不起怎么入睡的。为什么睡眠离我而去了？年轻时拉斐尔和我曾那么贪睡。虽然我俩没什么钱，却拥有一张舒适的床。我们有窗帘，日落而息。我们睡得像井一样深沉。每天早晨我们精神抖擞地醒来，为昨夜的不省人事惊叹不已。如今我的夜晚充满了忧愁和伤感。我精疲力尽地躺着，睡意全无。我只是那么躺着，思绪像蛇一样缠着我。”

欧塞比奥轻声说：“衰老是件难熬的事，卡斯特罗太太。它是一种无药可治的可怕慢性病。真挚的爱情是另一种病。它的开端很美好。它是人们最渴望的疾病。人没有它就活不下去。它就像让葡萄汁腐败的酵母。一个人爱啊，爱啊，一直沐浴在爱河里，然后死亡降临，心碎了。爱情总会遇上无法面对的结局。”

可是尸体在哪儿？这个问题如鲠在喉。另外，是谁的尸体？也许不是她丈夫的。虽然她身着黑衣，但是葡萄牙乡下每个死了亲戚的四十岁以上的女人都这么穿。丧服成了乡下女人的日常服饰。也许她是来查询某个年轻人的。那样的话，桌下他脚边的任何一份报告中都可能写着她想要的信息。她想找的那份尸检报告也可能是他的同事何塞·奥塔维奥大夫经手的。何塞请了一个月的长假去英格兰探望女儿，已经走了差不多三个星期。所以才会有这么多积压的工作。不过何塞手里的尸检报告都已经归了档。如果玛丽亚·卡斯特罗问的是其中一份，他应该能在隔壁的档案柜里找到。

无论如何应该有一具尸体，毕竟他是病理医师。失眠的病人应该去别的地方——家庭医生可以开安眠药，神父可以赦免罪过。那些不甘心变老的，那些痛苦心碎的，他们同样应该去别处，比如还是去找神父，或是见个朋友，去个酒吧，甚至逛个妓院。就是别来找病理医师。

“我很乐意听你讲开心事，也为你的伤心事感到难过，”他继续说，“但你来找我到底是为什么？你是来查询某份尸检报告的吗？”

“我想知道他是怎么活着的。”

他是怎么活着的？她想问他是怎么死的吧。老年人的口误。

“谁？”

“当然是拉斐尔。”

“他的全名是什么？”

“拉斐尔·米格尔·桑托斯·卡斯特罗，来自图伊泽洛村。”

“哦，你的丈夫。请稍等。”

他弯腰把桌下的报告拖出来。清单在哪儿？他找到一页纸，在上面仔细查找。尚未归档的名单里并没有拉斐尔·米格尔·桑托斯·卡斯特罗。

“我的名单里没有这个名字。你丈夫一定是我的同事奥塔维奥大夫经手的。我得去查查他的档案。那得花点儿时间。”

“什么档案？”玛丽亚问。

“当然是你丈夫的。每个病人都有一份档案。”

“但你还没见过他。”

“哦。你之前没说。这样的话你得过几天再来。等他被处理完了。”

“但是他就在这里。”

“在哪儿？”

他不可能在冷藏室里。欧塞比奥对存放在里面的尸体心里有数。她是不是想说，**在精神意义上**，她的丈夫在这里？他忍不住从医生的角度忧虑起她的精神状况。妄想性老年痴呆？

玛丽亚·卡斯特罗炯炯有神地看着他，平淡地回答：“就在这里。”

她俯身解开手提箱的搭扣。盖子掀了起来，箱子里唯一的物品如同初生的婴儿一样滑出来：拉斐尔·卡斯特罗赤着脚的尸体。

欧塞比奥盯着这具尸体。人的死法有很多，但医院里的尸体总是以相同的方式来到他面前：放在轮床上，已清理干净，床边挂着病历。他们不会身着周日的礼服，从手提箱里滑出来。不过他能理解，乡下人有自己的风俗。他们依然用城里人早已摒弃的方式对待死者。比如有时在葡萄牙乡间，他们把死人葬在老树的树干里。在他漫长的职业生涯中，他曾检验过几具这样的尸体，为了查明究竟是自然死亡然后被树葬，还是被谋杀抛尸。（结果每一个案例都是正常的树葬。）他还检验过一些农夫的尸体，他们的指甲里扎着钢针。这并非折磨，只是一种原始的确认死亡的方法。现在眼前又多了一种乡下人对待死亡的做法：代替救护车，自己运送尸体。这位老妇把箱子从葡萄牙高山区一路拖下来，一定历尽艰苦。

“他死了多久了？”他问。

“三天。”玛丽亚回答。

看上去没错。冬季路上的严寒把尸体保存得很好。

“他怎么死的？”他问，“我是说，他生病了吗？”

“他没跟我说过。当时他在厨房喝咖啡。我出门去了。等我回来的时候，他已经晕倒在地，怎么也叫不醒了。”

“明白了。”急性心肌梗死、脑动脉瘤——诸如此类的病，他想。

“你想让我做什么，卡斯特罗太太？”

“解剖他，告诉我他是怎么活着的。”

同样的口误。也许她在故意避免那个字眼。不过仔细想一想，她的说法也不无道理。尸检能够揭示死因，死因可以用来推断生活习惯。不过听上去还是很奇怪。或许是带着迷信色彩的宗教用语。

“你想让我为你丈夫尸检？”

“是的。这不就是你干的事吗？”

“没错。但你不能像在餐馆点餐一样点一份尸检。”

“有什么问题吗？”

“需要遵照流程。”

“他已经死了。你还需要什么？”她说得没错。无论是否遵照规程，尸体都是一样的。如果让她提着箱子走人，明天玛丽亚和拉斐尔·卡斯特罗还会再回来。与此同时，布拉干萨的某间旅馆会不悦地发现他们有位客人竟然是死人。在温暖的房间过夜时，尸体或许会达到分解的临界点，那样一来，不仅他的后续工作会变得麻烦，旅馆主人也跟着遭殃。再说，什么时候乡下人开始有钱住旅店了？多半她会在火车站的长椅上过夜，或者更糟——在露天的公园里，坐在她的手提箱上。老拉斐尔·卡斯特罗不会在乎寒冷，他忠诚的妻子也不会在乎，这些老派的庄稼人就像传说中的伊比利亚犀牛一样结实。会在意的人是他，欧塞比奥。为了一张纸不值得让她遭那么大的罪，尤其是在痛失亲人之后。况且这具新鲜的尸体比他原本要处理的那具强多了。那个被扔到桥下的女人。

玛丽亚·卡斯特罗看着他，等待他的回答。她的耐心给了他巨大的压力。

他是个懂得变通的人。她刚才怎么说的来着？她“抱着‘有何不可’的态度”结了婚。好吧，有何不可？这是他想对何塞说的。

“好吧，我会为你丈夫尸检。你得在这里等着。”

“为什么？”

“尸检不是给普通人看的。”当然这并非事实。医学史上尸检向来是在众目睽睽下进行。不过并不对普通公众开放，只会面向史专业的人群。否则医生怎么学得到手艺？

“我不是普通人。我是他相处六十年的妻子。我要陪着他。”

她的最后一句话斩钉截铁，不容辩驳。这个女人几乎已经无欲无求，但是仅存的每个愿望中都透出满满的执念。

在深夜里争论实在有失体面，何况他面对的是一个悲伤的寡妇。善于变通的他再次找到了解决方案。他会让她站在一把椅子旁。第一刀下去，死者的胸口被剖开，她会感到眩晕。那时他会扶她坐下来，等她缓过来，再把她送回办公室。他会让她待在那里，直到他完成工作。

“好吧。如你所愿，卡斯特罗太太。但我得提醒你，尸检对外行人来说可不是闹着玩儿的。”

“我这辈子杀过不少猪和鸡。尸体就是尸体。”

但不会有那些让人头晕目眩的情绪，欧塞比奥在心里默默地说。我们不爱猪和鸡。我们不会为猪和鸡的死感到悲伤。我们甚至记不起那些猪和鸡。但是让她亲眼观看尸检——那恰好是“尸检”一词在希腊文里的原意：亲眼见证。她会受不了的。最强悍的老农在如此贴近死亡时也会望而却步。只盼她不要跌倒，伤到自己。

“或许你可以帮我抬一下遗体。”他说。

几分钟后，拉斐尔·米格尔·托斯·卡斯特罗已经平躺在病理部两张解剖台中的一张上。

玛丽亚·卡斯特罗一声不响地帮他除去丈夫身上的衣物。她抚平他凌乱的头发，摆正他的阴茎，把它放在阴囊的正上方。接着她从上到下检视他的身体，就像查看自家的菜园，为一切井井有条而欣喜。

欧塞比奥有些不安。这是他还是医学生时观察尸体的眼神：兴致勃勃，充满好奇，并不当真。死亡是一种无关个人情感的游戏。但这里躺着的是她的丈夫。他后悔同意玛丽亚·卡斯特罗参与丈夫的尸检。他刚才在想什么？自己一定是累了。医院或者医学同行不会对他有任何的质疑，因为关于谁能参与尸检并无明文规定。他是这艘航船的船长。唯一的问题是，这不是至亲之人应该观看的。这个男人一丝不挂地躺在冰冷无菌的环境里，他甚至还没用医学手段触碰他的遗体。这个男人的妻子会作何反应？

他系上围裙，打好结。他考虑是否也应该给玛丽亚·卡斯特罗一条，但随即改变了主意。有了围裙，她只会靠得更近。

他看了看手术盘里的工具。它们简单而实用：几把锋利的解剖刀和小手术刀，镊子和夹钳，一把钝头弯剪，一只凿子，一柄木槌，一把称手的锯子，一台称量内脏的秤，一把标了厘米和毫米刻度、用来测量内脏的尺，一把制作内脏切片的扁平长刀，各式海绵，以及尸检完成后缝合尸体的针线，还有解剖台的桌脚边用来装体液的桶。当然，他首要的工具是显微镜，用来检查活检标本、切下的组织标本以及体液样本。组织学检测是他工作的关键一环。在病理医师的显微镜下，生命和死亡在灯火通明的圆圈里搏斗，类似细胞世界里的斗牛。病理医师的工作就是要在斗牛士细胞中间找出那头公牛。

他本该把尸体推走，几分钟后拿回几个切片，就说是从她丈夫身上取下的标本。反正她也分不清楚。他会透过何塞的双镜头显微镜扫视这些五彩缤纷的景观，一边用医学术语搪塞她。**啊，是的，一切显而易见，卡斯特罗太太。你看这里和这里的纹理。这是典型的病灶。毫无疑问，你丈夫死于肝癌。**或者，既然她竭力避免那个词，他应该说她丈夫曾带着肝癌活着。然后她就可以走了。虽然悲痛难当，但心愿已了。她可以继续生活，也免了目睹丈夫开膛破肚的一幕。

但已经太迟了。她就站在那里，紧挨着解剖台，对他为她准备的椅子视而不见。

也许他可以请她坐在梅洛太太的小隔间里。要是没了任劳任怨的梅洛太太，他和何塞该怎么办？她的办公室只能勉强放下一张办公桌，桌上放着她的打字机，打字机对着的墙那边是两间相邻的解剖室。墙上一人高处开了两个小窗，各与一间解剖室相通，窗内嵌着稻草编成的帘子。她可以透过帘子上细密的小孔听见声音，却看不到解剖的场面。否则一旦她看见湿淋淋的器官和开膛破肚的尸体，一定会尖叫着晕过去。她来这里是做记录的，不是接受测试的。她打字既快又准，拉丁文拼写水平一流。有了梅洛太太的协助，他和何塞可以一边观察一边口述，不必停下来书写。他们有那么多的尸检要做。平常，当一位大夫解剖、口述时，另一位大夫就在另一台收尾、休息，再准备下一台尸检。他们如此轮换，马不停蹄地解剖了一具又一具尸体。

有时，在他去塞西利奥神父那里忏悔之后，他会忽然想到：梅洛太太也很适合聆听忏悔。传到她耳朵里的血淋淋的真相远比塞西利奥神父要多。

他日常解剖时会戴上胶皮手套，这是近些年广受欢迎的一项技术革新。他对自己的手套爱护有加，每天用肥皂和水刷洗，并用二碘化汞酒精保持湿润。不过现在他有点儿犹豫。如果戴上手套，玛丽亚·卡斯特罗或许会认为他厌恶她丈夫的尸体。在这种情况下，最好还是回归古老的裸手解剖。

但他首先得更换粘蝇纸。由于葡萄牙的宜人气候，苍蝇成了让人头疼的问题。它们兴盛地繁衍，四处传播病菌。他要求自己定期更换垂在解剖室里的黄色螺旋形胶带。

“请见谅，”他对玛丽亚·卡斯特罗说，“卫生、秩序、流程——这些都非常重要。”他端起为她准备的椅子，放在用过的胶带下方。他爬上椅子，取下粘满肥硕死蝇的胶带，换上一条崭新、明亮、黏性十足的胶带。

玛丽亚·卡斯特罗安静地看着他。

他站在椅子上俯视解剖台。那些尸体躺在台上从来不会显大。这一方面是因为解剖台是照着最魁梧的身材打造的，而且尸体是全裸的。但还有别的原因。那个名叫“灵魂”的包裹占据了惊人的空间，仿佛一个嘹亮的声音。根据美国的邓肯·麦克杜格尔医生的实验，它的重量是二十一克。它消失以后，肉体似乎缩小了。当然，那发生在尸体腐烂浮肿之前。

拉斐尔·卡斯特罗似乎还没有腐烂浮肿的迹象，大概可以归功于严寒，也多亏了他在手提箱里一路所受的颠簸。欧塞比奥已经习惯了在工作时间邂逅莫提斯[1]三姐妹。老大艾尔戈[2]把死者冷却到室温；老二利沃尔[3]会利落地涂上她最爱的色调——身体朝上的一半变为黄褐色，朝下的一半内血液沉积，呈现紫红色；最小的瑞戈尔[4]让尸体变得僵硬，硬得一碰手脚骨头就会折断。她们是快乐的三姐妹，是蹂躏了无数尸身的老处女。

拉斐尔·卡斯特罗的耳朵泛出深紫色，那是利沃尔·莫提斯唯一触摸过的地方。他的嘴张着。在濒死的痛苦瞬间，身体最后一次撞在永恒之门上，那道门随之敞开。身体抽搐着，胸腔里的气息咯咯作响，然后嘴一张，一切就结束了。也许张开嘴是为

1 后面提到三种先后发生的尸体变化：尸冷、尸斑、尸僵。三个词的英文名称中都含有“mortis”一词，因此被欧塞比奥戏称为“莫提斯三姐妹”。

2 “尸冷”的音译，英文为 algor mortis。

3 “尸斑”的音译，英文为 livor mortis。

4 “尸僵”的音译，英文为 rigor mortis。

了释放那二十一克，也可能只是下颌肌肉放松了。无论出于什么死因，来到这里的死者的嘴通常紧闭着，因为尸体被送来之前已清洗妥当，一条纱布绕过下颌，在头顶系一个结，双手绑在一起放在身前，直肠和子宫（如果有的话）用棉花填满。要翻开人体这本书，第一步就要剪断这些线，并取出填充物。

牙齿看上去状况不错，这有些出人意料，因为饲养牲口的农夫一般都骨骼健壮却满口烂牙。

大脚趾上没有挂着注明死者身份的标签。欧塞比奥只能相信死者确实是来自图伊泽洛村的拉斐尔·米格尔·桑托斯·卡斯特罗。不过他没有理由怀疑玛丽亚·卡斯特罗。

死者身边也找不到临床报告。那份报告好比一本书的封皮，上面有内容梗概。不过就像有时封皮会歪曲书的真实内容，临床报告也是如此。虽然目前对这个案例一无所知，他最终会发现到底是什么曾经折磨拉斐尔·卡斯特罗，是什么让他的身体不堪重负。

他从椅子上下来。他扫了一眼解剖台旁边墙架上的瓶子，从中挑出酚油。因为他决定不戴胶皮手套，所以需要在手上抹油作为保护。然后他找出一块马赛皂，在上面抠了几下，让指缝里塞满肥皂屑。有了这种预防措施，再加上勤洗手、涂精油，晚上他向妻子伸出手时才不会碰一鼻子灰。

他准备先做些说明。语言是一针麻醉剂，能让玛丽亚·卡斯特罗为他随后的操作做好心理准备。

“卡斯特罗太太，我稍微解释一下接下来会发生什么。我现在会为你丈夫做尸检。目的是找出生理异常——换句话说，是导致他死亡的病变或者伤口。一般情况下，如果临床报告写得够清楚，死因是比较容易判定的，只需要检查一个器官，像是心脏或者肝脏。健康的身体依赖上千个零件之间的平衡，仅仅是单个器官的严重失衡就能让生命从钢丝上跌落下来。但是在其他缺乏临床资料的案例里，比如眼下的情况，死者的身体就是一起神秘的谋杀案。不要误解，我这是打了个比方。我不是说这是一起真正的谋杀。我是说尸体变成了一栋住着若干角色的房子，每个人都否认与凶案有关，但我们穿过几个房间就能找到线索。病理医师就是那个心明眼亮的侦探，他调动自己的‘灰色细胞’，运用推理和逻辑，直到某个器官的面具被揭下，露出真面目，阴暗的罪行无处藏身。”

他微微一笑。玛丽亚，他的玛丽亚，如果她听到他的谋杀案比喻，肯定会会心一笑。玛丽亚·卡斯特罗只是目不转睛地盯着他。他继续解释。

“我们从哪里开始呢？从身体的表面。下刀之前，先要检查体表。身体是否有营养不良的症状；是否偏瘦甚至消瘦，或者相反，过于肥胖；是否存在桶状胸——那是支气管炎和肺气肿的特征；或者是鸡胸——意味着小时候得过佝偻病；皮肤是否过于苍白，或是相反，颜色过深或有黄疸迹象。皮疹、伤疤、病变、新伤——这些都必须记录下来，包括它们的范围和严重程度。

“身体的各处开口——嘴、鼻子、耳朵、肛门——必须仔细检查，看是否有液体溢出或者畸变。外生殖器也一样。最后是牙齿。

“你丈夫看上去一切正常。我看了这里、这里、这里和这里。对于这个岁数的人，他看上去很正常很健康，应该是死于内部原因。我注意到，这里有一处旧伤。”

“他在石头上摔了一跤。”玛丽亚·卡斯特罗说。

“不是什么大问题。我只是注意到了。外部检查一般是很粗略的，因为一般不会有太多新发现。疾病通常是从内向外发展的。比如说肝病，没等皮肤变黄，肝脏就已经衰竭了。当然也有显而易见的例外：皮肤癌、皮肤病变以及类似的问题，还有意外受伤。凶杀导致的伤口往往从外至内，但你丈夫的情况不属于这一类。我在他的皮肤上找不出任何问题。

“现在我们必须，嗯，我们必须进入他的身体，开始做内部检查。可以肯定的是，没必要从四肢开始尸检，比如死者的脚。病理学上与国际象棋里的王和后相对应的是胸腔和头部。可以说，两者对于棋局都至关重要，你可以选择任一处开始尸检。病理医师的经典开局是胸腔。”

欧塞比奥暗骂自己。为什么要提到国际象棋？废话太多了！

“我会用这把解剖刀在你丈夫的胸部切开一个Y形的口，从两侧肩膀开始，在胸骨处汇合，然后往下划过腹部，直到阴阜。你会发现皮下脂肪很黄，而肌肉看上去像生牛肉一样，很红。那都正常。我已经开始寻找病征了。比如说，肌肉的外观能够揭示某种消耗性疾病或者中毒性疾病，比如伤寒。

“接下来我会切除胸骨和前部肋骨。我会用这些弯剪来剪断肋骨。”——他的妻子用一把一模一样的弯剪修剪花园，也曾举着它起誓。——“要避免损伤下面的器官。这样内脏就露出来了，五颜六色的一团。我会看看它们彼此间相处得怎么样。器官是同一间家族企业里的兄弟姐妹。有没有明显的异常，导致这个家族陷入混乱？有没有肿胀？有没有异常的颜色？正常情况下，脏器的表面应该是光洁发亮的。

“整体观察过后，我要对各个器官逐一排查。因为我们不清楚你丈夫的死因，我倾向于把他胸腔里的器官整体取出来，依次检查一遍，然后再把每个器官分割下来仔细检查。

“对于每个器官，我会问些常规的问题。外观怎么样？是否有萎缩或肿胀的迹象？器官表面是否有渗出物，也就是说，有没有东西流出来？渗出物是否一捏就碎，还是呈纤维状、难以移除？是否有什么地方变成珍珠一样的白色？那是慢性炎症的迹象。有没有瘢痕？也就是疤。或者皱褶？也可以叫皱纹，那是纤维化的标志。诸如此类的问题。然后是内部检查。我会用小刀切开每个器官，评估它的内部状况。心脏是多种病理学病变的中心，我会花更多工夫检查。”

他顿了一下。女人一言不发。也许她有些不知所措。看样子他应当言简意赅，尽快作结。

“接下来是腹部的脏器：小肠和大肠、胃、十二指肠、胰腺、脾、肾——我不会漏掉任何一个器官。”他伸手在躯干上方挥了一下，“这样‘王’就解决了。现在轮到‘后’，也就是头部。为了检查你丈夫的大脑和脑干，我需要用刀割下头皮，锯开头盖骨。不过你不必担心，这只是细节，细节而已。最后，如果必要的话，我可能会检查外周神经、骨骼、关节、血管等。整个过程中，我会切下一些样本，也就是器官的一小部分。我会把它们泡在福尔马林溶液里，外面包上石蜡，然后切片、染色，再放在显微镜下检查。这些实验室工作会在稍后进行。

“到那时，你丈夫的尸检的主要部分就结束了，卡斯特罗太太。我会把他的器官放回体内，并用报纸填充空腔。我会把胸骨放回原处，缝合皮肤，头骨也按相同方式还原。这样就大功告成了。只要穿上衣服，你丈夫的外表就像什么都没发生过，这个房间以外的任何人都一无所知，但是科学会知晓一切。我们会确认他是怎么死的，为什么死——或者，用你的话说，他是怎么活着的。你有什么问题吗？”

老妇叹了口气，摇了摇头。她好像不耐烦地翻了个白眼。

那好吧。他很不情愿地拿起解剖刀。“这是解剖刀。”他解释道。

锋利的刀刃悬在拉斐尔·卡斯特罗胸前。欧塞比奥的脑子飞速转着。他别无选择，必须打开胸腔。不过他会很快聚焦到一个器官上——心脏。**哦，就是这里。答案显然就在这里。不必继续了。**

“好，我们开始了……”

“从脚开始。”玛丽亚·卡斯特罗说。

他抬起头。她刚说什么来着？她说的是 pé 还是 fé[1]，“脚”还是“信仰”？她是不是想说：从信仰开始？她是想让他先祷告再动手吗？虽然他之前从没在解剖室里祷告过，但他愿意遵从她的意愿。基督的身体无处不在。躺在这里的不过是一具男人的身体。

“不好意思。你说什么？”他问。

玛丽亚重复道：“从脚开始。”

这次她伸手指了一下。他看着拉斐尔·卡斯特罗发黄的脚。在生理学上，它们和他准备宣称的急性心肌梗死简直差了十万八千里。

“但是，卡斯特罗太太，正如我刚向你解释过的，没有理由从死者的脚开始尸检。脚是外围器官，无论在外观上或是在病理学上都是如此。具体到你丈夫的脚，我看不出任何骨折或者受伤的痕迹——没有，一点儿没有——也没有皮肤瘤或者其他病变的迹象，连影响健康的小问题也没有，像囊肿、趾甲内生什么的。稍微有点儿外周水肿，也就是浮肿，但是对于一个死了三天的人来说，这很正常。脚后跟有一点儿尸斑。这同样正常。”

玛丽亚·卡斯特罗再次重复道：“从脚开始。”

他沉默了。真是个噩梦一样的夜晚。他真应该待在家里。现在他不仅一点儿工作也完不成，还得在解剖室里面对一个疯狂的农妇。他选择病理学的初衷恰恰是想避免这种情况。他可以处

1 原文为葡萄牙语。这两个词的读音很接近，所以欧塞比奥怀疑自己听错了。

理尸体内的阻塞和液化，却无法处理情绪的阻塞和液化。他能怎么办？拒绝她，如果她坚持的话，就让她回家在厨房案板上切她丈夫的脚去？那意味着要把这个老头儿重新塞回手提箱，而且这次他一丝不挂。再说，这个年老的悍妇会轻易放过他吗？那可说不好。

他屈服了。她想怎样就怎样吧。他感觉自己像个市场上的小贩，正在兜售货物。**尸检，尸检，谁想要尸检？别犹豫，来看看啊！今日特价：解剖眼球，买一送一。您，先生，解剖个睾丸怎么样，解剖个睾丸体验一下？来啊，挑一个属于你的尸检！**为什么不能从脚开始？她希望丈夫的尸检从哪里开始，就从哪里开始吧。顾客就是上帝。他叹了口气，手握解剖刀，挪到尸体脚边。玛丽亚·卡斯特罗也跟了过去。

“你是说，他的脚？”

“是的。”她回答。

“你介意我从哪只脚开始吗？”

她摇了摇头。他离拉斐尔·卡斯特罗的右脚更近。他盯着它。他隐约记得，他还是个学生时曾解剖过一只脚，但在成为职业病理医师之后，除了偶尔的表面切除，他从没解剖过脚。脚上有多少根骨头来着？每只脚有二十六根骨头，和三十三个关节？它们通过一组肌肉、韧带和神经连接在一起。这种连接方式十分有效，既适合支撑，又适合移动。

他该从哪里下刀？最好是脚底，而非脚背，他想。那里骨头要少一些。他握住前脚掌，推了一下。脚毫无阻碍地翘了起来。他看了看足底。长着老茧的皮肤会分开，皮下脂肪会露出来，可能会渗出胶状的血——不过是一只被划破的脚而已。这无损遗体的尊严，只是有损执刀医师的尊严。

他把刀刃按进内侧跖骨的根部。他下刀很深，刀刃切到什么都无所谓。他把刀往下压，一直到脚跟。解剖刀轻而易举地划开前脚掌，顺着狭长的足底韧带下行。刀至脚跟脂肪垫时，他把它抽出来。

一股黏稠的物体从切口里涌出来，一团一团地滴在解剖台上。它颜色发白，呈块状，表面闪闪发亮，里面有丝丝缕缕的黄色。气味刺鼻。

“和我猜的一样。”玛丽亚·卡斯特罗说。

他惊讶地睁大双眼。**上帝啊，这到底是什么？**虽然他并没有大声说出来，玛丽亚·卡斯特罗却回答了他的问题。

“那是呕吐物。”她说。

他仔细观察那团缓慢渗出的东西。他闻了闻。胶状的外形、胆汁的气味——是的，真的是呕吐物，新鲜的呕吐物。但这怎么可能？**这可是只脚。**他见过任何形式的坏死和腐烂，却没有这样的，从来没有。

“要不它还能去哪儿？”她说，“重量让它下沉。”看他一脸困惑，她又补充道，“那个孩子死了，你看。”她顿了一下，然后把聚集在体内的沉默都化成了语言。“我跟你说说图伊泽洛村的葬礼是什么样子的。首先，你必须有个举办葬礼的理由。一定是因为失去了一个生命。如果你想有一场真正的葬礼，那一定得是一个珍贵的生命，而不是一个远房表叔或者朋友的朋友。比如说死的是你自己的儿子，那你就可以开始准备葬礼了——一道闪电已经重重砸在你的心窝，把你劈成碎片。你什么也听不见，什么也说不出，脑子里一团乱麻，这时你可以着手准备葬礼的细节了。有人会告诉你一套现成的仪式，它古老而陈旧。你一切照办，因为你别无选择。葬礼上会有一辆灵车，那只是把谁家的马车装扮了一下。你先去教堂参加一场生硬的仪式，感觉像在做梦，然后在阴沉的天底下举行公墓葬礼。每个人都穿着星期天的礼服，表情都局促不安。这些都让你难以承受。然后一切结束了。

“人们会再多待一会儿，然后渐渐散去。你有一段时间用来伤心，之后大家就期待你回归现实，回到你从前的生活里。可是有谁愿意这么做？经过一场葬礼，一场真正的葬礼，一切都失去了意义，你再也回不到从前的生活。你已经两手空空。你甚至说不出话来，至少一时半会儿还说不出。死亡已经吞噬了你的话。晚些时候，你的话会再冒出来，要不你还能通过什么方式怀念他？他已经不在你身边了。

“拉斐尔在葬礼上只说了一句话。他大哭着说：‘棺材太小了，太小了！’他说得对，那个棺材真的不大。

“那天拉斐尔回到图伊泽洛的时候，他一句话也不用对我说。他想说也说不出。痛苦让他的脸麻木，让他的嘴紧闭。我一下子就明白了。他这副模样不会有别的原因。我一看到他，就知道我们的宝贝死了。村里的人已经聚集在我家门前，默默地来回踱步。他把孩子放在餐桌上。我晕了过去。我真希望我永远不用醒，那样我就能紧跟在他身后，保护他，做一个母亲分内的事。但我却苏醒过来，身边围着一群臭气熏天的老寡妇。拉斐尔独自站在一旁。他就在旁边，但他孤身一人。他悔恨交加。在他看护孩子的时候，孩子死了。他是那天的牧羊人。他让羊群走失了。

“我们就像大海爱着一座岛屿一样爱着我们的儿子，总是拥他在怀里，用我们的悉心关爱抚摸他，拍打他的海滩。他走了以后，大海只剩下深不见底的自己。我们的手臂间空无一物，只能触碰彼此。我们总在哭泣。如果一天结束时有哪件事没做完——鸡笼没有修好，一垄菜地没有除草——我们就知道两人当中肯定有谁曾坐下来哭泣。那就是悲伤的真面目：它是一种长了很多只手却只有几条腿的怪物，它跌跌撞撞，拼命想扶住什么。破损的鸡笼和疯长的杂草里浸满了我们的悲伤。如今我一看见鸡笼上的铁丝，就会想起我们失去的孩子。那纵横交错的铁丝网里似乎隐藏着什么，它那么细弱却又那么强壮，铁网那么多孔却又那么坚实，这让我想起当初我们是多么爱他。后来，由于我们的疏忽，狐狸钻进了鸡笼，把鸡全咬死了；菜地的收成也大不如前。生活就是这样：儿子死了，土地也变得贫瘠。

“曾经，当他生病或是睡不着觉的时候，他会爬上我们的床，钻到我们中间。他走之后，床上的那片空间变得无法逾越。拉斐尔和我，我们在深夜的交流总会绕过那片空间：在它的下方，我们用脚趾戳着对方，像抽屉里散乱的刀；在它的上方，我们相视无言。拉斐尔从没想过要放弃那片空间，因为那么做等于承认我们的小熊崽再也回不来了。有的晚上，我看见他向那片空间伸出手，抚摸那个空荡荡的存在。然后那只手会缩回去，就像一只海龟的爪子深深地缩进壳里。每天清晨拉斐尔醒来时，他的眼周布满皱纹，疲惫不堪，像一只活得太久的海龟。他的眼睛缓缓地眨着，和我一样。

“悲伤是一种病。它在我们身上留下千疮百孔，它用高烧折磨我们，用重拳将我们击垮。它像蛆一样咬噬我们，像虱子一样攻击我们，而我们拼命地挠，濒临崩溃。在这个过程中，我们像蟋蟀一样日渐憔悴，像老狗一样疲态尽显。

“生活中的一切都变得不如意。抽屉再也关不严了，桌子椅子晃个不停，盘子缺了口，勺子上粘着食物碎屑，衣服上开始出现污渍，动不动就被撕破；外面的世界和我们同样格格不入。

“他的死对于外界毫无影响。所有孩子的死不都是这样吗？当一个孩子死去，没有土地需要继承，几乎没什么财产需要分割，没有工作或者职位需要顶替，也没有债要还。孩子是在父母的影子里闪闪发光的小太阳。当那个太阳熄灭时，黑暗只属于父母。

“没了孩子，你做母亲还有什么意义？就像一朵无头的花。孩子死去的那一天，我就成了一根光秃秃的花茎。

“要说有一件事让我记恨了拉斐尔很久，那就是他过了一天才回家。当时他六神无主。但一个母亲有权在第一时间知道她的孩子死了。对她来说，如果孩子已经死了，却让她误以为他还活着——哪怕只有一分钟，也是对母爱的犯罪。

“一个念头渐渐在你脑海里扎根：**现在，我还敢爱什么？**

“当你在某个瞬间忘了他，随之而来的是一阵刺痛。拉斐尔会大喊：‘我可爱的儿子！’然后瘫倒在地。但更多时候，我们只是默默地做一些疯狂的事。那是人之常情。拉斐尔开始倒着走路。前几次我看见他在路上或是地里倒着走，并没有想太多。我以为他只是偶然为之，大概在盯着什么看。一天早晨，在我们去教堂的路上，他又是倒着走的。没人议论他。他们不愿打扰他。那天晚上我问他为什么，为什么要倒着走路。他说，在他回到图伊泽洛的那天，他看见了一个男人，一个陌生人，正要离开村子。拉斐尔坐在马车的后沿，怀里抱着我们的小熊崽，他的尸身裹在一张床单里。那个陌生人在步行，他脚步飞快，几乎要跑起来了，而且他是倒着走的。他有一张无比悲伤的脸，拉斐尔说，一张满是痛苦和悲戚的脸。他几乎忘了他，直到有一天他发现自己想做同样的事。那符合他的心情，他说。所以走出家门之后，他开始倒着走路，倒着走向世界。从此以后，向前走和倒着走对他来说不再有区别，他常常转过身来，倒着走路。

“我知道那个男人是谁。他停下车去了教堂。一个奇怪的城里人，浑身污秽，令人作呕。亚伯拉罕神父和他说了几句话，然后他就跑了。他来时开了一辆车，那是一辆汽车，我们第一次见到这种车。他丢下它就走了。他回家的路一定很艰辛，无论他选择哪条路。汽车在广场上停了好几个星期，我们不知道该拿它怎么办。然后有一天，另一个男人走进村子，一个瘦高个儿，一句解释的话也没说就把车开走了。人们翻来覆去地谈论那辆车和它的司机。他是一个访客，还是一位死亡天使？他是什么我都不在乎。我已经习惯回忆过去。而从前记忆对于我们来说可有可无。如果他就在你眼前，有什么必要记住他？从前，回忆仅仅是偶尔的娱乐。忽然之间，它成了你的仅剩之物。你竭尽所能，活在有他的记忆里。你努力把回忆变为现实。你拉着木偶的细线，对自己说：‘在那儿，在那儿，你看——**他还活着！**’

“他死后，是拉斐尔先把他叫作‘我们的小熊崽’。拉斐尔说他在冬眠。‘总有一天他会醒过来，他会饿得要命。’他说着，脸上挂着笑容。他幻想着他的归来，并在这种幻想上添了一分真实——我们的儿子睡醒之后胃口总是很好。我会顺着他说，这对我也是一种安慰。

“他真是人见人爱。每个人都这么说。他的到来在计划之外，完全出乎意料——我以为自己早过了生育的年龄，和其他老女人一样——忽然之间他就来了。我们总是看着他，一边问自己：‘这是谁的孩子？他从哪儿来的？’我俩都长着深色眼睛和深色头发——所有葡萄牙人不都是这样吗？他的头发却是麦田一般的金黄色，而他那双眼睛是明亮的蓝色。他怎么会有那样的眼睛？难道是一阵大西洋的海风在我受孕那天吹进图伊泽洛，成了他的一部分？我的解释是：我家族的骨血里沉睡着许多宝藏，它们极少被唤醒，但是一旦受到召唤，涌上来的都是最好的材料。他是欢笑的源泉。他带来无穷无尽的快乐。他有一颗无比善良的心。全村的人都爱他。每个人都希望得到他的关注和爱，无论是大人还是小孩。那么多的关爱倾注在那双蓝眼睛里。他接受了那份爱，同时报之以他的爱，就像一朵云一样快乐而慷慨。

“拉斐尔去科瓦－达卢阿附近帮一个朋友的忙。一个礼拜的活儿，报酬不多。他带上了我们五岁的儿子。对孩子来说那是一次大冒险。而且他能帮上忙。事情发生时拉斐尔正在磨镰刀。他停下来听了听。太安静了。他大声呼唤。他在农场附近找了一圈，又去更远处寻找。他沿着公路呼喊孩子的名字。他终于在马路上找到了他。另一只脚呢？”

这个问题突如其来。欧塞比奥看着尸体的左脚。他划开脚跟。同样的呕吐物涌了出来。

“上半截呢？”玛丽亚·卡斯特罗问。

此时他不再犹豫。他把解剖刀贴着胫骨中部切入右腿，然后在髌骨与股骨内髁之间切入左膝，再从股四头肌处切入双侧大腿。每道切口大概五到六厘米长，每处都有呕吐物涌出，不过他注意到大腿处的压力要小一些。他顺着阴阜上沿切开骨盆带，留下一道很长的刀口。他把皮肤拉开，一团呕吐物露出来。在它的上缘，解剖刀触到一块松动的硬物。他用刀尖挑了挑，有光闪过。他把它拨出来，用刀尖翻动。一枚硬币——一枚五埃斯库多[1]银币。旁边还有其他硬币，有几枚是埃斯库多，其余的都是分币，全平躺在呕吐物表面。一个农夫的微薄积蓄。

他迟疑了一下，不知道该把硬币留在那儿，还是取出来。

玛丽亚·卡斯特罗打断了他的思路。“阴茎。”她说。

他抓起拉斐尔·卡斯特罗健硕的阴茎。从外观上看，阴茎

1 葡萄牙货币单位。

体和龟头一切正常。没有佩罗尼式病，没有湿疣，没有鲍恩样丘疹病。他决定切开两条海绵体中的一条。海绵体是海绵状的狭长腔体，它们充血膨胀，曾经带给这对夫妇无上的快乐。他把阴茎纵向划开，刀尖穿透包皮，刺入龟头。解剖刀再次意外地触到硬物。他放下刀，用拇指把切口掰开，其余手指从阴茎背面往前推，里面的硬物顺势而出。那东西分两段：木质、光滑、圆柱形，侧面有孔。

“啊！”玛丽亚·卡斯特罗说，“他那支美妙的笛子。”

农夫的笛子的另外两段藏在另一条海绵体里。欧塞比奥是个做事井井有条的人，他把笛子拼回原样，递还给老妇。她把它凑到唇边，清脆的笛声飘荡在空气里。

“他笛子吹得特别好，就像家里养了一只金丝雀。”她说。

她把笛子放在解剖台上，紧贴丈夫的尸身。

玛丽亚·卡斯特罗指挥着欧塞比奥的解剖刀。她在这里提示一句，在那里摇一下头，对拉斐尔·卡斯特罗的身体结构了如指掌。这是他最轻松的一次解剖，只用到了一把刀，甚至对头部也不例外。她看上去更关心身体边缘的手臂和头颈，而把胸腹留到了最后。

左手无名指里松松地塞着羽绒，右手中指也一样，而双手食指里都是血，鲜红的血——这是他在这具尸体里见到的唯一血迹。其他手指里都填满泥土。右手的手掌里有一只牡蛎壳，左掌里是小本日历上撕下的几页纸。手臂里的物品琳琅满目。他从中取出了一把榔头、一把钳子、一支长刀、一个苹果、一团泥土、一把麦穗、三个鸡蛋、一只腌鳕鱼、一副刀叉。拉斐尔·卡斯特罗的脑袋里空间更大。他在里面找到一方红布；一件手工木制小玩具——一匹马和一架马车，车轮可以转动；一面随身携带的镜子；更多羽绒；一个染成赭黄色的木制小玩意儿，玛丽亚·卡斯特罗也说不清是什么；一支蜡烛；一绺深色长发；还有三张扑克牌。他在两只眼睛里各发现一枚骰子，在视网膜的位置有一片干枯的花瓣。脖子里有三只鸡爪，还有干树叶和树枝——看起来像是引火用的。舌头里全是灰，只有舌尖里填着蜂蜜。

最终回到胸部和腹部。年迈的妻子点了点头，但此刻的她显得格外忐忑。尸检已经接近尾声，欧塞比奥终于切下他原计划的第一刀：从双肩到胸骨再到腹腔的 Y 形切口。他小心翼翼地切开皮肤，几乎没有划破皮下脂肪。由于此前他已在骨盆带上划了一刀，现在胸腔和腹腔一览无余。

他听见她倒吸一口凉气。

虽然他不是相关领域的专家，但他可以断定那是一只黑猩猩，一种非洲灵长类动物。他花了更长时间来辨认第二只生物，它体形更小，半掩半露。

拉斐尔·卡斯特罗的胸腹之内蜷着一只黑猩猩，它拢起的臂弯里抱着一只棕色的小熊崽。它们神色安详，如在梦中。

玛丽亚·卡斯特罗俯下身子，把脸贴在小熊身上。所以，她的丈夫曾经这样**活着**？欧塞比奥静默无言，唯有凝视。他注意到黑猩猩明亮洁净的脸庞和厚实发亮的皮毛。它很年轻，他想。

她平静地说：“心有两种选择：关闭或者开启。我告诉你的故事并不全是真话。我才是那个受不了棺材大小的人。我才是那个哭喊着‘我可爱的儿子！’，然后瘫倒在地的人。我才是那个不愿意放弃床上那片空间的人。从这只黑色动物身上割一簇毛给我，好吗？请把手提箱也拿过来。”

他一一照办。他用解剖刀在黑猩猩的身侧割下一簇毛。她在指间搓揉那簇毛，用鼻子嗅了嗅，然后贴在唇边。“拉斐尔总是比我虔诚，”她说，“他总会重复亚伯拉罕神父的一句话。他说信仰永远年轻，信仰和我们不同，它不会老去。”

欧塞比奥从办公室取来手提箱。玛丽亚·卡斯特罗打开箱子，把它放在解剖台上，然后把拉斐尔·卡斯特罗身体里的物品一件一件往箱子里放。

随后她开始脱衣服。

一个年迈的女人令人触目惊心的裸体。血肉因其自身的重负而活力尽失，肌肤饱受岁月的摧残，体态任由时光凌辱——她却俨然是一卷遍覆字迹的羊皮纸，闪耀着漫长生命的光辉。这样的女人他见过很多，不过她们都死了，千人一面，解剖之后更显抽象。除非发生病变，体内的器官总是宛若新生。

玛丽亚·卡斯特罗脱得一丝不挂。她褪下婚戒，摘下束发带。她把这些东西放进手提箱，合上盖子。

她踩着为她准备的椅子爬上解剖台。她在拉斐尔·卡斯特罗的尸身前俯下身子，这里推一下，那里挪一挪，在他已经挤进了两个生命的身体里腾出空间。然后，她小心翼翼地躺进丈夫体内。她口中不断地念着：“这就是家，这就是家，这就是家。”

她把猩猩和熊崽揽入怀中，胸口贴着猩猩的背，双手搭在熊崽身上。

“请动手吧。”她说。

他明白该怎么做，这件事他已是轻车熟路。他拿起针，把线穿过针孔。然后他开始缝合尸体。这是一道快速的工序，皮肤很软，只需要来回进行之字缝合。不过这一次他下针很密，缝合比往常更细致。他先缝好了拉斐尔·卡斯特罗的骨盆带，然后缝合腹部和胸部的皮肤，直到双肩。他小心翼翼，生怕针尖碰到玛丽亚·卡斯特罗或是那两只动物。在他即将完成躯干的缝合时，他听见她微弱的声音：“谢谢你，大夫先生。”

他经手的尸体从没有过这么多刀口，遍布在头部、手臂、脖子、双手、双腿、阴茎和舌头。他的职业素养促使他一处不落地缝好。手指的缝合尤其烦琐。眼睛的复原差强人意，他又花了不少时间让死者合上眼睑，遮住他拙劣的作品。最后一步是缝合脚底。

最终解剖台上只剩下一具遗体。地板上一只孤零零的手提箱，里面装着零散的物品。

他怔怔地注视着这一切。转身时，他发现旁边的小桌上有件东西：那簇黑猩猩毛。玛丽亚·卡斯特罗是忘了它，还是故意留下的？他捡起那簇毛，做了和玛丽亚同样的事：用鼻子嗅了嗅，然后贴在唇边。

他已经精疲力尽。他回到办公室，一只手攥着黑猩猩的毛，另一只手提着箱子。他把箱子放在办公桌上，如释重负地倒在椅子上。他打开手提箱的盖子，注视着里面的物品。他拉开抽屉，找出一个信封，把黑猩猩毛装进去，然后把信封放进箱子。他注意到地板上的阿加莎·克里斯蒂小说，顺手捡了起来。

梅洛太太一如往常，早早到了办公室。她惊讶地发现洛佐拉大夫瘫倒在椅子上。她心如擂鼓。他是不是死了？一个死掉的病理医师——这个概念似乎和他的职业很不相称。她走进门。他只是睡着了。她听得见他的呼吸，看得见他的肩膀轻微地起伏。他的面色红润，口水已经淌到了桌上。挂在他嘴角的发亮的小溪，桌上的小水洼——她不会把这些难堪的细节告诉任何人。她也不会提到那只空的红酒瓶。她把它拎起来，轻轻放在桌后隐蔽的地板上。桌上有一只破旧的大手提箱。是大夫的吗？他准备去哪儿吗？他怎么会有这么破的箱子？

他伏在一份报告上。报告上的内容几乎全被他的手遮住了，不过她还是可以看到第一行字：

拉斐尔·米格尔·桑托斯·卡斯特罗，八十三岁，葡萄牙高山区图伊泽洛村

真奇怪——她对这个名字或是这个地方完全没印象。她是名字的管理员，负责准确无误地把每个名字与宿命相连。这行字是医生草草书写的，而非她用打字机敲下的永恒判决。难道是她昨晚下班后送来的紧急案例？那种情况极少发生。她还留意到死者的年龄。八十三岁，已算喜丧。这让她感到安慰。尽管生命中充满了悲剧，世界依然是个美好的地方。

她注意到手提箱的搭扣是开着的。尽管她知道不该偷看，还是忍不住轻轻掀开箱盖，想确认是不是大夫的箱子。里面的东西还真是奇怪——一支笛子、一副刀叉、一支蜡烛、一条普通的黑裙、一本书、一方红布、一个信封，周围还有一堆零散的小东西——看样子不像洛佐拉大夫的。她合上箱子。

她慢慢走出办公室，免得大夫醒来看到她会尴尬。她走进自己的工作间。她喜欢在工作开始前把一切准备就绪。打字机的色带需要检查，复写纸需要补充，水壶需要加满。解剖室的门是开着的，这不应该啊。她往里瞧了一眼，登时屏住了呼吸。解剖台上躺着一具尸体！她不禁浑身战栗。它怎么会在那儿？它从冷藏室里推出来多长时间了？这是最忌讳的事。正常情况下，在尸检开始前大夫会花一个多小时口述最终报告。正常情况下，尸体来去都蒙着白布，除了大夫谁也看不见。

她走进解剖室。看起来跟活人一样，她想，只是死了。

但那跟活人一点儿也不一样。那是一具男人的尸体，一个老人。皮肤蜡黄松弛，瘦骨嶙峋。多毛的阴部和暴露在外的阴茎有一种说不出的淫秽感。但是更不堪入目的是爬满他全身的新缝合的刀口，那些红色、灰色、黄色的参差缝线让他看上去像个布娃娃。手指的模样酷似海星的触脚。甚至阴茎上也贯穿着可怕的缝线。梅洛太太喘着粗气，觉得自己快晕倒了。她稳住身子，壮着胆子看了看那人的脸。那张脸上除了岁月的痕迹，什么也看不出。她震惊地发现一具失去生命的身体竟是这样——她寻找着合适的词——**这样一座废墟**。她踮着脚尖走出解剖室，仿佛这座废墟会因为她的存在而受到惊扰。她有点儿纳闷儿：轮床在哪儿？他是怎么来的？

她关上解剖室的门，做了几次深呼吸。显然大夫需要别人的帮助。他最近状态不好。有时他会迟到，有时完全不露面，有时通宵工作。可怜的人。妻子的死对他的打击一定很大。他婉拒了其他大夫的关心，也包括院长本人。他能行，他说，他能行。但那是需要多大勇气的一件事啊！洛佐拉大夫的同事奥塔维奥大夫正在休假，但是即使他在，他也会以认识她为由拒绝为她尸检。这是标准规程。正常情况下，她的遗体应该送到雷阿尔城的医院。但是洛佐拉大夫一想到让别人动手就受不了。而且她正在腐烂，需要尽快处理。因此他为自己的妻子做了尸检。

梅洛太太在震惊中参与了尸检的全过程。她坐在小间里，视线被稻草窗帘遮挡。她尽她所能记下解剖室里断续传出的口述报告。每一段沉默过后是一阵啜泣，接着是毅然决然的叹息，然后洛佐拉大夫会继续口述。但是，你如何才能记录痛苦，如何才能记录心碎？在她忠实地敲打他口中文字的同时，痛苦和心碎在她心里留下印记。

她知道在很多人眼里玛丽亚·洛佐拉是个怪女人。比如说，前些日子她常提着一大口袋书在城里转悠。她有时说话很刻薄。一旦她不说话了，准没有好事。塞西利奥神父对她怕得要死。对于她那些关于宗教的奇谈怪论，他从不敢有半句反驳。有一次，她当着所有人的面打断他的讲道，从口袋里掏出一本书大声朗读起来，他也不敢吭一声。但她是个心地善良的女人，无论白天黑夜总是乐于助人。她好像从来不用睡觉。有许多个夜晚，当朋友的孩子生了病，她会端着一锅汤和好心的医生丈夫一同出现在门口。他们的到访给人们带来安慰，有时甚至拯救了生命。他俩是如胶似漆的一对。这可不常见。她从没见过那么喜欢腻在一起的夫妇。

然后她竟然遭此厄运！一天傍晚，她像往常一样出门散步。洛佐拉大夫下班回家后，发现她还没有回来。他越来越担心，在深夜里报了警。他不知道她去了哪儿。她自己很有主意，他说，可能她决定去见某个人但是不想告诉他。没错，他那天工作到很晚。

几天以后，一本书在桥下的岸边被发现。一本小说，《悬崖山庄奇案》，英国作家阿加莎·克里斯蒂的书。还有一张泡烂的藏书票。洛佐拉大夫确认那本书属于他和他的妻子。人们沿河搜寻，找遍了布满石块的河滩。其他阿加莎·克里斯蒂的书在下游陆续被发现。最终玛丽亚·洛佐拉的遗体也被找到了。她很不幸地卡在一处隐蔽的石缝里。

除了玛丽亚·洛佐拉，还有谁会在那么糟糕的天气里外出闲逛？她到底是怎么从桥上掉下去的？

这件事完全无法解释。所有可能的解释一个比一个牵强。自杀？她是个快乐知足的女人，身边围绕着家人朋友，没有任何精神压力或者道德压力。而且一个那么爱说话的女人怎么可能不留下遗书呢？再说，她是一名严肃而虔诚的基督徒，这样的人是没有理由自杀的。没有一个人——她的丈夫、子女、神父、警察——相信她会自杀。那么，是不是意外？她跌落的那座桥上有坚实厚重的石头护栏。护栏很高，谁都不可能滑出桥面或者从护栏上翻落。人可以爬到护栏上面，但是哪个正常人会这么做？除非是自己想跳下去。既然自杀的可能性已经被排除，她就不会主动爬上护栏。如果自杀和意外都被排除了，还剩下什么？谋杀。但这个解释听上去最匪夷所思。有谁会谋杀玛丽亚·洛佐拉？她没有敌人。所有认识她的人都喜欢她，甚至都爱她。而且这里是布拉干萨，不是芝加哥。在这个地方，谋杀案闻所未闻。在这个城市，无辜的女人不会莫名其妙地被举起来扔下桥。这个想法实在荒唐。所以还是自杀或者意外。这样就又绕进了死胡同。警方敦促目击者露面，但是没有人看见什么。法医专家特意从里斯本赶来，同样一无所获。人们各自接受了自己看来最合理的解释。洛佐拉大夫坚持谋杀的判断，却想不出谁有杀害妻子的动机。

不同于玛丽亚·洛佐拉和大夫所钟爱的侦探小说，玛丽亚的死永远成谜，没人能够给出精妙的解释。梅洛太太有些难过。

梅洛太太听见一声喘息。洛佐拉大夫醒了。她听见他开始哭泣。他不知道她已经到了，不知道他不是孤身一人。哭声越来越大，他哭得撕心裂肺。可怜人，可怜的人啊。她该做些什么？如果他意识到她在这里，会很尴尬的。她可不想这样。或许她可以弄出点儿动静，让他知道她来了。他还在痛哭不已。她静静地站着，一动不动。然后梅洛太太开始责怪自己。说不定这个男人只是需要帮助呢？她刚才怎么没想到这一点？

她转身向洛佐拉大夫的办公室走去。

第三部分　家园

PART THREE | HOME

一儿八一年夏天，彼得·托维被提名为参议员，为一名冉冉升起的政治新星让出相对保险的多伦多众议院席位。他不必再长期居住在自己的选区。他和妻子克拉拉在渥太华买下一套宽敞舒适的湖景公寓。他们偏爱首都平静的生活节奏，也很高兴能与住在市内的儿子、儿媳和孙女为邻。

一天早晨，他走进卧室，发现克拉拉坐在床边，双手按在身体左侧低声啜泣。

“怎么了？”他问。

克拉拉摇了摇头。他心里顿时充满了恐惧。他们去了医院。克拉拉病了，病得很重 。

在妻子与病魔斗争同时，儿子的婚姻破裂了。在妻子面前，他竭力粉饰这桩离婚。“这对他们来说是最好的结果，”他说，“他们一直合不来。分开了双方都会过得更好。现在这种事太平常了。”

她微笑着表示赞同。她的视野正日渐缩小。然而，这次离婚并不是最好的结果，甚至连好也算不上。它简直糟透了。他眼睁睁看着一对婚姻中的爱侣变成仇敌，看着一个孩子沦为炮灰。儿子本把无数的时间、金钱和精力投入到与前妻迪娜的争斗中，她的反击同样毫不留情。这一切常令他目瞪口呆，只有双方的律师坐收渔利。他试着劝说迪娜，在双方之间充当和事佬。无论每次谈话开始时她显得多么礼貌和诚恳，最后她总是情绪失控，怒不可遏。身为本的父亲，他只可能是教唆犯和同谋。“你简直跟你儿子一模一样！”有一次她骂道。有一点不一样，他提醒她，他和妻子已经相濡以沫四十多年了。她立刻挂断了电话。孙女瑞秋小时候曾是个快乐的精灵，现在却与父母反目，把自己锁进青春期少女酸涩的怨恨垒成的高塔。有几次他带她外出散步或是去餐厅吃饭，想让她高兴一下（也让自己高兴一下），她却总是闷闷不乐。没过多久，母亲在监护权大战中“赢下”了她，并带她去了温哥华。他开车送她们去机场。刚一通过安检，她们就开始争吵。他眼中不再是一个成年女子和她青春期的女儿，而是两只黑色的蝎子，它们剧毒的尾针高高举起，彼此恫吓。

至于本，他留在了渥太华，心如死灰。在彼得眼中，儿子蠢到让人难以置信的地步。本是一名医学研究员，曾研究过人们为什么会不经意咬到舌头。舌头穿梭于齿间，如同钢板车间里操作重型机器的工人。它的失灵让人痛苦不堪，其根源却惊人地复杂。如今在彼得看来，儿子恰似一条盲目扎进齿间的舌头，落了个鲜血淋漓的下场，第二天却重蹈覆辙，毫无自知之明，也从未意识到代价和后果。本总是一意孤行。父子间的谈话多以冰冷的沉默收场。儿子满眼无奈，父亲哑口无言。

他的妻子深陷医疗术语的旋涡，康复的希望随着每次治疗起起落落。在反复的挣扎、呻吟、哭泣同时，她开始大小便失禁，变得骨瘦如柴。最终，他美丽的妻子躺在病床上，身着一件可怕的绿色病号服，两眼半睁半闭、目光呆滞，嘴无力地张着。她浑身抽搐，胸腔里发出一阵咯咯声。她死了。

他成了国会山[1]上的幽灵。

有一天，他在参议院发言，另一位参议员回过头，用一种活见鬼的眼神盯着他看。**你干吗这么看着我？**他想。**你有病啊？**如果他弯腰对着这位同僚的脸，他的气息会像喷枪一样烫掉他的脸皮。这样就只剩下一个骷髅仰头朝他傻笑了。**那样就能治好你的蠢相。**

他的白日梦被议长打断："尊敬的议员，你是想继续你的话题，还是……"

议长这句话的尾音拖得很长。彼得低头看了看讲稿，意识到他完全不知道自己在讲什么——完全不知道。就算他能想起来，也没兴趣再讲下去。他无话可说。他看着议长，摇了摇头，坐下来。那个同僚继续盯着他看了一会儿，这才转过头去。

党鞭特意来到他的办公桌前。他们是朋友。"情况怎么样，

1　渥太华加拿大政府的办公地。

彼得？”他问。

彼得耸了耸肩。

“也许你应该休息一下。给自己放个假。你最近经历太多事了。”

他叹了口气。没错，是时候离开了。他再也无法忍受。演讲、无休止的装腔作势、见利忘义的密谋、膨胀的自我、自以为是的助理、翻脸不认人的媒体、压得人喘不过气的琐事、一板一眼的官僚机构、对人类社会的细微改善——他认同这些民主的标志。民主就是这样一种疯狂而美妙的东西。不过他已经受够了。

“我看能不能给你找个差事。”党鞭说。他拍拍彼得的肩膀，“坚持住。你能挺过去的。”

几天后党鞭带来一个提议。一次公差。

“去俄克拉何马？”彼得问道。

“嘿，惊喜总是出现在偏僻的角落。在耶稣现身之前有谁听说过拿撒勒？”

“在汤姆·道格拉斯[1]之前也没人听说过萨斯喀彻温省。”

党鞭笑了。他也来自萨斯喀彻温省。“碰巧有这么个差事。有人临时退出了。那里的州议会邀请加拿大国会派议员出访。你知道的，就是那种维护关系的事儿。不需要太操心。”

彼得甚至不确定俄克拉何马到底在哪儿。应该是美利坚帝国某个偏远的州，中部的某个地方。

1　加拿大政治家，加拿大医疗保险之父，1946 年至 1961 年任萨斯喀彻温省省长。他在 2004 年加拿大广播电视公司的电视节目《最伟大的加拿大人》中名列首位。

“只是换个环境，彼得。四天的小长假。有何不可呢？”

他同意。没错，有何不可？两周后，他和三名国会议员一同飞往俄克拉何马。

五月的俄克拉何马城温暖宜人，他们受到盛情款待。加拿大代表团会见了州长、州议员以及商界人士。他们参观了州议会大厦，造访了一间工厂。每天都以晚宴收尾。入住的酒店富丽堂皇。整个访问期间，彼得在轻松的氛围里谈论加拿大，同时听对方介绍俄克拉何马。正如党鞭所言，换个环境让他的心情为之一振，柔和湿润的空气也让他备感舒畅。

行程的最后一天留给加拿大客人自行游览。前一天晚上，他看到一本关于俄克拉何马市立动物园的旅游宣传册。他喜欢动物园，不是因为他对动物特别感兴趣，而是因为那是克拉拉的爱好。她一度曾在多伦多动物园管委会任职。他表达了参观俄克拉何马市立动物园的愿望。负责安排行程的州议会立法助理查看了动物园的相关信息，一脸歉意地找到他。

“真抱歉。”她说，“平时动物园每天开门，不过最近正在关门整修。如果你感兴趣的话，我问问他们能不能破例让您进去。”

“不用，不用，我不想麻烦别人。”

“城南有一个黑猩猩基地，在诺曼[1]的大学里面。”她建议。

“黑猩猩基地？”

“是的，那是一个研究……研究猴子的机构，我猜。一般不

1 位于俄克拉何马城以南 30 公里，俄克拉何马大学的所在地。

向公众开放，但我保证他们会接待您。”

她说到做到。“参议员”这个词在美国人听来充满了魔力。

第二天早晨，一辆车在酒店门前等他。代表团其他成员都不感兴趣，因此他独自上了车。车把他带到诺曼以东十公里左右的空旷乡间。四周灌木丛生，蓝天碧草。目的地名叫“灵长目研究所”，是俄克拉何马大学的一个校外机构。

进了研究所，在一条蜿蜒石子路的尽头，他看见一个身材高大的男子，面露凶相，留络腮胡，腆着肚子。他身边站着个身材瘦高的年轻人，长头发，凸眼珠；从肢体语言里很容易看出，他是个下属。

“托维参议员？”他下车时，那个大块头男人说。

“是的。”

他们握了手。“我是比尔·莱姆侬，灵长目研究所的所长。”莱姆侬看了看他身后的车，车门还开着，“你的代表团好像没几个人。”

“是的，就我一个。”彼得关上车门。

“再问一句，你是从哪个州来的？”

“安大略省，加拿大。”

“是吗？”他的回答似乎让所长若有所思，“好吧，跟我来，我跟你简单介绍下这里的工作。”

莱姆侬转身就走，完全不在乎彼得是否跟得上他的脚步。那个没做自我介绍的下属亦步亦趋地跟在后面。

他们绕过一间平房和几个窝棚，来到一个巨大的池塘边，高大白杨树的阴影落在水面上。池中有两个岛，其中一个岛上有一片树林。他看见一群体形修长的猴子在一棵树的枝干间摇荡，动作中透出非凡的优雅和敏捷。另一个岛更大些，密布着高草和灌木，零星点缀的几棵树中间矗立着一个壮观的圆木结构。高大的支柱托起四个高度各异的平台，彼此间由绳网和结实的吊床相连。一根铁链上吊着一只卡车轮胎。旁边是一间用煤渣块砌成的圆形小屋。

所长转身面对彼得。他似乎还没开口就对自己的话感到厌倦。

“在灵长目研究所，我们处在研究灵长目动物行为和沟通方式的最前沿。我们从黑猩猩身上能学到什么？这超乎普罗大众的想象。在进化过程中，黑猩猩和我们的亲缘关系最近。我们有相同的灵长目祖先。大约六百万年前我们才和黑猩猩分道扬镳。正如罗伯特·阿德里[1]所说：‘我们是直立行走的猿猴，而非堕落凡尘的天使。’我们都拥有巨大的脑容量、出色的沟通能力、使用工具的能力，以及复杂的社会结构。拿沟通能力来说，我们这里有些黑猩猩能用手势比画一百五十个单词，而且可以连成句子。这就是语言。而且它们可以制造工具，用工具翻找蚂蚁和白蚁，或是敲开坚果。它们可以合作捕猎，在捕猎的过程中担当不同的角色。简单地说，它们已经具备了文化的雏形。所以当我们研究黑猩猩时，我们也在研究远古的自己。在它们的面部表

1 Robert Ardrey（1908—1980），美国剧作家、编剧和科幻作家。

情中……”

如果这是不带任何感情色彩的录音讲解，这个话题还挺有意思。可莱姆侬看上去一脸不耐烦，彼得也听得心烦意乱。他怀疑议会助理把他吹嘘得过了头。她或许没有明说来访的参议员不是美国人。那座较大的岛上出现了几只黑猩猩。这时他听到一个声音在大喊。

“莱姆侬博士！特勒斯博士的电话。”他转过身，看到一个年轻姑娘站在一栋楼旁边。

莱姆侬立刻来了精神。“我得接个电话，见谅。”他嘟囔着，不等客人回答就走开了。

彼得望着他的背影长出了一口气。他又转向那群黑猩猩。一共五只。它们四肢着地，缓慢地移动。它们低着头，粗壮的前肢支撑着魁梧上身的重量，短小的后腿跟在后面，活像三轮车的一对后轮。在阳光下它们黑得出奇，仿佛流动的黑夜碎片。它们溜达了一会儿，然后坐了下来。其中一只爬上圆木结构中最低的平台。

其实也没什么，只是看着它们让他感到安心。每一只动物都像一块拼图，无论它在何处落脚、归属于何处，它都完美地嵌入整个画面。

那个下属还在他身旁。

“我们还没互相介绍。我叫彼得。”彼得伸出手。

“我叫鲍勃。很高兴认识您，先生。”

“我也是。”

他们握了手。鲍勃长了个十分突出的喉结。它不住地上下滑动，这让他的名字很好记[1]。

“你们这里有多少只猴子？”彼得问。

鲍勃随着他的视线望向大岛。“那些是猿，先生。黑猩猩是猿。”

“哦。”彼得指着另一个岛，那个他看到有动物在树间摇荡的岛，“那边的是猴子吗？”

“其实它们也是猿。那些是长臂猿。它们被叫作‘小猿’。简单的区分标准是，猴子有尾巴而猿没有。总体来说，猴子生活在树上，猿生活在地上。”

鲍勃话音未落，坐在最低平台上的黑猩猩开始攀爬。它以体操运动员的姿态轻松地荡上了最高的平台。与此同时，其他的猿——那些长臂“小猿”，再次出现在小岛的林中，在树枝之间跳跃舞蹈。

“当然，大自然制造了很多例外，我们的研究内容才能丰富多彩。”鲍勃补充道。

“你们有多少只黑猩猩？”彼得问。

“目前有三十四只。我们培育黑猩猩，然后卖给或租给其他研究机构，所以数量总在变。还有五只由诺曼附近的家庭抚养。”

“由人类家庭抚养？”

“没错。诺曼称得上是全世界交叉抚养的总部。”鲍勃笑起

1 “上下滑动”的原文是 bob up and down，其中的动词 bob 和鲍勃的名字（Bob）相同。

来，喉结动个不停，直到他注意到彼得无动于衷。“交叉抚养就是人类家庭把猩猩幼崽当作人来抚养。”

“为什么要这么做？”

“哦，太有价值了。它们会学习手语。我们和它们交流，观察它们的思维方式，感觉非常奇妙。还有许多行为学研究，有些在这里，有些在别处，课题包括黑猩猩的社会关系、沟通形式、群体组织结构、统治与服从模式、母性行为和性行为、对变化的适应，等等。大学教授和博士生每天都来这儿。就像莱姆侬博士说的：‘它们和我们不同，却又惊人地相似。’”

“所有黑猩猩都住在那个岛上？”彼得问。

“不是。我们把它们分组带出来，在这里做实验、教手语，也让它们休息一下、放放风。您现在看到的这个组就是这样。”

“它们不会逃跑吗？”

“它们不会游泳。它们会像石头一样沉下去。就算真的逃出去，它们也不会跑远。这里是它们的家。”

“它们危险吗？”

“可以很危险。它们很强壮，长了一口小刀一样的牙齿。你得小心点儿。不过多数时候它们温柔得让人难以置信，尤其当你喂它们糖吃的时候。”

“其他猩猩在哪儿？”

鲍勃指了指。“在主楼里，那边。”

彼得转身向那栋楼走去，默认那是参观的下一站。

鲍勃追上他。“呃，那边可能不方便参观，先生。”

彼得停下脚步。“但我想近距离看看其他黑猩猩。”

“这样啊——嗯——我们或许应该告诉——他没有说——”

“他忙着呢。”彼得继续往前走。一想到会惹恼趾高气扬的莱姆侬博士，他就一阵窃喜。

鲍勃大步跟上来，犹豫地哼唧着。“好吧，我觉得应该可以吧。”他看出彼得不会改变主意，终于下定决心，“我们快速看一眼。请这边走。”

他们拐过一个转角，进了一道门。里面是个小房间，放了一张桌子和储物柜。屋内有另一道铁门。鲍勃掏出钥匙开了锁，推开门。他们走了进去。

如果说池中小岛给人一种阳光明媚的田园印象，那么在这里，隐藏在这栋无窗的房子里的，就是黑暗潮湿的人间地狱。

刺鼻的气味扑面而来，恶臭里混合了动物的尿骚和悲惨，在高温中显得尤为强烈。他们站在隧道一般的拱形走廊的入口。走廊外壁由金属栅栏编成，仿佛一只擦丝器，将周围的空间切成碎片。走廊两侧各挂有两排方形金属笼。每个笼子边长约一米五，通过一根链子吊在半空，像个鸟笼。前排和后排彼此错开，相邻的两个笼子一远一近，因此在走廊里可以看清每个笼子。笼子用圆形钢筋制成，里面的状况一览无余，毫无隐私可言。每个笼子下方摆着一个大塑料盆，用来收集囚犯的废弃物：腐烂的食物、粪便、尿液。有些笼子空着，但大多都在使用。每个笼子里关着唯一一样东西：一只巨大的黑猩猩。

迎接他们的是一阵震耳欲聋的尖厉嚎叫。本能的恐惧笼罩着彼得。他呼吸急促，僵在原地。

“真是壮观，对吧？”鲍勃大喊道，“因为你是新来的，‘入侵’了它们的领地。”鲍勃打了个手势，勾勾手指，给“入侵”一词加了讽刺的双引号。

彼得定了定神。有些黑猩猩上蹿下跳，愤怒地摇晃着笼子。笼子被水平的链子固定住，只能轻微晃动。猿猴被吊在半空，彼此隔离，也与土地隔绝——这让他感到抓狂。它们无处藏身，无可依靠，也无法玩耍。没有玩具，没有毯子，连一根稻草也没有。它们只是悬在各自空荡荡的笼子里，成了不折不扣的囚徒。电影里不是有类似的镜头吗？一个新囚犯走进监狱，所有的老囚犯同时发出讥笑和嘘声？他艰难地咽了下口水，深吸一口气，试图压制心中的恐惧。

鲍勃往前走，偶尔大声评论一两句，完全不在乎周围疯狂的喧闹。彼得紧跟着他，走在走廊的正中央，远离两侧的栅栏。尽管他能看见这些动物被关得严严实实——笼子加上栅栏——他依然感到害怕。

每隔三到四个笼子，就会有一张大口径铁链编成的围网，架在走廊的栅栏和墙之间，从地面一直到天花板，将一组笼子与其他笼子隔开。又一道牢笼。每一层围网上都有一道门，安在里面靠墙的位置。

彼得指着围网。“有笼子还不够吗？”他高声问。

鲍勃朝他喊道：“有了它，我们就可以把一些黑猩猩放出来，让它们待在大一些但是彼此分隔的空间里。”

确实如此。在昏暗的光线下，彼得注意到走廊一侧有四只黑猩猩，它们懒洋洋地躺在靠近内墙的地上。它们一看到他就按捺不住地站起来，做出各种动作。有一只冲到了栅栏边。但它们至少看上去更自然——在地面上，成群结队，充满活力。鲍勃用手势示意彼得蹲下。“它们喜欢和我们高度一致。”他对彼得耳语道。

他们一同蹲下。鲍勃把手伸进栅栏，向模样最凶猛的那只黑猩猩挥手，也就是看起来最凶猛，冲过来攻击他们的那一只。它稍微犹豫了一下，跑到栅栏边碰了一下鲍勃的手，然后蹦跳着回到内墙边的同伴当中。鲍勃笑了。

彼得开始平静下来。**它们只是天性使然**，他告诉自己。他和鲍勃站起来，继续走向走廊深处。彼得更专注地观察这些黑猩猩。它们表现出不同程度的攻击性或焦躁。它们颤抖，它们低吼，它们尖叫，它们龇牙咧嘴，它们做出有力的肢体动作。房子里一片沸腾。

只有一只猩猩例外。走廊尽头的最后一个囚徒安静地坐在自己的笼子里，陷入了沉思，似乎对身边的喧哗充耳不闻。彼得在它的笼子外停下脚步，惊讶于它的与众不同。

这只猩猩背对着大喊大叫的同伴，侧面对着彼得。它的一只手臂直直地放在弯曲的膝盖上。彼得留意到这只动物身上覆盖着光滑乌黑的毛发，厚得像一件外套。它的手脚从毛发中伸出来，都很光洁，显然十分灵活。在它头部，他注意到凹陷到像被削去一块的前额；茶杯垫一样大的耳朵；粗重、低垂的眉毛；似乎只是当作摆设的鼻子；还有光滑、突出、圆润的嘴，无毛的上唇，略带短髭的下唇。它的嘴唇十分肥厚，表情也异常丰富。彼得仔细观察。就在此刻，它们正在微微翕动——振颤、张开、合上、噘嘴——仿佛这只猿猴正在和自己对话。

那只动物转过头，看着他的眼睛。

“它在看我。”彼得说。

“没错，它们是会这么做。”鲍勃回答。

“我是说，它直直地盯着我的眼睛。”

“没错，没错。一般来说是威吓，不过这个小兄弟很放松。”

那只猩猩仍然盯着彼得，它把嘴唇噘成漏斗状。它喘着气，唇间发出“呼——呼——”的叫声，穿透房子的喧闹传到彼得耳中。

“那是什么意思？”他问。

“那是在打招呼。它在说你好。”

猩猩又重复了一次，这次只摆了口形却没有出声，完全依赖彼得的注视，而不是他已经嗡嗡作响的耳鼓。

彼得目不转睛地看着这只猩猩。如此吸引人的一张脸，如此生动的表情，如此深邃的凝视。和身体一样，它硕大的头颅上也覆盖着浓密的黑色毛发，但是它的脸，脸的中心部位——眼睛、鼻子和嘴组成的倒三角区域——没有长毛，露出光滑黝黑的皮肤。除了上嘴唇几条浅浅的纵向皱纹，这只猩猩面部的皱纹都长在眼睛周围，呈现一圈圈的同心圆，以及鼻子和浓眉之间平坦狭长区域上的几条波纹线。这些同心圆把观者的注意力引向两个圆心。那对眼睛是什么颜色的？在室内灯光下彼得难以辨认，但看上去是明亮的锈棕色，接近红色，不过是泥土那种红。两只眼睛离得很近，一眨不眨地望着他。它的目光穿透他，让他寸步难移。

猩猩转过身，正对彼得。它的眼神炽热，姿态却很放松。看样子盯着他看让它很享受。

“我想靠近点儿。”彼得说。他脱口而出的话吓了自己一跳。他的恐惧去哪儿了？仅仅一分钟以前他还吓得浑身发抖。

“哦，您不能这么做，先生。”鲍勃明显有所警觉。

走廊尽头有一道沉重的笼门。同样的门在走廊中段还有两道，两侧各一道。彼得环顾四周，门内的地上没有黑猩猩。他走过去，握住把手，用力一拧。

鲍勃目瞪口呆。“啊，老天，谁忘了锁门？您真的不能进去！”他哀求道，“您应该——您应该和莱姆侬博士说一声，先生。”

“让他来吧。”彼得说，一边推开门，跨进门内。

鲍勃跟着他。“别碰它。它们可能有很强的攻击性。它能把你的手咬掉。”

彼得站在笼子前面。他和那只猩猩再次四目相对。他再次感受到那种魔力的吸引。**你想要什么？**

猩猩把手从交错的钢筋中间挤出来，向他伸过来。那只手在彼得面前张开，狭窄的手心朝上。彼得盯着它，皮革一般的黑色皮肤，修长的手指。没有疑问，毫无迟疑，他抬起自己的手。

“天啊，天啊！”鲍勃低声惊呼。

两只手握在一起。一只短小有力的拇指抬起来，从上面按住他的手。没有抓握，也没有拉拽，其中没有任何威胁的意味。猩猩只是紧握住他的手。它的手意外地温暖。彼得伸出双手，一只手握着它的手，另一只放在它毛茸茸的手背上。看上去像政客的握手，却真挚而有力。猩猩的手越握越紧。他意识到它可以捏碎他的手，但它并没有那么做，他也没有感到一丝恐惧。它一直凝视着他的双眼。不知为何，彼得喉头一紧，几乎流下泪来。是不是因为自从克拉拉死后就再没有谁这样凝视过他，如此真心诚意、毫无保留地凝视，双眼仿佛敞开的门？

“这只是从哪里来的？”他不回头地问，“他有名字吗？”

彼得注意到自己用词的变化，从“它”变成“他”。这个转换自然而然。这个生命不是一件物品。

“他叫奥多，”鲍勃回答，紧张地团团转，“他是个摇滚明星。一个去非洲的和平队[1]志愿者把他带回来的。随后他被送到美国国家航空航天局，参加空间项目的测试。然后他去了耶基斯[2]，之后是灵长目实验医学与外科实验所[3]，在他——”

走廊另一端爆发出一阵嚎叫。安静下来的黑猩猩又吵嚷起来。这一次比他和鲍勃进门时还要震耳欲聋。莱姆侬博士来了。“鲍勃，你他妈最好给我解释一下这是怎么回事？！”他怒吼道。

1 美国政府主导的一个志愿者项目。志愿者为美国公民，经过三个月的培训后派往国外工作两年。和平队的工作一般和社会经济发展相关，同时促进文化交流。

2 指位于美国佐治亚州亚特兰大市的耶基斯国家灵长目研究中心。

3 纽约大学下属研究机构。

彼得和奥多松开彼此的手。这个动作充满了默契。猩猩转身恢复到先前的姿势，侧面对着彼得，视线微微上扬。

鲍勃看起来宁可爬进一只吊着的笼子也不愿回到走廊上。彼得先走了出去。比尔·莱姆侬博士沿着走廊大步流星地走过来，显然怒不可遏。他愤怒的脸庞在走廊灯泡的照射下忽明忽暗，动物的叫喊声也随着他的逼近不断加剧。

“你在这里干什么？！”他朝彼得大吼。

所有的客套都烟消云散。莱姆侬俨然是一只正在展示统治地位的猩猩。

“我准备把这只买下来。”彼得镇定地说。他指了指奥多。

“你要买，现在？”莱姆侬说，“我们是不是还要给你添四头大象和一头河马？或者是两头狮子加一群斑马？这里不是宠物店！你他妈给我滚出去！”

“我会付给你一万五千美元。”啊，这个五位数听上去是多么悦耳。一万五千美元——比他的车还贵出不少。

莱姆侬难以置信地望着他，鲍勃也一样——他已经悄悄溜回了走廊。“好吧，好吧，看这挥金如土的架势，你确实是个参议员。哪一只？”

“那边那只。”

莱姆侬看了一眼。“哈。再没有比那个傻蛋更㞞的了。他每天就一个人待着傻乐。”他想了想，“你刚说一万五千美元？”

彼得点点头。

莱姆侬笑了。“可能这儿确实是间宠物店。鲍勃，你招呼顾客很有一套嘛。托维先生——不好意思，托维参议员——如您所愿，宠物猩猩归您了。唯一要提醒您的是：我们概不退款。您买下他，要是玩腻了想退货，我们倒是可以接手，但您一分钱也拿不回去。明白了？”

“成交。”彼得说。他伸出一只手。莱姆依和他握了手。他的表情似乎在说：他刚听到了世界上最荒唐的笑话。

彼得瞥了奥多一眼。往外走时，他从眼角的余光里看见猩猩转过头来。彼得又看了他一眼。奥多再次凝视他。他的心里一阵悸动。**他一直在注意我。**他喃喃低语：“**我会回来的，我发誓。**”——这句话说给猩猩，也说给他自己。

他们沿走廊往外走。他环顾左右，有个现象让他惊讶：黑猩猩之间的区别如此明显，他进来时居然没有注意到。他本以为黑猩猩都大同小异。事实并非如此，远非如此。每只猩猩都拥有独特的体形和姿态，毛色和花纹各异，面部的光泽、肤色和表情也各不相同。他意识到这些猩猩超乎他的想象：每一只都拥有独一无二的个性。

到了大门口，鲍勃悄悄蹭到彼得身边，面带忧虑。“我们是可以出售猩猩，”他说，“但是只对——”

莱姆依挥手让他滚开。“蠢货，蠢货！”

他们回到车前。彼得迅速与莱姆依达成协议。他会尽快返回，大致需要一到两周时间进行必要的安排。他答应寄来一张一千美元的支票作为定金。莱姆依负责准备所有的文件。

汽车发动时，彼得转身从后窗望出去。莱姆依脸上依然挂着胜利者的窃笑。然后他转身面对鲍勃，面色一沉。显然鲍勃会被劈头盖脸臭骂一顿。彼得很同情他。

“玩儿得还不错？”司机问。

彼得神情恍惚地靠在座椅上。“很有意思。”

他不敢相信自己刚才做的事。他买只黑猩猩回渥太华干什么？他住在一幢公寓的五层。邻居们能接受大楼里住进一只巨大笨重的黑猩猩吗？在加拿大养黑猩猩合法吗？黑猩猩能适应加拿大的寒冬吗？

他摇了摇头。克拉拉去世刚六个月。他不是在某处读到过，痛失至亲的人应该至少等一年再对生活做出重大改变吗？难道悲伤让他丧失了理智？

他真是个傻瓜。

回到酒店后，他没把这件事告诉任何人，包括俄克拉何马人和他的加拿大同胞。第二天上午回到渥太华后，他同样守口如瓶。到家的第一天，他在自责与震惊之间徘徊，有时甚至完全忘了这件事。第二天，他想到一个绝妙的主意：他会买下这只黑猩猩，然后把它捐给动物园。他知道多伦多动物园不养黑猩猩，但是另一间动物园（比如卡尔加里？）肯定会接受这只动物。它会是一件价值不菲的礼物，不过他将以克拉拉的名义捐赠。如此便物尽其用。问题解决了。

第三天早晨他醒得很早。他躺在枕头上瞪着天花板。奥多红褐色的眼珠目不转睛地盯着他。彼得告诉他：我会回来的，我发誓。他的誓言不是把奥多留在动物园，他的誓言是好好照顾他。

他必须说到做到。该死，他不知道为什么，但是他希望说到做到。

一旦下定决心，之后的事便水到渠成。他把奥多的定金支票寄给了莱姆侬。

显然他们不能住在渥太华。在俄克拉何马，把猩猩关进笼子的借口是科学研究。在加拿大，这个借口可以是天气。他们需要更温暖的气候。

他很高兴可以再次使用“他们”这个词来思考。是不是很可悲？按照人们常说的“反弹”（仿佛他是弹子球机里的一枚钢珠），他应当立刻扑向下一个女人，他却扑向了一只宠物。这是不是更糟？他不以为然。不管旁人用哪个词来形容他们的关系，奥多都不是一只宠物。

彼得从没想过自己会再搬一次家。他和克拉拉从没有考虑过。他们不在乎渥太华的寒冬，准备在这里终老。

他们应该去哪儿？

佛罗里达？不少加拿大人退休以后搬去那里以躲避加拿大的严冬。但是那个地方对于他毫无意义。他不想住在购物中心、高尔夫球场和闷热的海滩之间。

葡萄牙？这个词让他眼前一亮。他是葡萄牙后裔，两岁那年全家移民到了加拿大。他和克拉拉去过一次里斯本。他喜欢瓦片屋顶的房子、繁盛的花园、小山、散发着没落的欧洲魅力的街道。那座城市仿佛夏末的傍晚，混合了温柔的光线、怀旧的氛围和淡淡的闲愁。唯一的问题在于：和渥太华一样，里斯本不适合猩猩居住。它们需要更安静的场所，需要更大的空间，人烟更稀少的地方。

他记得父母来自乡下——葡萄牙高山区。是否要落叶归根？那里没准儿还住着他的远亲。

目的地在他脑海中渐渐成形。下一步是处理在加拿大的牵挂。他思忖这些牵挂包括哪些东西。它们曾经意味着他的一切：妻子、儿子、孙女、在多伦多的妹妹、所有的家族成员、朋友、事业——简单地说，就是他的生活。现在，除了儿子，他身边只剩下物质的残骸：一间堆满旧物的公寓、一辆车、多伦多的备用住所、国会山西区的一间办公室。

一想到即将摆脱这一切，他就激动不已。现在的他已经无法忍受这套公寓，因为每个房间都留下了克拉拉痛苦的印记。他的车不过是一辆车，在多伦多的一居室公寓也一样。参议员职务不过是个闲职。

距离或许有助于改善他和本的关系。他不会把余生虚耗在渥太华，干等着儿子挤出时间陪他。妹妹特蕾莎扎根在了多伦多。他们定期通电话，他没有理由切断这层联系。至于孙女瑞秋，以他们见面或打电话的频率，即使他生活在火星也没什么区别。如果考虑到欧洲的吸引力，没准儿哪一天她会来探望他。这是一个很实际的愿望。

他深吸一口气。他将无所保留。

他沉浸在令人隐隐不安的兴奋当中，决心抛弃一切枷锁。

他和克拉拉从多伦多搬来渥太华时已经扔掉了不少东西。经过这疯狂的一周，余下的也一件不剩。他们在渥太华的公寓很快找到了买主（“多好的地段！”中介两眼放光），多伦多的那套房也一样。书籍被装箱，运到了一间旧书店，家具和电器被出售，衣物捐给慈善机构，私人文件捐给国家档案馆，其他的零碎直接丢掉。他付清所有账单，关闭水电和电话账户，取消报纸订阅。他申请了葡萄牙签证。他联系了一家葡萄牙银行，办好了开户手续。本尽心尽力地帮忙，只是不住地抱怨，问彼得到底为什么要放弃安定的生活，远走他乡。

离开那天，彼得只提了一只孤零零的箱子，里面装着衣物、家庭相册、露营装备、葡萄牙旅行指南和一本英葡字典。

他订了航班。看样子他和猩猩直接从美国飞到葡萄牙更容易些。这样可以减少携带珍奇动物过境的次数。航空公司告诉他：只要有笼子并且动物能够保持安静，他们就可以托运。他咨询了兽医，学会如何给猩猩注射镇静剂。

他通过个人关系为自己的车找到买主，在纽约交接，真是最理想的地点。“我会自己把车开过去。”他打电话告诉那个住在布鲁克林的人。

他没说南下时会兜一个圈去俄克拉何马。

他取消了所有的日程——和参议院委员会的；和家人朋友的；和私人医生的（他心脏不太好，不过他准备了足量的药物，并更新了日常药物处方）；和其他所有人的。他给那些没能见面或通电话的人写了信。

“是你建议我给自己放个假的。”他对党鞭说。

“你还真把我的话听进去了。为什么去葡萄牙？”

“气候温暖。我的父母就来自那里。”

党鞭目不转睛地盯着他。“彼得，你是不是遇到另一个女人了？”

“没有。差得远呢。”

“好吧，你说怎样就怎样吧。”

“我住在渥太华，怎么可能在葡萄牙遇到一个女人？”他问。然而他越是否认，党鞭就越是怀疑。

他没有向任何人提起奥多，无论家人还是朋友。猩猩成了他心底闪光的秘密。

出发那天他正好约了看牙。他在汽车旅馆里度过在加拿大的最后一晚，次日清晨去洗牙。他向牙医道别，开车上了路。

这是一段漫长的旅程。他穿过安大略省、密歇根州、俄亥俄州、印第安纳州、伊利诺伊州、密苏里州，到达俄克拉何马州。他不想太赶，计划了五天的行程。途中他在密歇根州兰辛市的一间杂货店和密苏里州黎巴嫩市的一间餐馆里分别给灵长目研究所打了电话，通知他们自己即将抵达。他和上次叫莱姆侬接电话的那个女人通了话——亏得她当时叫走莱姆侬，彼得才能进入关黑猩猩的主楼。她说一切已经准备就绪。

彼得在塔尔萨市度过了最后一晚，第二天上午开车到达灵长目研究所。他停下车，走到池塘边。大岛上有两个人似乎正在教一只黑猩猩手语。另外三只猩猩懒洋洋地躺在岛中央的空地上。鲍勃坐在它们中间，正在检查一只猩猩的肩膀。彼得大声喊他，朝他挥手。鲍勃挥手回应，起身走向岸边的一条小船。那只猩猩跟在他身边。它轻巧地跳上船，蹲坐在船板上。鲍勃把船推离岸边，划着桨过来。

船到池中调了个头，那只先前被鲍勃挡住视线的猩猩看见了他。它大声地“呼——呼——”叫起来，用一只拳头捶着船板。彼得眨了眨眼。那是——没错，就是他。奥多的个头比他记忆中要大。一条大狗的尺寸，只是肩更宽。

没等船靠岸，奥多就跳下船，在地面上蹦了一下，跃到半空径直扑向彼得。他无暇反应。猩猩拍打他的胸膛，双臂紧紧抱住他。彼得往后一倒，狼狈地摔了个四仰八叉。肥厚的湿嘴唇和光滑坚硬的牙齿贴上他的面颊。他被攻击了！

鲍勃的笑声传进他的耳朵。“天啊，天啊，他还真是喜欢您。轻点儿，奥多，轻点儿。您没事吧？”

彼得无法回答他的问题。他从头到脚都在颤抖。不过并不疼。奥多没有咬他。猩猩已经从他身上下来，靠着他的肩膀坐好。他玩起彼得的头发。

鲍勃在他旁边跪下。“您没事吧？”他又问了一遍。

“没——没——没事，应该没事。”彼得回答，然后吃力地坐直。他睁大眼睛，屏住呼吸，难以相信眼前的一切。陌生的黑色面孔，厚实多毛的躯体，这只温暖的动物正实实在在对着他的脖子喘气——他们之间没有栏杆，没有护具，没有安全措施。他不敢把猩猩推开，只能坐在原地，左右张望，警觉而无助。“他在干什么？”最后他问。猩猩仍在挠他的头。

“他在给您梳毛，”鲍勃回答，“这是黑猩猩社交生活的重要部分。我给你梳毛，你给我梳毛。这是他们相处的方式。而且能够去除虱子和跳蚤，保持卫生。”

“我应该做什么？”

“什么也不用做。如果您愿意的话，或许可以给他梳毛。”

奥多的膝盖就在他眼前。他抬起颤抖的手，轻轻抚摸膝盖上的几根毛。

“来，我教您怎么做。”鲍勃说。

鲍勃坐在地上，轻车熟路地挠起奥多的背。他用手掌边缘逆着猩猩毛发的生长方向扫过去，露出发根和皮肤。三两下试探后，他找到一块合适的区域，用另一只手抓挠，同时拣出脱落的皮屑、污垢和其他废物。总的来说，这是个需要聚精会神的琐碎活儿。鲍勃似乎忘记了彼得的存在。

彼得渐渐恢复镇定。这只动物对他的触碰也没有那么难受。他能感觉到柔软的手指落在头皮上。

他看着奥多的脸。猩猩的目光也转过来。他们的脸相距大约二指远，四目相对。奥多轻声呼叫，气息有节奏地喷在彼得脸上，他的下唇向外翻卷，露出一排硕大的牙齿。彼得浑身一紧。

“他在对您笑。”鲍勃说。

直到此刻，这个深谙猿猴喜怒哀乐的年轻人才读懂彼得的心情。他伸手搭在彼得肩上。

“他不会伤害您的，先生。他喜欢您。如果他不喜欢您，他只会把您晾在一边。”

“上次给你添麻烦了，真对不起。”

“不用担心。麻烦也值了。这个地方糟透了。不管您把奥多带到哪里，都比在这儿强。”

“莱姆依在吗？”

“不在。他午饭后才回来。”

运气不错。随后的几小时里，鲍勃给彼得上了一堂关于奥多的小课。他讲解了黑猩猩声音和面部表情的基本知识。彼得学了呼声与哼声，大叫与尖叫，噘嘴、翻唇和吧嗒嘴，还有喘气的各种方式。奥多可以和喀拉喀托火山[1]一样吵闹，也可以和阳光一样安静。他不会美式手语，但能听懂一些英语。和人类一样，语气、手势和肢体语言足以传递丰富的信息。猩猩的双手也会讲话，姿态和毛发也可以——彼得必须聆听它们的声音。亲吻和拥抱的含义跟人类一样，就是亲吻和拥抱——你要懂得享受、感激，或许还要有回应，至少回以一个拥抱。奥多最开心的表情是嘴微微张开，身体松弛；紧接着他可能会大笑——两眼发光，近乎无声地喘息，快乐之情全写在脸上，却没有人类那种刺耳的“哈——哈——哈——”声。这是黑猩猩语言的一个有趣之处。

“那是一套完整的语言系统。”鲍勃这样评价黑猩猩的沟通方式。

“我不太擅长外语。”彼得显得忧心忡忡。

---

1 位于印度尼西亚巽他海峡的一座活火山。1883 年的大爆发释放出 21 立方公里的火山灰，是人类历史上最大的火山喷发之一。

“别担心。您会明白他想说什么的。他一定会让您明白。”

鲍勃告诉彼得，奥多受过大小便的训练，只须把便盆放在显眼之处。黑猩猩憋不了多久。鲍勃给了他四个便盆，将来分散放在奥多的活动区域内。

奥多有一个笼子，用于运输和晚上睡觉，但是车里装不下。他们把它拆开，放进后备箱。出发时，奥多会坐在副驾驶座上。

其间彼得去了一次洗手间。他坐在马桶盖上，双手捂脸。他刚成为父亲那天是不是这种感觉？记忆中他不像这般手足无措。抱着刚出生的本回家是一次让人眩晕的体验。他和克拉拉对该做什么毫无头绪，但又有哪对年轻夫妇知道呢？不过那不成问题。本在他们的关爱中长大。况且他们并不怕他。他多么希望克拉拉此刻就在身边。**我在这里做什么呢？他想。太疯狂了。**

鲍勃和他带着奥多散了一会儿步。奥多非常兴奋。他采摘浆果，攀爬树木，要求彼得背他（他嘴里咕哝一声，举起手臂，就像个孩子）。彼得同意了，背上他蹒跚而行，差点儿跌倒。奥多抓住他手脚的方式让他觉得背上盘踞着一只九十斤重的章鱼。

“需要的话，我可以给你他的项圈和六米长的皮带，不过它们没什么用。”鲍勃说，“假如他上了树，他可以把你像悠悠球一样提起来。如果你恰好骑在马上，他可以把你连人带马一并提起来。黑猩猩的强壮超乎你的想象。”

“那我怎么管束他？”

鲍勃想了一下，答道：“我不是有意打探您的隐私，先生，您有妻子吗？”

“曾经有过。”彼得严肃地回答。

“那您怎么管束您的妻子呢？”

管束克拉拉？“我从不管束她。”

“没错。你会努力和她相处。当你不满时，你会争论，你会想办法应对。你和奥多也是一样的。你基本上没办法控制他。你只能想办法应对。奥多喜欢无花果，无花果能让他镇定。”

他们闲聊同时，奥多在灌木里进进出出。他钻出来，贴着彼得坐在他脚上。彼得鼓起勇气，弯腰拍了拍奥多的头。

“身体接触必不可少。”鲍勃说。他在猩猩面前蹲下来。“奥多，挠挠乐，挠挠乐？”他说着，瞪圆了眼睛。他开始挠奥多身侧。很快人和猩猩在地上滚作一团，鲍勃开怀大笑，奥多呼呼直喘，开心地大叫。

“来呀，来呀！”鲍勃大喊。眨眼的工夫，彼得和奥多就滚在一起。猩猩真的力大无穷。好几次他把彼得高高举起，又把他摔在地上。

打闹终于告一段落，彼得颤巍巍地站起来。他头发蓬乱，一只鞋掉了，衬衫少了两个纽扣，胸前的口袋也撕裂了，浑身沾满了草叶、树枝和泥点。他一个六十二岁的老年人，像年轻人般打打闹闹，未免有点儿尴尬，却让他异常兴奋。他感到自己对猩猩的畏惧正在消退。

鲍勃看着他。“你会做得很好。”他说。

彼得微笑着点点头。他婉拒了项圈和皮带。

当莱姆依出现时，他们只剩交接手续未办。彼得掏出银行汇票，莱姆依仔细查验。然后他递给彼得各种文件。一份表格证明：他，彼得·托维，是雄性黑猩猩奥多的合法拥有者。该证明由俄克拉何马城的一位律师公证。另一份表格出自一位野生动物兽医，他确认奥多身体健康，而且注射了所有最新的疫苗。还有一份美国鱼类和野生动物管理局的出口许可证。文件看起来很正式，都签了名，盖了戳。“好了，我觉得这就行了。”彼得说。两人没有握手。彼得转身就走，不愿多说一个字。

鲍勃在副驾驶座上铺了一张叠好的毛巾。他弯腰抱了抱奥多。然后他直起身，示意奥多上车。奥多毫不犹豫地照做了，很享受地坐在座位上。

鲍勃握住猩猩的手，贴在自己脸上。“再见，奥多。”他说，声音有一丝哽咽。

彼得坐上驾驶座，发动了引擎。“是不是该给他系上安全带？”他问。

“当然可以。”鲍勃回答。他探身拉出安全带，系在奥多腰间，再把搭扣卡上。肩带太高了，正好挡住了奥多的脸。鲍勃把它往奥多脑勺后面掖了掖。奥多完全没有意见。

彼得心里一阵恐慌。**这事我干不了。我得把这事叫停。**他摇下车窗，向鲍勃挥手。“再见，鲍勃。再次感谢。你帮了很大的忙。”

从俄克拉何马北上的路比南下更花时间。他保持中速行驶，免得惊扰奥多。从渥太华到俄克拉何马这一路，他从一个人类聚居点跳到下一个——多伦多、底特律、印第安纳波利斯、圣路易斯、塔尔萨；从俄克拉何马去纽约的路上，他却尽量避开大城市，这同样是为了猩猩着想。

他很想睡在一张像样的床上，再好好洗个澡，但他知道不会有汽车旅馆老板愿意把房间租给一对半人半猿的旅客。第一晚，他驶离公路，把车停在一间废弃的农舍边。他组装好笼子，但拿不准该放在哪里。车顶，还是把它卡在敞开的后备箱里？或者放远一点儿，作为猩猩的“私人”领地？最后，他把笼子放在车旁，笼门敞开，同时摇下副驾的车窗。他给了奥多一张毯子，然后自己躺在后座上。夜幕降临，猩猩在车里进进出出，弄出不小的动静。他几次跳到后座上，结结实实地落在彼得身上。最终他躺在后座的脚垫上，靠着彼得睡着了。奥多不打呼噜，但他的呼吸声十分有力。彼得睡得很不踏实，因为猩猩的打扰，也因为自己心里挥之不去的忧虑。

这是一只巨大强壮的动物，无法管束，无法控制。**我怎么把自己搞到这步田地？**

之后的几晚，他把车停在道路尽头，睡在与世隔绝的静谧田野边。

一天傍晚，他仔细阅读莱姆侬给他的文件。其中一份报告列出了奥多一生的经历。他是一只“在非洲野外捕获的幼崽”。报告里没有提到那个和平队志愿者，只说奥多此后被送到美国国家航空航天局，在位于新墨西哥州阿拉莫戈多市的霍洛曼航空医学中心待了一段时间。然后他去了佐治亚州亚特兰大市的耶基斯国家灵长目研究中心，之后去了纽约州塔克西多市的灵长目实验医学与外科实验所，最后被送到莱姆侬的灵长目研究所。一段堪比奥德赛的旅程。难怪鲍勃说奥多是个摇滚明星。

彼得的视线停留在几个词上："医学"……"生物学"……"实验室"……"研究"——特别是"实验医学与外科"。实验？奥多从医学的一个奥斯威辛辗转到另一个，而此前他只是一个从母亲怀抱中夺走的婴儿。彼得不知道奥多的母亲后来怎么样了。白天他给猩猩梳毛的时候，发现他的胸口有个文身。只在那一个部位，深色的皮肤在浓密的体毛下裸露出来。他发现一组起皱的数字——65——不可原谅地烙印在猩猩胸口的右上角。

他转身对着奥多。"他们都对你做了什么？"

然后凑过去抚摸他的毛。

一天下午，他们进入郁郁葱葱的肯塔基州。加满油之后，他把车开到加油站后面休息区的最远端，停车吃饭。奥多钻出车厢，爬上一棵树。一开始彼得如释重负——猩猩终于不在眼前了。随后却意识到自己无法让他下来。他担心奥多会跳到相邻的树上，越跑越远直至消失不见。但是猩猩老老实实地待在原地。他只是凝视着触手可及的森林边缘。他似乎沉醉于这片树叶编织的天堂。一只漂浮在绿色海洋上的黑猩猩。

彼得等待着。时间一分一秒地过去。他没书可看，也没心情听广播。他在后座上打了个盹儿。他想起了克拉拉，想起自己执迷不悟的儿子，想起他弃之如敝屣的往日生活。他去加油站买了食物和水，坐回车里观察加油站的格局——曾经光鲜、如今已暗淡无光的主楼，宽阔的柏油路面，来来往往的车流和人，休息区，森林的边缘，奥多栖身的大树。然后他专注地望着奥多。

只有孩子们注意到了树上的猩猩。当成年人忙着上厕所、给汽车加油、为家人买食品的时候，孩子们四处张望。他们咧嘴大笑。有的孩子指着树梢叫父母看。他们只得到一个漫不经心的空洞眼神。离开时，孩子们向奥多挥手作别。

五个小时之后，天色渐暗，彼得依然抬头望着猩猩。奥多没有忘了他。只要加油站没什么风吹草动，奥多就会低头看他，怡然自得的神情与彼得相仿。

黄昏时分，晚风微凉，猩猩还是不下来。彼得打开后备箱，取出他的睡袋和奥多的毯子。猩猩呼呼直叫。彼得走到树下，把毯子举起来。那家伙爬下来抓住毯子，然后爬回树上，把自己舒舒服服地裹起来。

彼得在树下留了水果、抹了花生酱的面包片和一壶水。天黑以后，他在车里躺下。他已经精疲力尽。他担心奥多会在夜间逃走，但更糟的是他可能会攻击人。进入梦乡之前，他欣慰地想到一件事：今晚或许是奥多离开非洲之后第一次睡在星空下。

清晨，水果和面包片不见了，水壶也空了一半。彼得下车时，奥多也从树上爬下来。他朝彼得举起了双臂。彼得坐在地上，他们拥抱在一起，互相梳毛。彼得给奥多巧克力牛奶和鸡蛋沙拉三明治当作早餐。

在沿途的另外两个加油站，他重复着同样的树下过夜模式。彼得两次给航空公司打电话，花钱改签了机票。

在白天开车穿过美国的途中，他发现自己不时扭头看一眼他的乘客，一次次惊讶于自己与一只黑猩猩同车。他也发现：奥多在观察窗外掠过的风景之余，也会做同样的事——不时扭头看他一眼，一次次惊讶于自己与一个人同车。就这样，在彼此之间不断的惊叹中（也掺杂着一丝恐惧），他们到了纽约。

越接近城区，彼得就越紧张。他疑心莱姆依跟他耍了个花招。他担心自己会在肯尼迪机场被截住，奥多会被带走。

猩猩望着这座城市，他的下颌微张，眼睛一眨不眨。在通往肯尼迪机场的一条小路上，彼得停下车。接下来是最困难的环节。他必须给猩猩注射一支强力镇静剂。这种药叫塞尔纳林，兽医推荐的。奥多会在注射的时候攻击他吗？

"看！"他指着远处说。奥多转过头去。彼得把注射器扎进他的手臂。奥多似乎完全没有感觉到针刺，没几分钟就昏迷了。到了机场，由于行李特殊，彼得被引导到特殊货运区。他装好笼子，铺上毯子，费尽力气才把奥多绵软的身体放进去。他在笼边坐立不安，手指钩住金属网。要是奥多醒不过来怎么办？他该怎么办？

笼子被放上一个手推车，推进了迷宫般的肯尼迪机场。彼得由一名保安陪同。海关人员查验了所有的文件，核实了机票，然后奥多被带走。彼得被告知：如果机长允许，他可以在飞行途中去货舱探视奥多。

他匆忙离开。他洗了车，把车里里外外打扫干净，然后开到布鲁克林。买主是个难缠的家伙。他夸大汽车的每个瑕疵，对各项指标都有诸多不满。不过彼得纵横政坛二十年可不是白混的。他默默听完那个男人的抱怨，然后重申了之前约定的价格。那个男人继续砍价，彼得说："好吧。那我就卖给另外那个买主。"他上车发动了引擎。

那人追到窗边。"另外那个买主？"他问。

"我刚同意把车卖给你，就有另一个买主打来电话。我说不行，因为我已经答应卖给你了。但如果你不要，对我还更有好处。我可以卖更多钱。"他换了挡，开始倒出车道。

那个人急忙招手。"等一下，等一下！我买了！"他大喊。然后他迅速付了钱。

彼得拦了一辆出租车，回到肯尼迪机场。他对奥多很不放心，缠着航空公司问个不停。他们向他保证：不，他们不会忘记把猩猩运上飞机；是的，他会被安置在加压恒温的顶层货仓；不，他还没有醒过来；是的，他的各项生命体征都正常；不，彼得现在还不能去看他；是的，一旦飞机进入巡航高度，他们就会问彼得是否要探视。

起飞一小时后，机长同意探视，彼得来到飞机尾部。他穿过一道窄门进入顶层货舱。灯开了，他一眼就看见笼子——他们用带子把它拴在飞机的内壁上。旁边是头等舱的行李。他大步走过去，看到奥多的胸口平稳地起伏，终于松了口气。他把手伸进笼子，摸了摸奥多温暖的身体。他想进入笼子给奥多梳毛，但航空公司在笼门上加了一道挂锁。

除了偶尔去洗手间或是吃饭，彼得全程守在笼子旁边。乘务员似乎并不介意他待在那里。兽医告诉他，黑猩猩一次不能打太多塞尔纳林。飞行途中他又给奥多打了两针。他讨厌这么做，但他不希望猩猩在这样一个吵闹而陌生的地方醒过来。他可能会恐慌。

够了，彼得想。他发誓永远不再把奥多置于如此恶劣的环境。他应该得到更好的照顾。

着陆前半小时，一位乘务员走进货舱。她告诉他必须回客舱。他回到座位上，很快睡着了。

清晨时分，飞机颠簸着降落在里斯本波尔特拉机场。他睡眼惺忪地望向窗外。这时他竟感到了恐慌。心脏在胸膛里怦怦直跳，呼吸也变得吃力。**这是个错误。我必须马上回去。**但是奥多怎么办？里斯本肯定有动物园。他可以连猩猩带笼子一起放在动物园门口。一个动物弃儿。

一小时后，其他乘客都取完行李离开了，只剩他还在到达区等待。他在行李转盘附近的洗手间隔间里待了大半个小时，独自默默哭泣。要是克拉拉在身边该多好！她会给他信心。但是假如她还在他身边的话，他根本不会陷入如此荒唐的境地。

终于有一个穿制服的男人来找他。“**先生，您就是那个带猩猩的人吗？**[1]”他问。

彼得一脸茫然。

“**猩猩？**”那人说，一边做出挠胳肢窝的动作，嘴里发出“呼——呼——呼——呼——”的声音。

1　原文为葡萄牙语。下文中的葡萄牙语对话均用不同字体区分，不再另做说明。

"是的，是的！"彼得连忙点头。

他们出了安检口，那人一直亲切地用葡萄牙语和他攀谈。彼得频频点头，尽管他一个字也听不懂。他依稀记得很久以前父母用葡萄牙语对话的腔调，那是一种含糊不清的忧伤低语。

笼子放在一个停机仓库中央的行李推车上。几名机场员工围在一旁。彼得的心脏再次剧烈跳动起来，不过这一次是出于高兴。那些人正饶有兴趣地谈论着那只猩猩。奥多还在昏迷中。那些人问彼得问题，他只能抱歉地摇头。

"他不会讲葡萄牙语。"带他来的那人说。

大家开始打手势。

"你带他来做什么？"一个人问。他双手手心朝上，在面前摆动。

"我要去葡萄牙高山区。"彼得回答。他用一根手指在空中画出一个长方形，说"葡萄牙"，然后指向长方形的右上角。

"啊，葡萄牙高山区。上头那个产犀牛的地方。"那人回答。

其他人都笑了。彼得点点头，虽然他不明白他们为什么发笑。犀牛[1]？

他们最终想起了自己的职责。他的护照被查验、盖戳；奥多的文件被签字、盖章，一式两份，一份给彼得，一份存档。办妥了。一个人做出推车的动作，示意这个外国人和他的猩猩可以走了。

---

1 "犀牛"的葡萄牙语单词和英文很类似，所以彼得能听懂。下文提到的"一辆车（carro）"亦同。

彼得的脸唰的一下白了。在过去两个月的亢奋中，他忘记了一个细节：他和奥多要怎么从里斯本去葡萄牙高山区？他们需要一辆车，但他没有提前安排。

他把双手手掌向外伸出。“等等，我需要买一辆车。”他上下转动拳头，模仿握方向盘的动作。

“一辆车？”

“是的。我在哪儿能买到一辆车，哪儿？”他搓着拇指和食指。

“先生，你想买一辆车？”买——听上去没错。

“是的，是的，买一辆车，哪儿？”

那个人叫来另一个人，两人开始讨论。他们在纸上写了几个词，递给彼得。上面写着*Citroën*[1]和一个地址。他知道法语里*citron*是柠檬[2]的意思。他希望这不是一个坏兆头。

“近吗，近吗？”他把手指朝自己拢在一起。

“是的，很近。出租车。”

他指了指自己，然后指向外面，再指回自己。“我现在过去，一会儿就回来。”

“好的，好的。”那人点点头。

他匆忙离开。他身上带了相当数量的加币和美金，还有旅行支票。为了保险起见，他还带了信用卡 。他把所有钱都换成了埃斯库多，然后跳上一辆出租车。

---

1 雪铁龙。

2 英文中柠檬一词（lemon）也有“次品”的意思。

那家雪铁龙经销商离机场不太远。待售的车型都很怪异，圆滚滚的。其中一辆有着优雅的线条，但是太贵了，而且对于他来说太大了。最终他选了入门款——那辆土灰色的玩意儿看上去像是用金枪鱼罐头做的。完全没有配饰，没有收音机，没有空调，没有扶手，没有自动挡，甚至没有可以摇起的车窗。车窗分为上下两爿，下爿像翅膀一样可以活动，能够翻起来卡在上方。这辆车也没有固定的车顶和玻璃后窗，只有一块结实的篷布，可以解开向后翻起，上面嵌了透明的塑料窗。他试着开关车门。感觉这辆车就快散架了，只能勉强算是车，店员却表现出极大的热情，扬起双手把这辆车捧上了天。这辆车的名字也让彼得有些迟疑：2CV——这压根儿算不上名字，仅仅是个编码。他更想要一辆美国车。但他在奥多苏醒之前就得有一辆车。

他点点头，打断了店员——他买了。那人笑逐颜开，领着他进了办公室。他查看了彼得的国际驾照，填好文件，收了钱，给彼得的信用卡公司打了电话。

一小时后他开车回到机场，车的后窗内侧贴着临时车牌。换挡很费劲，操纵杆从面板上直直地挺出来；引擎声音很吵，车开起来也不稳。他停下车，回到仓库。

奥多还在沉睡。彼得和机场工作人员把笼子推到车旁。他们把猩猩挪到后座上。这时问题来了。笼子就算是收起来也装不进 2CV 局促的后备箱，更别说把它绑在软塌塌的顶篷上了。彼得没有纠结。这东西就是个累赘，而且奥多压根儿就没用过它。机场工作人员好心地帮他处理掉了。

彼得最后一次确认没有任何遗漏。护照和文件都在身上；葡萄牙地图已经拿出来了；行李塞进了后备箱；猩猩躺在后座上——可以出发了。只是他感到精疲力竭，又饥又渴。他定了定神。

“葡萄牙高山区有多远？”他问。

“去葡萄牙高山区？大约十个小时。”那个人回答。

彼得又掰着手指跟那人确认一次。十根手指。十个小时。那人点了点头。彼得叹了口气。

他研究了一下地图。和在美国境内一样，他决定避开大城市。那意味着驶离海岸线，斜穿内陆地区。在穿过一座名叫阿良德拉的小镇之后，有一座桥横跨塔霍河。然后就只剩下一些小村镇，它们在地图上用最小的空心黑圈来标示。

他连开了几个小时，只在一个名叫波尔图阿尔托的地方短暂停留，找了家餐馆吃了点儿东西，增加补给。他已经困得睁不开眼。接着，他们来到蓬蒂-德索尔。这是一个令人愉悦的热闹城镇。他充满渴望地望着眼前的旅馆，真想就此住下。但他仍然继续赶路。到了郊外，他拐上一条僻静的岔路，把车停在一片橄榄林边。他的车仿佛一只即将飘过原野的灰色气泡。他在奥多身边放了食物。他想把睡袋横铺在前排，但两个座椅离得太远，也不能往后放倒。他看了一眼车边的地面。石子太多了。最终，他钻进后座，把奥多沉重的身体挪到地板上，自己以胎儿的姿势蜷缩在后座上，一合上眼就陷入了沉睡。

下午彼得醒来的时候，奥多就在他身边，几乎坐在他头上。

猩猩正在东张西望。毫无疑问，他正在琢磨人类又在他身上耍了什么新花招。他这是在哪儿？那些高楼都去哪儿了？彼得感觉到奥多身体的温热。他依然很疲惫，但焦虑使他清醒。奥多会发怒吗？会攻击他吗？如果他发动攻击，彼得无路可逃。他缓缓坐起身。

奥多张开双臂拥抱他。彼得也回抱奥多。他们就这样静静地抱了一会儿。他给奥多喝水，喂他苹果、面包、奶酪、火腿。奥多几口就吞下了肚。

彼得看见一群男人沿路走过来。他们的肩上扛着铁锹和锄头。他挪到驾驶座上，奥多跳上他身边的副驾驶座。他发动汽车，奥多伴着引擎的轰鸣“呼——呼——”直叫，但没有别的动作。他掉了头，回到大路上。

和大多数移民一样，他的父母是为了摆脱贫困才离开葡萄牙高山区的。他们决心让自己的孩子在加拿大过上不一样的富足生活。他们对自己的出身讳莫如深，就像包扎一处伤口。在多伦多，他们刻意避开一同移民来的葡萄牙同胞。他们强迫自己学英语，不把母语或者故乡文化传给子女。他们还鼓励子女扩大社交圈子。最终儿子和女儿的伴侣都不是葡萄牙裔，这让他们备感欣慰。

到了他们生命的最后几年，在成功地改头换面之后，父母终于稍微放松下来。彼得和妹妹特蕾莎这才能够偶尔看到他们过去的影子。有时是短小的故事，配上家族照片。一些名字被提及；一个模糊的地理轮廓逐渐浮现，它围绕着一个地名：图伊泽洛。那是父母的来处，也是他和奥多的去处。

不过他对这个国家一无所知。他从里到外都是个加拿大人。他在逐渐退去的暮色中行驶，欣赏着此间迷人的风光和繁忙的乡村图景。四处都是成群的家禽和牛羊，还有蜂房和葡萄园，犁过的田地和修剪过的橄榄林。他看见人们背着柴火，毛驴驮着篮子。

天黑了，他们停车休息。他挪到狭窄的后座。夜半时分，他恍惚间觉察到奥多开门下车，但他困得没有气力查看。

早晨，他发现猩猩睡在车顶的篷布上。彼得没有叫醒他。他拿出旅行指南读起来。他发现一路上看到的那种奇特的树——敦实的树干、粗壮的枝干、深褐色的树皮，一部分树皮被齐整地剥掉——原来是软木树。树皮剥落处泛着红褐色的微光。他暗下决心，从此只喝用玻璃瓶和软木塞封存的酒[1]。

西哥特人、法兰克人、罗马人、摩尔人——他们都曾来到这里。有些人落脚之后，搞了点儿破坏就离开了。其他人则待得更久一些，足以修起一座桥或一座城堡。他在旅行指南边栏里发现一条介绍——“葡萄牙北部特有物种：伊比利亚犀牛。”这就是机场那人说的犀牛吗？这种生物学上的遗迹是冰川时期长毛犀牛的后裔，在葡萄牙一直生存到现代，它们零散的栖息地日渐萎缩，最后一头有记载的个体死于一六四一年。它们外貌凶猛强壮，性情却大多很温驯——毕竟是食草动物，不易发怒却很容易

1 酒瓶软木塞的原材料便是软木，是树皮经采剥加工后的产物。——编注

消气。它们渐渐跟不上时代的脚步，无法适应留给它们的越来越小的空间。因此它们消失了，虽然时至今日仍不时有目击报告。一五一五年，葡萄牙国王曼努埃尔一世把一头伊比利亚犀牛作为礼物献给教皇利奥十世[1]。旅行指南里有一幅丢勒为这头犀牛绘制的木刻版画的复制品，旁边标注着“不真实的独角兽”。他端详着那幅画。它看上去雄壮而古老，虚幻而迷人。

彼得用野营炉做早餐时，奥多醒了。奥多翻身坐起，两腿直立，站在车顶四处张望。想到自己的处境，彼得再次感到触目惊心。假如让他只身踏上这片异乡的土地，他会难以忍受，终将死于孤独。而如今因为这个不同寻常的旅伴，孤独感退居二线。他对此心怀感激。即使如此，他仍无法忽略此刻困扰他的另一种感觉。这种感觉仿佛正在侵蚀他的肚肠——那就是恐惧。他无法解释它为何倏忽而至。他从没经历过恐慌，或许这就是恐慌来袭的感觉。恐惧渗入他的体内，撑开他的每一个毛孔，令他呼吸急促。奥多从车顶下来，四肢着地爬过来坐下，盯着火炉，一副温驯的样子。他的恐惧感渐渐烟消云散。

早餐过后，他们继续赶路。他们穿过一座又一座村庄，村庄里有石头房子、鹅卵石路、打盹儿的狗、抬头看他们的驴。一切都笼罩在静谧中，他只见到几个穿黑衣的男男女女，岁数比他还大。他可以想象，这些村落的未来如夜晚一般静悄悄地来临，没有惊喜；每一代人和上一代或下一代都没有分别，只是人丁

1 一五一五年曼努埃尔一世送给教皇利奥十世的犀牛其实是从东方运到里斯本的印度犀牛。此处说它是伊比利亚犀牛，属于作者的虚构。

渐少。

到了午后，从地图上看他们已经进入葡萄牙高山区。此处的空气更加清冷。他有些疑惑。高山在哪儿？他并不奢望见到高耸入云、白雪皑皑的阿尔卑斯山，但他同样没有预见到这一片起伏的荒野。森林隐藏在山谷间，四周不见一座山峰。他和奥多穿过布满巨石的平原，每块巨石兀自伫立在荒草中。有些石头近两层楼高。当一个人站在这样的巨石旁，多少会觉得它们庞大如山，不过这也有些夸大其词。奥多和他一样被这些巨石深深迷住了。

图伊泽洛村出现在蜿蜒道路的尽头。它栖身山谷中，背靠森林。狭长、倾斜的鹅卵石路汇入一个小广场，广场中心有一座不起眼的喷泉潺潺流淌。广场一侧有一座教堂，另一侧有一间小餐馆，看样子也卖杂货和面包。除了这两栋各司其职的建筑，周围遍布简朴的石头房子，楼上有木质阳台。这里算得上“大”的只有随处可见的菜园。它们的大小与农田相仿，打理得很整洁。还有无处不在的动物：鸡、山羊、绵羊、慵懒的狗。

他一下车就惊讶于这座村庄的宁静和偏僻。他的父母就来自这里。其实，他就是在这里出生的。他觉得难以置信。他在多伦多市中心贫民区的一所房子里长大。两地间的距离似乎遥不可及。他没有任何关于图伊泽洛的记忆，离开时他还在襁褓里。不过无论如何，他会先住下试试。

“我们到了。”他宣布。奥多面无表情地环顾四周。

他们吃了三明治，喝了点儿水。彼得注意到一座菜园里聚了一小群人。他找出字典，反复练习几句话。

“别动。待在车里。”他告诉奥多。奥多在座位上显得很矮，从车外几乎看不见。

彼得下了车，向那群人招手。他们也向他招手。一个男人大声向他打招呼。彼得穿过菜园的小门，来到他们中间。每个村民都笑容满面，一一上前和他握手。“**你好。**”他不停打招呼。

等到这个仪式接近尾声，他小心翼翼地背出事先查好的那句话。“**我想要一座房子，谢谢。**”他一字一顿地说。

“**一座房子？住一晚？**”有人说。

“**不，**”他翻着字典回答，“**一座房子，用来……生活的。**”

“**住在这儿，图伊泽洛？**”另一个人说。他脸上的皱纹因为惊讶而绽开。

“**是的，**”彼得回答，“**就在图伊泽洛，一座用来生活的房子。**”很显然，从没有人移民到这里。

“**上帝啊！那是什么？**”一个女人倒吸一口凉气。他猜想她语气里的惊恐和他想住在村里这件事无关。她望向他的身后。他转过身。不出所料，奥多爬上了车顶，正看着他们。

人们纷纷惊呼。有人抄起锄头，哆嗦着举过头顶。

“没事，没事，他很友好的。”彼得说，同时举起双手让大家镇定。他飞快地翻阅字典。“**他是……友好的！友好！**”

他把这个词重复了几遍，试图找准声调和正确的发音。他退到车前。人们僵在原地。奥多已经引起了更多人的注意。餐馆里有两个男人在张望，有个女人站在自家门口观望，还有个女人站在阳台上看热闹。

彼得以为奥多在乡村里更容易被接纳，但这个想法是愚蠢的。人们的惊愕是不分城乡的。

“**友好，友好！**”他向所有人强调。

他招呼奥多。猩猩从车顶爬下来，跟在他身后，四肢着地走进菜园。他没有穿过小门，而是选择跳上石墙。彼得站在他旁边，抚摸着他的一条腿。

“**一只猩猩，**”他对人们说，试图帮助他们理解眼前的景象，“**一只友好的猩猩。**”

人们瞪大了眼睛。他和奥多等待着他们的回应。最先发现奥多的那个女人首先放松下来。“**他和你一起住吗，先生？**”她问。这个问句的尾音上扬，满是惊讶。

“**是的。**”他回答，尽管他不知道“住”这个词的意思。

一个村民看够了热闹，想转身离开。旁边的人伸手拉他，却不小心绊了一下。他想保持平衡，于是死死拽住第一个人的袖子。那人跟着失去平衡。他一声大叫，往后甩掉另一个人的手，气呼呼地走开了。奥多顿时感到紧张，他站起身，目光追随着那个离开的人。他站在石墙上，俯视菜园里的人群。彼得觉察到他们的不安。“没关系，”他拉着奥多的手，低声说，“没关系。”他很紧张。这小小的骚乱会不会令这猩猩狂性大发？

奥多并没有发狂。他坐回原地，发出好奇的“呼——呼——呼——”声，声调上扬。听到这个声音，人群中的许多面孔露出笑容，或许这个声音唤起了他们的印象——猩猩确实是

“呼——呼——呼——”地叫的。

“他从哪儿来的？你是干什么的？”发问的还是那个女人。

“是的，是的。”彼得回答，其实他完全不知所云，**“我想在图伊泽洛找座房子，和友好的猩猩一起生活。”**

其他村民闻讯赶来。他们聚在一处，站在安全距离以外。奥多对村民的兴趣不亚于他们对他的兴趣。他站在墙头观察他们，发出轻声的“呼——”和“啊——”，似乎在打招呼和品头论足。

“一座房子……”彼得抚摸着猩猩，重复说。

菜园里的人终于开始回应他的请求。他们凑在一处商量，他听到“房子”这个词和几个听起来像人名的词一同被提起。一个女人转身朝站在车边的另一个女人大声说话，扩大了讨论的范围。那个村民大声应答，很快她身边的人也叽叽喳喳起来。车边的村民和菜园里的村民不时隔空喊话，仿佛来回抛掷一个排球。两组人没聚到一处，原因显而易见：他们之间隔着一道门，猩猩正像岗哨一样守在门楣上。

彼得觉得或许应该明确自己的请求。最好要一座村边的房子。他查了查字典。

“一座房子……在图伊泽洛的边上……这附近。”他大声说。他表面上在对刚才问话的女人说话，其实想让所有人听见。

讨论重新开始。那个女人自告奋勇充当他的代言人，最终由她宣布结果。**“我们有一座房子或许适合你和你的猩猩。”**

除了“一座房子”和“你的猩猩”，他什么也没听懂。他点了点头。

那女人笑了，然后畏缩地看了一眼菜园的门。他赶紧走到门外，把奥多轻轻推下石墙。奥多落在地上，靠在他身边。他们一起朝汽车走了几步。菜园里的人们朝园门凑过来，而围在车前的人往后散开。彼得转身面对那个女人，朝各个方向比画。她指向右手边通往村庄高处的上坡。他朝那个方向走去。幸运的是，奥多一直跟在他身边。那女人远远地跟在后面。他们前方的村民纷纷散开，鸡和狗也避之唯恐不及。除了鸡以外，所有村里的居民，无论是人还是动物，都尾随着这两名来客。他不时地回头，确认自己走的路是对的。那女人领着村民们走在约莫十五步之外。如果彼得走对了，她就点头，否则她便伸手纠正。表面上他和奥多在带路，其实是他们在指路。他们就这样穿过村庄。奥多在他身旁，四肢着地行走，一副悠闲的样子，只是偶尔对鸡和狗表现出浓厚的兴趣。

他们出了村子。鹅卵石路变成土路。他们拐过一个弯，越过一条浅浅的小溪。树木愈渐稀疏，高原露出原貌。没过多久，那个女人高喊着伸出手，指了指。他们到了。

这座房子和村里的众多住宅没有两样。一座“L”形的两层石头小楼，两堵石墙围住无遮无挡的两边，形成一个闭合的院子，院门开在石墙上。女人请他走进院子，而她和同伴待在门外。她用手势告诉他，屋外的石阶通向二楼。然后她指了指奥多，又指了指一楼的一扇门。彼得打开门，门上没有锁，只有一道门闩。眼前的景象令他不快。房间里不仅堆了很多杂物，而且很脏，所有的东西都蒙着一层灰。他看到墙上装了一个环，并注意到他刚打开的门分为上下两半。他明白了：这层楼是猪圈，是马厩，是牲口的围栏。他沿途看见过许多这样的房子，但直到现在才理解它们的构造。所有的动物——绵羊、山羊、猪、鸡、驴——生活在主人的楼下，主人一方面饲养它们，确保它们的安全，另一方面在冬季借助它们取暖。这也解释了为什么楼梯在屋外。他关上门。

“猩猩。”那个好心的女人在低矮的院墙外提醒他。

“不。”他摇摇头，指了指楼梯。

人们点点头。外国人的猩猩要住在楼上，是吗？它也懂得养尊处优？

他和奥多爬上石阶。二楼的平台是用木头搭的，上面有顶，大得可以当作阳台。他打开门。这扇门同样没锁。看来图伊泽洛没有偷窃问题。

他对二楼满意多了。虽然很简陋，但对他来说已经足够。房间有石头地板（容易清洁）和很少几样家具（不易损坏）。墙壁很厚实，刷了不均匀的白灰，墙面凹凸不平，但还算干净；它们的外观简直像葡萄牙高山区的地形图。二楼的布局很简单。从大门进去是客厅，里面摆着一张木桌和四把椅子，墙上装了储物架，再加上一个铸铁壁炉。在客厅一端，也就是“L”的顶端，用半堵墙隔出了一间厨房，配备了很大的水槽、丙烷煤气炉、操作台和更多的架子。在客厅另一端，穿过一条没门的走廊，他发现两个相邻的房间，也就是“L”的底部。第一个房间里有一个衣橱，门上的镜子上布满了岁月沉淀的斑点。最靠里的房间里有一张床，床垫已破旧不堪，屋里还有一个床头柜、一个带抽屉的立柜，以及一个简陋的洗手间。洗手间里有一个水池和一个落满灰尘的干马桶。没有淋浴喷头和浴缸。

他回到客厅，查看每堵墙的底部，然后检查了每个房间的天花板。没有插座或灯具。在厨房，他确认自己刚才没有看错：真的没有冰箱。这个地方既没有电，也没有电话接口。他叹了口气。他拧开厨房的水龙头，没有水滴打破房间的寂静。有两扇窗户是破的。一切都笼罩在灰尘和污垢之下。疲惫如同一个浪头向他打来。身为加拿大参议员，从充满种种现代化便利的首都城市，来到世界尽头这个穴居时代的居所；从家人朋友环绕的舒适环境，来到一个人生地不熟、语言不通的地方。

奥多把他从情绪崩溃的边缘拯救回来。猩猩显然对新家很满意。他兴奋地呼呼直叫，摇头晃脑地从屋子一头跑到另一头。彼得意识到，这是奥多成年以来第一次见到笼子以外的住处。这里比他见过的所有地方都更大更通透，甚至比他过去一周栖身的汽车还好。或许奥多以为他的生活从悬在半空中的笼子换到了装在轮子上的笼子里。以猿猴囚犯的标准，这座房子简直就是丽兹酒店。

至于照明的问题，他仔细想了想：每堵墙上都有窗户，太阳就是他们的灯泡。一想到每个夜晚将被蜡烛和油灯照亮，他就备感温馨，何况还很经济。房子里装了水管，所以从前肯定有过自来水，恢复起来应该不成问题。

彼得走到一扇面向院子的窗边，推开窗。村民们正在院墙外耐心等待。他朝他们挥手微笑。葡萄牙语里“好”怎么说来着？他查了查字典。“**这座房子很好——非常好！**”他大喊。

村民们微笑着鼓起掌来。

奥多也来到窗边。他难掩狂喜的心情，喊出了和彼得同样的话，不过是用自己的语言。但在彼得和楼下的人听来，那是一声可怕的嚎叫。村民们纷纷后退。

“**猩猩……猩猩**”——他拼命寻找着合适的字眼——“**猩猩……很高兴！**”

村民中又一次响起掌声。这让奥多喜不自胜。他再次怀着灵长目的喜悦大声尖叫，然后翻出窗外。彼得惊慌地撑着窗框探头往下看。他看不见猩猩的身影。村民们发出“哦——”和“啊——”的惊呼，声音中略带恐惧。他们都抬头往上看。

他跑下楼梯，站在他们中间。奥多已经攀住页岩屋檐，蹬着石墙上了房顶。此刻，他正雄踞房顶最高处，欣喜若狂地望着地面上的人类，望着村庄、近处的树林，望着怀抱他的广阔天地。

现在是个和村民们敲定协议的好时机。彼得向他们的领头人做了自我介绍。她名叫阿梅莉亚·杜阿尔特，她说他可以叫她阿梅莉亚大婶。他设法让她明白，他很乐意住在这里。（**谁的房子？他想。以前住在这里的人去哪儿了？**）他用结结巴巴的葡萄牙语询问窗户和水管的维修以及房间的清扫问题。阿梅莉亚大婶对他的问题一概点头。一切都会安排好的，她明确表示。她不停地翻动手掌。**明天，明天**。多少钱？同样的回答：**明天，明天**。

他对她和大家说：**“谢谢，谢谢，谢谢。”**奥多的尖叫里也饱含同样的感激之情。最后，他和每个村民握了手，他们才离开。每个人依然注视着屋顶。

彼得从奥多的坐姿里能看出他很放松：两腿分开，前臂搭在膝盖上，两手在腿间晃来晃去，脑袋左顾右盼。村民走后，猩猩还沉浸在对新居的欢喜中。彼得走路去村里取车。“我过会儿就回来。”他大声告诉奥多。

开车回来后，他把仅有的几件行李取出来。他找到一个桶，步行到村里的泉眼取水。然后他用野营装备烧水，早早做好了晚饭。

过了一会儿，他又喊了猩猩一声。奥多没有现身，于是他来到窗边。就在这时，猩猩头朝下冒了出来。奥多正倒吊在房子的外墙上。

“晚饭好了。”彼得说。他指了指煮了蛋和土豆的锅。

他们一声不响地吃了晚饭，各自思绪万千。饭后，奥多再次跳出窗外。

彼得不想碰那只陈旧的床垫。他把野营垫和睡袋铺在客厅的桌上。

然后他便无事可做了。在三个星期（感觉像是一辈子）马不停蹄地奔波之后，他无事可做了。一个绵长的句子，以几个坚实的名词为锚，外面漂浮着数不清的从句、成群结队的形容词和副词，以及把句子带往全新方向的黑体连词，再加上几段意料之外的插曲，最终随着一个出奇温和的急刹车，整句话结束了。差不多整整一小时，他坐在楼梯尽头的露台上，手捧一杯咖啡，回味着这个急刹车。疲惫中带着一丝解脱，一丝忧虑。下个句子会带来什么？

他钻进铺在桌上的睡袋。奥多在房顶一直待到天黑。他跳上窗台，一个剪影嵌在了月光里。他发现卧室的床垫全归自己了，于是快活地咕哝起来。很快，房间里安静下来。彼得幻想着克拉拉躺在自己身边，渐入梦乡。“我希望你在这里，”他轻声告诉她，“我觉得你会喜欢这座房子。我们把它收拾得很好，还种满了花草。我爱你。晚安。”

早晨，一队人马来到房前，正是“明天”施工队，领头的是阿梅莉亚大婶。为了整修这个地方，他们全副武装，带来桶、拖把、抹布、锤子、扳手，再配上坚毅的表情。他们干活时彼得试图帮忙，但他们摇着头把他赶到一旁。况且他还得管束他的猩猩。有奥多在旁边，他们都很紧张。

他和奥多出去散了会儿步。每一双眼睛，无论人还是动物的，都转过来盯着他们。这种眼神里没有敌意，一分也没有，它在任何情况下都表示问候。彼得再次为这里的菜园惊叹不已。萝卜、土豆、节瓜、葫芦、西红柿、洋葱、白菜、花菜、甘蓝、甜菜、卷心菜、韭菜、甜椒、四季豆、胡萝卜、小片的黑麦和玉米地——完全是个正儿八经的家庭作坊式菜园。猩猩摘下一颗卷心菜有滋有味地吃起来。彼得拍着手把奥多叫过来。猩猩饿了。他也一样。

他们站在村里的小餐馆外。露台上空无一人。他不敢冒险走进餐馆，不过在室外用餐就没有风险了吗？他查了查字典，在一张桌子附近徘徊。柜台后面走出一个男人，虽然警惕地睁大了眼睛，面色却依然和蔼。

“您想要点儿什么？”他问。

“麻烦拿两个芝士三明治和一杯加奶的咖啡。”彼得努力地找准发音。

“没问题，马上就来。”那人应道。尽管他战战兢兢，仍然走过来擦拭离他们最近的桌子。在彼得看来，这个动作是在邀请他坐下。

“非常感谢。”他说。

“很高兴为您服务。”那人说，转身走进餐馆。

彼得坐下来。他以为奥多会坐在他身边的地上，猩猩的眼睛却盯着他的金属座椅。奥多爬上旁边的一把椅子。他站在上面低头看着地面，使劲摇晃椅子，并拍打自己的胳膊，尽情探索这件奇怪物品的用处和极限。彼得向餐馆里瞧了一眼。店内的顾客都在望着他们。店外的人们也渐渐围成一个大圈。“放松，放松。”他低声对奥多说。

他靠在奥多身边，抚摸他的毛。不过猩猩看上去没有一丝紧张。恰恰相反，从他欢快的表情和洋溢的好奇心可以看出，他的心情很不错。可以说，那些围观的人才是需要安抚的一方。

“嗨，早上好。”彼得喊道。

人们也纷纷回以问候。

“你从哪儿来？”一个人问。

“我从加拿大来。”他回答。

周围响起一片赞许声。加拿大有很多葡萄牙移民。那是个好国家。

“你带着一只猩猩做什么？”一个女人问。

他带着一只猩猩做什么？对于这个问题，无论用英语还是葡萄牙语，他都没有答案。

“我和他一起住。”他简单答道。他只能说这么多了。

他们点的餐到了。那人以斗牛士般的警觉将咖啡和两个盘子放在离奥多最远的餐桌一端。

猩猩大声咕哝着，探出身子把两个芝士三明治一把捞过来，一口就下了肚。村民们看得直乐。彼得也笑了。他看着侍者。

“请再拿两个三明治。”他说。他想起这间小餐馆同时也是间杂货铺，“还有，给猩猩，十根……”他用手比画出一个细长的形状，然后做出剥皮的动作。

“十根香蕉？”那人问。

啊，原来是同一个词[1]。“对，十根香蕉，谢谢。”

“没问题。”

奥多独吞三明治的举动把村民们逗乐了，而他见到香蕉的反应更让他们乐不可支。彼得本以为买的香蕉足够奥多好几天的量。才怪。猩猩一见到香蕉就激动地咕哝起来，只见蕉皮纷飞，

1 原文中葡萄牙语的“香蕉”和英语一样，也是“banana”。

他一口气吃得一根不剩。此外，要不是彼得眼疾手快抢下一个三明治，他会再次包圆儿。饱餐之后，他还喝了彼得的那杯咖啡，下嘴之前先把指头伸进杯里试了试温度。他把杯子舔干净，然后把它衔在嘴里，用舌头和嘴唇把玩，仿佛那是一大块口香糖。

村民们忍俊不禁。这个外国人的猩猩真有意思！彼得很满意。奥多赢得了他们的好感。

快活的气氛达到高潮时，奥多抓起咖啡杯，在椅子上高高站起，尖叫着用惊人的力气把杯子砸向地面。杯子摔得四分五裂。彼得看得出，奥多此举只是想增加自己在这一幕乡村喜剧中的参与感。

村民们惊呆了。彼得抬起一只手，试图安抚侍者。“对不起。”他说。

“没关系。”

彼得对在场的人补充道：“友好的猩猩很开心，非常开心。”

友好，开心——但也是枚定时炸弹。他付了钱，添了不菲的小费。然后他们起身离开，面前的人群小心翼翼地散开。

他们回到村边的住处时，房子已经焕然一新。窗子修好了；水管能用了；煤气炉装了新气罐；所有的墙面和台面都彻底洗刷过了；炖锅、煎锅、盘子和餐具堆放在厨房的架子上，虽然都是旧物，缺了口，也不配套，但是完全不影响使用；床上换了新床垫，铺了干净床单，置了两条羊毛毯，还有叠好的毛巾；阿梅莉亚大婶还在客厅的桌上放了一个花瓶，里面绽放着明丽的花朵。

彼得把手按在胸口。“**太感谢了。**”他说。

“**不用谢。**”阿梅莉亚大婶说。

讨价还价在一片尴尬气氛中匆匆了事。他搓一搓拇指和食指，指向煤气罐、厨具和卧室。然后他查了“出租”——这个词很奇怪：*aluguer*。每一次阿梅莉亚大婶都一脸紧张地报出一个数字，但每一次彼得都觉得她只算了三分之一到四分之一的价钱。他一口答应。阿梅莉亚大婶向他示意：她愿意帮他洗衣服，并且可以每周来打扫一次。他略有犹豫。这里本来没什么可打扫的，况且他那么多的空闲时间用来干什么呢？不过他转念一想，她会成为他与村民之间的纽带。更重要的是，她会是联系奥多的纽带，猩猩的代言人。同时，他意识到图伊泽洛的村民似乎不太富裕。通过雇用她，他将为地方经济注入一笔微薄的资金。

“**好，好，**”他对她说，“**多少钱？**”

“**明天，明天。**”阿梅莉亚大婶微笑着回答。

然后轮到下一个事项。他需要计划自己和奥多的长期生活。他要正式开一个银行账户，从加拿大定期转账，并为他的车申请一张长期车牌。最近的银行在哪里？

“**布拉干萨。**”她回答。

“**电话？**”他问，“**这里？**”

“**餐馆，**”她回答，“**阿尔瓦罗先生。**”

她给了他电话号码。

布拉干萨距这里一小时车程。他是应该把猩猩带到闹市，还是把他单独留下？ 他不知道怎样做会让他更担心。手头的杂事必须处理。无论在城里还是在村里，他对奥多都没有实质性的约束。无论做什么，他都必须依赖猩猩的配合。他只能寄希望于奥多不会离开房子太远或者惹出麻烦。

阿梅莉亚大婶和她的帮手走了。

“**待在这儿，待在这儿，我很快回来。**”他对奥多说。奥多正在玩石质地板上的一条缝。

他走出屋子，关上门，尽管他明白奥多可以轻而易举地打开。他上车离开。在后视镜里，他看见猩猩正往房顶上爬。

他在布拉干萨买了日用品——蜡烛、油灯、煤油、肥皂；食品，包括无须冷藏的听装牛奶；各种家居用品和个人用品。随后他去银行办了手续。车牌会在一星期之后寄到餐馆。

在布拉干萨的邮局里，他拨了两通电话到加拿大。本说很高兴父亲安全抵达。“你的电话是多少？”他问。

“这里没有电话，”彼得回答，“但我可以给你村里餐馆的电话号码。你可以留言，我给你打回去。”

“你说什么，没有电话？”

“就是这个意思。房子里没有电话。但是餐馆里有一部。你记一下号码。”

“屋里有自来水吗？”

“有。冷水，但确实是自来水。”

“那就好。有电吗？”

“老实说，没有。”

“你真没逗我？”

“没错。”

一阵沉默。他感觉本在等待某种解释、某种证明，或者是辩解。他一句话也没说。于是儿子继续追问：“那边的路怎么样？是水泥路吗？”

“是鹅卵石路。你的工作怎么样了？瑞秋呢？亲爱的老渥太华还好吗？”

“你为什么要这么做，爸爸？你去那儿干什么？”

“这地方不错。你的爷爷奶奶就是这里的人。”

他们以高跷舞者般的优雅结束了通话。他们承诺不久后再联系。对未来的寄望冲淡了眼前的尴尬。

妹妹特蕾莎和他的对话更为开门见山。

“村子怎么样？”她问，“有家的感觉吗？”

“没有，我都还不会说这里的话呢。不过这地方很安静，充满了乡村气息，非常古老——让人眼前一亮。”

“你找到家里的祖宅了吗？”

“还没有。我刚安顿下来。我们搬走时我还不到三岁。我在这座房子还是那座房子里出生的，对我来说都大同小异。不过是一座房子罢了。”

“好吧，多愁善感先生——我们那帮失去联系的表亲呢？”

“他们还藏在暗处，等着什么时候朝我扑过来吧。”

“我觉得你应该把那个地方说得好一点儿，这样本更容易接受。比方说，告诉他你正在寻根溯源，重修家谱。你一声不响就走了，他一头雾水。”

“我尽量吧。”

“你还想克拉拉吗？”她柔声问。

“我常在心里跟她说话。她现在就住在那儿。”

“你能照顾好自己吗？心脏还行吗？”

“还蹦着呢。”

“听上去不错。”

当他回到图伊泽洛时，奥多还在屋顶。他一看见汽车就呼呼直叫，蹦跳着下到地面。在数声代表欢迎的呼声后，他直立起来，一步三晃地把装满杂货的口袋往屋里拖。他一片好心的结果是撕裂的口袋和散落一地的物品。彼得把所有东西捡起来，搬进屋里。

他布置好厨房。他把客厅的桌子和卧室的床挪到更顺眼的位置。整个过程中，奥多一声不响地注视着他。彼得感到些许紧张。他依然需要适应猩猩的目光。它像灯塔的光柱一般四下扫射，他漂浮在海面，被晃得睁不开眼。奥多的目光像是一个入口，他无法看到门内的景象。他猜测猩猩在想什么、以什么方式思考。或许奥多对他也有类似的疑问。或许猩猩也把他视作一个入口。不过他很怀疑。在奥多眼里，他更像个稀罕玩意儿，一个大自然的异类，一只穿衣服的猩猩——围着那只更天然的猩猩团团转，像被催了眠一样亦步亦趋。

好了。所有的物品各归其位。他扫视了一下，感到自己又来到了一句话的终点。他有些坐立不安。他盯着窗外，黄昏将至，看起来快要变天了。没关系。

“我们去探险吧。”他对奥多说。他提起背包，和猩猩一道出了门。他不愿纠缠于村民持续不断的关注，于是朝着高原方向，往坡上走，直到找到一条重新绕回山谷中的林间小路。奥多四肢着地，步履缓慢而轻盈。他的头垂得很低，从后面看仿佛没有头。进入森林后他兴奋起来，望着周围挺拔的橡树和栗树，成片的菩提树、榆树，还有杨树、松树，随处可见的灌木丛，繁盛的蕨类植物。他冲在前面。

彼得稳步前行，常常在奥多东张西望的时候超过他。然后猩猩追上来，蹦蹦跳跳地反超他。他留意到每次奥多经过时都会碰他一下——轻拍他的大腿后侧，没有用力，也没有恶意，更像是一种确认。**很好，很好，你还在这儿。**然后奥多又四处晃悠，彼得再度领先。不如这么说，彼得步行穿过森林，而奥多是荡过去的。

奥多在寻找食物。灵长目研究所的鲍勃曾告诉他：在野外一有机会，猩猩就会搜寻根茎、花朵、野果、昆虫，基本上一切可吃的都不放过。

下雨了。彼得找到一棵高大的松树，在树下躲雨。树冠并不能完全挡雨，但他不在乎，因为他有防水的雨衣。他披上雨衣，背靠树干坐在一层松针上。他等着奥多赶上来。当他看到猩猩沿着小路跑过来时，便大声呼唤。奥多停下脚步，惊奇地盯着他。猩猩还没见过雨衣，所以不明白他的身子去哪儿了。“过来，过来。”他说。奥多在离他不远的小丘上坐下。虽然猩猩看上去并不怕雨水，彼得还是从背包里拿出第二件雨衣。拿东西时，他掀起了自己的雨衣。奥多笑了。**哦，原来你的身子在这儿呢！**他几步来到彼得身边。彼得把雨衣套在猩猩头上。这下子他们成了两颗没有身体、四处张望的脑袋。

他们头顶的树冠呈锥形伸向半空，酷似一顶印第安帐篷，空间被枝干分割得支离破碎。松脂的气味十分浓烈。他们坐着，看雨水落下，欣赏它们造就的各式景观：挂在松针尖端的水滴在最终坠落前慢慢膨胀，仿佛陷入沉思；逐渐汇聚成形的水洼，由溪流一一相连；万籁在雨中喑哑，唯有雨声清晰入耳；一个绿色与褐色的世界在阴暗潮湿的光线里浮现。一头孤零零的野猪匆匆跑过，把他俩吓了一跳。大多数时间里，他们只是聆听森林的勃勃生机，聆听那轻轻呼吸着的静谧。

到家时天已经快黑透了。彼得找出火柴，点了根蜡烛。上床之前他在壁炉里生了火，把炉火压得很低。

第二天他醒得很早。夜里奥多在彼得的床垫旁边晃荡了很长时间，然后才离开卧室。猩猩更喜欢单独睡觉，这一点让彼得很庆幸。他走出卧室，发现猩猩睡在隔壁房间的衣柜顶上。他躺在一条毛巾和彼得的几件衣服堆成的窝里，一只手放在两腿之间，另一只手枕在脑袋下面，睡得正香。

彼得走进厨房，烧了一大锅开水。前一天他发现一只方形金属盆，大概一米宽，底很浅，有平行的纹路。没浴缸的房子里，保持个人卫生就靠它了。水烧好了，他刮了脸，然后站在盆里洗了澡。水溅在石头地板上。他还须勤加练习怎样在盆里用海绵搓澡。他擦干身子，穿好衣服，把地板擦净。该做早餐了。

有热水可以泡咖啡。也许奥多会喜欢燕麦粥。他把牛奶和燕麦片倒进锅里，把锅架在炉子上。

他转身去取磨好的咖啡，惊讶地发现奥多就在厨房门口。他蹲在那儿看了多久？猩猩的行动无声无息。他的骨头不会嘎吱作响，也没有会摩擦出声的爪子或蹄子。奥多在这座房子里无处不在，这是另一件彼得需要适应的事。他意识到自己其实并不介意。和他的隐私相比，他更在乎奥多的陪伴。

“早上好。”他说。

猩猩爬上厨房的灶台，在炉灶边坐下，对火焰毫无畏惧。泡咖啡的水没有引起他的兴趣。他的注意力集中在煮粥的锅上。粥开始沸腾时，彼得把火关小，用一支木勺搅动锅里的混合物。奥多的嘴角一紧，伸手握住木勺，开始小心地搅动，没有把粥溅出来，也没有把锅打翻。勺子搅了一圈又一圈，各种原料在锅里翻滚起伏。他抬头看了彼得一眼。“你做得很好。”彼得点点头，轻声说。燕麦片很大，还是生的。他和奥多又花了十五分钟看着粥在食物化学的作用下逐渐变稠。严格来说，是十六分钟。作为一个尚处于摸索阶段的平庸厨师，彼得严格地按照菜谱计时。当他加入核桃碎和葡萄干时，奥多的眼神里充满了敬畏，仿佛一名学徒目睹巫师揭示魔法药水的成分。奥多继续耐心且不遗余力地搅拌。只有当彼得关了火、盖上盖等粥冷却时，猩猩才表现出不耐烦的样子。热力学原理对他来说太多余。

彼得布置好餐桌。一根香蕉给自己，八根给奥多。两杯加奶的咖啡，各放一块糖。两碗燕麦粥。他用勺，奥多用手。

这顿饭吃得极其顺利。一顿伴着吧嗒嘴、舔手指、咕哝声的大餐。奥多盯着彼得的碗。彼得把碗死死地抱在胸口。明天他会在锅里多放一些燕麦。他洗净餐具，收好锅碗。

他从卧室里取出手表。还不到早上八点。他看了看客厅的桌子。没有报告要读，没有信件要写，没有文件要处理；没有会议要组织或参加，没有优先级要设定，没有细节要敲定；没有电话要打或者接，没有人要见；没有日程表，没有项目，没有计划。对于一个习惯了工作的人来说，他百无聊赖。

既然如此，还看什么时间呢？他把表摘下来。昨天他已经注意到：世界俨然是一座时钟。鸟鸣开启黎明和黄昏。昆虫也不甘寂寞——知了尖厉的嘶鸣像极了牙医的钻头，还有蟋蟀如蛙鸣般的颤音，不胜枚举。教堂的钟声也帮忙把一天分为几段。说到底，地球自身也是一只转动的钟，每四分之一区都被赋予不同的光线。这些形形色色的时针加在一起只能指示大概的时辰，但他从分针那毫厘不差的嘀嗒声里能得到什么？需要的话，餐馆的阿尔瓦罗先生可以告诉他准确的时间。彼得把表放在桌上。

他看着奥多。猩猩朝他走过来。彼得坐在地板上，开始梳理奥多的毛。作为回应，猩猩也拨弄起他的头发、毛衣上的小毛球、他的衬衣纽扣——所有可以拨弄的地方。他想起鲍勃曾建议他找片干树叶，压碎撒在头发里，给奥多一点儿挑战。

互相理毛这件事让彼得很困惑。猩猩的长相和人类截然不同，却又让他感到如此亲近。在这么近的距离感受他身上散发出的生命温度，感受他指尖传来的心跳。这一切令彼得着迷。

当他从奥多的皮毛中拣出草籽、毛刺、泥土、皮屑的同时，他的思绪恍惚回到过去。不过过去很容易让他厌倦。除了克拉拉、本和瑞秋，他的过去已经尘埃落定，凝固成形，不值得反复咀嚼。他的人生向来随遇而安。并不是说他没有在人生顺风顺水之时奋斗过，而是说他从没有一个贯穿始终的目标。他对自己在律所的工作很满意，但在政坛出现机遇时他也没犹豫。比起文案工作，他更喜欢和人打交道。竞选的成功更多归功于运气，因为他见过太多优秀的候选人落马，平庸的候选人上位。这全取决于当时的政治风向。他拥有一份光鲜的竞选履历——在众议院十九年，八次胜选——而且他对自己的选民一向有求必应。然后他被赶到了楼上的参议院，全心全意在委员会里工作，对于众议院频频登上头条的风波泰然处之。他年轻时从没想过政治会变成他的生活。如今，一切往事随风。他昨天做过什么已不再重要，只有多年前鼓起勇气邀请克拉拉约会是个例外。对于明天，除了几个简单明确的愿望，他没有任何长远的打算。

好吧，既然过去和未来都乏善可陈，他为什么不能坐在地板上给猩猩清理皮毛，让猩猩给他梳头呢？他的思绪回到当下，回到手头的动作，回到他指尖的这个迷思。

“对了，昨天在餐馆，你为什么要把杯子砸到地上？”他挠着奥多的肩膀问。

“啊哦呜——”猩猩回答。一个很圆润的声音，张大的嘴慢慢合拢。

在黑猩猩的语言里，“啊哦呜——”是什么意思？彼得想到多种可能性：

> 我砸碎杯子是为了让人们笑得更厉害。
>
> 我砸碎杯子是为了让人们别再笑了。
>
> 我砸碎杯子是因为我很兴奋，很开心。
>
> 我砸碎杯子是因为我很紧张，很不开心。
>
> 我砸碎杯子是因为有个人把帽子摘下来了。
>
> 我砸碎杯子是因为天上某朵云的形状。
>
> 我砸碎杯子是因为我想喝粥。
>
> 我不知道我为什么要砸碎杯子。
>
> 我砸碎杯子是因为啦啦啦啦。

有意思。人和猩猩都有大脑和眼睛。两者都有语言和文化。但是，猩猩只是做了一个砸杯子的简单动作，人们就不明所以。人类所有辅助理解的工具——因果关系、海量的知识、语言、直觉——对于解读猩猩的行为毫无帮助。想要判断猩猩的动机，彼得只能依靠推测和猜想。

猩猩几乎是不可理解的——他会为此感到困扰吗？不，他不会。难解之谜也会带来奖赏，那就是持续不断的惊喜。带给他惊喜是否猩猩的本意？他不知道，也无从知晓，不过奖赏就是奖赏。他心怀感激地接受了它。这种奖赏总在不经意间到来。就比如说：

奥多凝视着他。

奥多把他举起来。

奥多在车座上坐好。

奥多端详一片绿叶。

奥多在车顶醒来，翻身坐起。

奥多捡起一个盘子放在桌上。

奥多翻看一本杂志。

奥多靠在院墙上休憩，全身上下纹丝不动。

奥多四肢着地奔跑。

奥多用石头砸开一枚坚果。

奥多转过头来。

每一次彼得的脑子里都会“咔嚓”一声，像快门一样在记忆里留下一张难忘的照片。奥多的动作流畅而精准，幅度和力度都恰到好处。而且这些动作完全是下意识的。奥多看上去不假思索，只是做出简单而纯粹的动作。这些动作是如何产生意义的？思考作为人类的一大特质，为什么反而令我们笨拙不堪？细想一下，与猩猩不相上下的完美动作在人类中也能见到，那就是杰出演员的出色表演。同样洗练的表达，同样震撼的效果。但是对人来说，表演需要千锤百炼，是艰辛汗水换来的成果。奥多的动作却轻松自然——他本身就是轻松自然的。

我应该模仿他，彼得暗想。

奥多是有情感的——这一点他可以肯定。比如说，他们初到村庄的第一个傍晚，彼得坐在屋外的露台上。猩猩在楼下的院子里观察石墙。彼得进屋泡了杯咖啡。奥多似乎没注意到他走开。仅仅几秒钟之后，他就冲上楼梯，蹿进房门，眼睛四处搜寻彼得，唇间迸出询问的呼呼声。

“我在这儿，我在这儿。”彼得说。

奥多满意地咕哝着。一阵感动如波浪般掠过彼得的身体。

昨天也是一样，在他们穿过森林的路上，奥多沿着小路奔跑、寻找他，显然是出于对他的需要。

所以这就是猩猩的情感状态。隐藏在这种状态背后的想法大概是：**你在哪儿？你去哪儿了？我怎样才能找到你？**

奥多为什么需要他陪伴，需要他这个特定的人，他也不清楚。这是他的另一个迷思。

我喜欢有你陪伴因为你会让我发笑。

我喜欢有你陪伴因为你把我当回事。

我喜欢有你陪伴因为你让我开心。

我喜欢有你陪伴因为你在我紧张的时候安慰我。

我喜欢有你陪伴因为你不戴帽子。

我喜欢有你陪伴因为天上某朵云的形状。

我喜欢有你陪伴因为你给我喝粥。

我不知道我为什么喜欢有你陪伴。

我喜欢有你陪伴因为啦啦啦啦。

奥多动了动，把彼得从催了眠似的梳理动作中惊醒 。他抖了抖身子。他们这样在地板上坐了多久了？很难说清，因为他已经不戴表了。

“我们去找阿尔瓦罗先生吧。”

他们步行到餐馆。他不仅想喝杯咖啡，还想安排日常的食品供应。他们坐在露台上。阿尔瓦罗先生走出来，彼得点了两杯咖啡。咖啡上来的时候，他起身对阿尔瓦罗先生说：**“可以……和您说……几句话吗？”**

您当然可以和我说话，餐馆老板点头示意。让彼得惊讶的是，阿尔瓦罗先生抽出一张椅子，在桌边坐定。彼得也坐下来。于是他们三个围桌而坐。假如奥多掏出一副扑克，他们就可以打牌了。

尽管他的葡萄牙语磕磕巴巴，意思却很容易理解。他跟阿尔瓦罗先生商定了每周配送的食品：橙子、坚果、葡萄干，特别是无花果和香蕉。阿尔瓦罗先生告诉彼得：他可以从邻村采购苹果、梨、樱桃、浆果和核桃这样的时令鲜果，蔬菜也没问题。如果猩猩爱吃的话，鸡蛋和鸡肉一年四季都有供应，还有本地香肠。这间小杂货铺常年提供罐装食品和腌鳕鱼，以及面包、大米、土豆和奶酪，既有本地产的也有南方产的，还有其他乳制品。

“我们看看他喜欢吃什么？”阿尔瓦罗先生说。他站起身，进屋端出一个盘子。盘子里有一块白色软奶酪，浇了蜂蜜。他把它摆在猩猩面前。一声咕哝，毛茸茸的手迅速一抓——蜂蜜奶酪不见了。

接下来阿尔瓦罗先生端出一大片黑麦面包，在上面倒了一整罐金枪鱼，连油也倒得一滴不剩。

奥多如法炮制。眨眼的工夫。更响亮的咕哝声。

最后，阿尔瓦罗先生给猩猩试吃草莓酸奶。酸奶坚持得稍微久一点儿，只因为这道甜点黏糊糊的，再加上塑料杯有些碍事。尽管如此，奥多还是把酸奶掏出来舔干净，瞬间咽下了肚。

“您的猩猩肯定饿不死。”阿尔瓦罗先生总结道。

彼得查了查字典。是的，确实如此，他的猩猩肯定饿不死。

食欲旺盛，却不吃独食。他已经知道这一点。还记得好心的阿梅莉亚大婶留在桌上的那束动人的鲜花吗？在吞下它们之前，奥多抽出一支白色百合递给了他。

他们回到家，新的一天才刚刚开始。他在背包里塞满食物，然后出门了，这次是上高原。进入高原地区后，他们离开小路，步入旷野。从理论上讲，他们进入的这片区域和亚马孙丛林一样荒蛮，但是这里只有薄薄一层贫瘠的土壤，空气也很干燥。此处的生命是小心翼翼的。土地的沟壑太浅，树木无法成活，只有金雀花、欧石南这类茂密多刺的灌木，人和猩猩像穿越迷宫一样在这片植被中穿梭；但到了葡萄牙高山区的草原，只见金色的野草欣欣向荣，绵延数公里，他们轻松自如地在草地上漫步。

这是一片比天空还一成不变的土地。在这片土地上，你将直面天气，因为它是唯一变化的东西。

在草原上脱颖而出、睥睨众生的，是来图伊泽洛的途中引起他们注意的奇异巨石。目之所及都是它们的身影。每块巨石的高度是普通人身高的三到五倍。绕着它走一圈足足需要四十几步。有的巨石修长而高耸，有如千年的方尖碑，有的浑圆而厚重，仿佛盘古的面团。每块石头茕茕孑立，身边没有小石块，连中等尺寸的都没有。这里只有巨石和参差的短草。彼得猜想着这些巨石的起源。是凝固的远古火山喷发物吗？但诡异之处在于巨石的均匀排布，似乎火山在抛洒岩浆之时还考虑着阵形，如同一个播种的农夫。他猜想，这些巨石更可能是冰川碾压的结果。冰山的碾压也许能解释它们的表面为何如此粗糙。

他很喜欢这片高原。开阔的视野让人兴奋着迷，教人喘不过气来。他觉得克拉拉也会喜欢。他们会大胆探索。多年以前，在本还小的时候，他们每个夏天都会去阿尔冈金公园[1]野营。那里的风景和此处简直是天壤之别，但两者的氛围是类似的。那是一种沉浸在光线、静谧和孤寂中的体验。

一群绵羊不知从什么地方冒了出来。它们怯生生的，却像行进的军队一般步步为营。一看见他，尤其又看见奥多，这支绵羊大军便在他们身边分为两支，为他们留出充裕的空间。羊群化身为一支业余乐队，演奏起它们唯一知晓的乐器：铃铛。音乐持续了几分钟。它们那位漫不经心的指挥这才大步赶上来，邂逅路人让他很开心。他滔滔不绝，一点儿不在乎彼得听不懂他的话，也不在乎彼得身边的大块头黑猩猩。聊了许久，他向他们挥手作别，迈步追赶自己的羊群——此时它们已经消失不见，正如它们之前悄然出现。静谧和孤寂重新将他们包围。

1　位于加拿大安大略省东南部的省立公园，以其随处可见的湖光山色著称。

他们遇到一条小溪。细弱的水流蜿蜒在草丛和花岗岩之间，潺潺作响。跨过溪流之后，水声渐远，它渐渐从他们的感官中淡出。静谧和孤寂再次降临。

奥多对巨石很着迷。他满怀兴致地嗅着它们，不时猛地扭头张望。难道是他的鼻子跟眼睛说了点儿什么吗？

彼得更喜欢徜徉在巨石之间，保持开阔的视野。奥多的直觉却截然相反。猩猩沿一条直线从一块巨石走向下一块，仿佛在地图上连接各个点。在每一块巨石跟前，他都会嗅一番，绕一圈，仔细琢磨，然后才丢下它，笔直地奔向下一块。下一块巨石或远或近，他时而小幅偏离航线，时而绕个大圈。猩猩笃定不疑地做出选择。彼得并不介意这种漫游高原的方式。每块巨石都拥有独特的艺术形态、独特的纹理和独特的地衣群落。他只是不明白为什么猩猩的步调如此单一。何不去浅滩之间的开放海域呢？船长对这个建议嗤之以鼻。在森林里两人各自逍遥，在高原上就不同了。猩猩蛮横地要求彼得跟在他身边，只要走偏一步就会不满地咕哝或哼哼。彼得顺从地跟着。

奥多对着一块巨石猛嗅一通后，决定征服它。他轻而易举地爬到巨石顶上。彼得糊涂了。

“嗨，为什么选这一块？它有什么不一样？”他喊道。

这块石头看上去和其他石头没有分别，就算有也小到可以忽略不计。奥多低头看着他，低声呼唤着。彼得决定豁出去试一次，爬上去看看。这项任务对他来说要棘手得多。他没有猩猩的力量。而且，虽然石头从地面上看起来不算高，他爬了几米之后还是担心会摔下来。好在他没有失足。石头上众多的凹坑和裂缝使他安全无虞。快到顶时，奥多抓住他的肩膀，帮他爬上去。

他爬到石顶中央。他坐下来，等待猛烈撞击胸膛的心脏平静下来。奥多仿佛船上的瞭望员，不仅眺望着遥远的地平线，还密切注视着近处的风吹草动。彼得从他兴奋又紧张的动作里看出，他乐在其中。是因为在高处他的视线不受遮挡，风景一览无余，还是有什么唤醒了他在非洲的儿时记忆？或者他在寻找远方某样特别的东西，这片土地发出的某种信号？彼得不得而知。在思考的过程中他渐渐平静下来，回想起奥多在肯塔基的树上探险。他欣赏四围的风景，仰望云朵，拥抱微风，玩味变幻的光线。他身上背了野营炉，于是他尝试做点儿简单的小事——煮咖啡，准备通心粉和奶酪当晚餐。他们在巨石顶上度过了愉快的一个多小时。

彼得从巨石上下来的过程比上去更艰难。而奥多嘴上挂着背包，闲庭信步的样子。

到家时彼得已经精疲力尽。奥多搭好自己的窝。无论是打个小盹儿还是晚上睡觉，他搭窝总是迅速而随意。他只是把一条毛巾或者一张毯子盘成螺旋状，如果是晚上的话他会再扔进去几件小东西。今晚奥多扔进去的是一件彼得的衬衫和他穿了一天的靴子。奥多常常变换睡觉的地点。到现在为止，他睡过的地方包括衣柜顶、彼得床边的地面、带抽屉的柜子顶、客厅的桌子、拼在一起的两把椅子、厨房的灶台。这一次他把窝搭在了客厅的桌子上。

他们两个都早早入睡。

第二天清晨，彼得踮着脚走到厨房给自己泡了咖啡。他把一杯热气腾腾的咖啡放在奥多面前，看着他，等他醒来。

时间流逝，白云匆匆。日子就这么一周一周、一月一月地过去，似乎只是一个昼夜。夏去秋来，冬去春来，仿佛只是一个时辰里的分秒变化。

和加拿大的联系日渐减少。一天早晨，彼得走进餐馆，阿尔瓦罗先生递给他一张字条。字条上的信息一般只是一个名字，通常是本或者特蕾莎。这次是党鞭。彼得走到柜台另一端的电话前，拨通了加拿大的号码。

“终于联系上你了，”党鞭说，“过去一周我留了三次言。”

“是吗？对不起，他们没找到我。”

“没事儿。葡萄牙怎么样？”他的声音里夹杂着噼啪声，显得很遥远。黑夜里远处的一点火星。

“很好。这里的四月很迷人。”

线路忽然变得清晰得可怕，仿佛急切的耳语，气息扑面而来。“嗯，你知道，我们最近的民调情况不太妙。”

“是吗？”

“是的。彼得，有些话我得直说。参议员最有成效的工作可能是在参议院以外完成的，但参议员多少需要在参议院露面。”

“你说得没错。”

“你已经超过九个月没露面了。”

“是的。”

“而且你没有承担一丁点儿参议院的工作。”

“没错。毫无建树。”

“你就这么失踪了。除了你的名字还在参议院的名单上。而且，”党鞭清了清嗓子，“听说你跟——嗯——一只猴子住在一起。”

“准确地说是一只黑猩猩。”

“这事已经传得沸沸扬扬。报纸上也登了。你看，我知道克拉拉的事让你很难过。相信我，我能理解你的心情。但是话说回来，要说服加拿大纳税人为一个在葡萄牙北部开动物园的参议员付工资可不容易。”

“我完全同意。这太不像话了。”

“这事多少已经成了一个问题。党的领导层也不太高兴。”

“我现在正式辞去在加拿大参议院的职务。”

“这是正确的选择——当然，除非你想回来。”

“我不想。我还会退还离开渥太华之后的薪水。这些薪水我没动过。我花的是自己的积蓄。再说我就快有退休金了。”

“这样更好。能给我一份书面的辞呈吗？”

两天以后，餐馆里有了一条新的留言：特蕾莎。

“你居然辞职了。我从报上看到的。你为什么不回加拿大？”她问他，“我想你。回来吧。”她的声音中充满了兄妹间的温情。他也想她。过去兄妹之间的日常通话不至于远隔千里，他住在多伦多时两人还能共进晚餐。

不过，自从他和奥多搬到图伊泽洛之后，他还没有认真考虑过搬回加拿大。如今他的同类给他一种疲惫的感觉。他们太吵闹，太易怒，太傲慢，太不可靠。他更喜欢奥多身上凝重的沉默，做每一件事时若有所思的神态，每一个貌似简单却意味深长的举动。虽然这意味着每当彼得和奥多在一起时，他自身的人类特点都会令他羞愧，他缺乏考虑的忙乱动作会暴露无遗，常常把事情搞得一团糟。但奥多几乎每天都会拽着他出门，去和他的人类同胞见面。奥多是个社交狂。

“哦，我说不好。”

“我有个单身的朋友。她很有魅力，性格也不错。你考虑过吗，再给爱情和家庭一个机会？”

他没有。他的全部心力已经在缘定今生的那个人身上耗尽了。他用自己的每一寸灵魂爱着克拉拉，如今他只剩下一副皮囊。或者说，他已经学会接受她离开后的空虚，但他不愿填补那个空虚，那将是第二次失去。他更热衷于善待每一个人，一种较少投入却更加广博的爱。至于肉体上的欲望，他已经不再受到性欲的驱使。他将勃起视作自己青春期最后的粉刺；在多年的挤压之后，它终于逐渐退去，他也因此摆脱了肉欲的左右。他还记得怎么做爱，却想不起是为了什么。

“自从克拉拉死后，我就心灰意冷了。”他说，“我不能——”

“因为你的猩猩，对吗？”

他没有说话。

“你和它整天都干什么？”她问。

“我们出去散步。有时候我们摔跤。更多时候我们只是待着。”

“你和它摔跤？像和孩子那样？”

“哦，本小时候可没有那么强壮，感谢上帝。摔完之后我一身的瘀青和擦伤。”

“但这是为什么，彼得？散步、摔跤、待着——都是为什么？”

“我不知道。这事——”这事怎样？——“很有趣。”

“有趣？”

“是的。其实非常有趣。”

“你爱上它了，”他的妹妹说，“你爱上你的猩猩了，它占据了你的生活。”她并非在批评，也不是在指责，但她的语气难掩愠怒。

他想了想她刚才的话。他爱上奥多了，是吗？说到爱，这确实是一种爱——对方时刻期待他的关注，期待他的回应。他是否介意？完全不。所以这或许真的是爱。要是果真如此，这是一种不同寻常的爱，一种剥夺了所有特权的爱。他会说话，他有认知，他会系鞋带——那又如何？小把戏罢了。

这还是一种透着恐惧的爱。它依然如此，终将如此。因为奥多实在比他强壮太多。因为奥多是异类。因为奥多的脾性不可捉摸。只有一丝无法摆脱的恐惧，但不至于让他感到无所适从，甚至不值得担忧。他在奥多身边从未感到过强烈的畏惧或紧张，从未有过那种挥之不去的不安。他的感觉可以这样描述：猩猩悄无声息地出现，不知从哪里冒出来，在彼得的所有情绪——讶异、惊奇、愉快、开心——之间，还有一瞬间的恐惧。除了等待这个瞬间过去之外，他别无他法。他学会了一件事，那就是把恐惧视作一种强烈却又转瞬即逝的情感。他只在必要的时候害怕。至于奥多，虽然拥有常人无法匹敌的力量，却从没给过他一个真正需要害怕的理由。

如果这真的是爱，那么它意味着某种意义上的相遇。这种相遇的背后隐含着人和动物之间界限的模糊，但他并不惊讶。很早以前他就接受了这种界限的模糊。令他惊讶的也不是奥多偶尔为之的把自己提升到彼得的“高等”身份的举动，比如奥多学会煮粥、翻阅一本杂志、恰当地回应彼得的话。这些事只是印证了娱乐行业人尽皆知的伎俩，即猩猩可以模仿人类这一肤浅的认识。不，真正令他惊讶的是那些把自己降低到奥多的“低等”身份的举动。因为那才是真实。在奥多掌握了煮粥这种简单的人类把戏的同时，彼得学会了一项困难的动物技能：无为。他学会了如何从时间的枷锁中挣脱出来，凝视时间本身。以他的观察，奥多在大多数时间里做的就是这件事：沉浸在时间里，仿佛坐在一条河里，看水流过。这是很难的一课。只是坐在那里，简单地存在。起初他总是渴望分散自己的注意力。他会让自己陷入回忆，在脑子里反复播放同样几部老电影，懊悔人生的遗憾，遮挽逝去的幸福。但他渐渐学会处于一种灵台空明、临河望水的安宁之中。所以这才是真正的奇妙之处：不是奥多想要变得像他，而是他想要变得像奥多。

特蕾莎说得没错。奥多已经占据了他的生活。她指的是清扫和照顾。但事实远不止于此。他被猩猩的优雅深深感染，他再也无法变回一个普通的人。这么说，那的确是爱。

“特蕾莎，我想我们都在寻找那些赋予人生意义的瞬间。这里与世隔绝，我随时都能找到那种瞬间。每一天都如此。”

“和你的猩猩？”

“是的。有时我觉得奥多呼吸的是时间，吸进、呼出，吸进、呼出。我坐在他身边，看他把分钟和小时织成毯子。当我们在巨石上看日落的时候，他做了一个手势，我发誓他是在描画一座雕像的边缘或是抹平它的表面，只是我看不清雕像的形状。但我不会感到困扰。我在一位时间编织者和空间制造者的身边。这对我就足够了。”

电话那头是漫长的沉默。“我不知道该说什么，哥哥。”特蕾莎最后说，“你是一个整天跟猩猩待在一起的成年人。也许你需要的是心理咨询，而不是女朋友。”

和本的对话要轻松很多。“你什么时候回家？”他追问。

儿子是否在表达对他回家的期待，而不仅仅是对他出走的不满？“这就是家，”他回答，“这就是家。你为什么不来看我呢？”

“我有时间就去。”

彼得从没提起奥多。当本发现奥多的存在时，他以冰冷的缄默表达自己的态度。这事对他而言就好像发现自己的父亲是同性恋一样，最好不要多问，以免得知任何不雅的细节。

孙女瑞秋出乎意料地成为他最贴心的支持者。他们之间隔着半个地球。距离促使她把青春期的秘密全都倒进他的耳朵。在她眼中，他是自己的同性恋祖父。她用谈论男孩的热切口吻向他询问奥多的情况和他们的同居生活。她想来看他，想认识他那个浑身长毛的小个子男友，不过她得上学和去夏令营，而且葡萄牙离温哥华实在太远了。更不用说她百般不情愿的母亲。

除了奥多，他已是孤身一人。

他加入了读书俱乐部，订阅了各种杂志。他让妹妹寄来一箱箱平装二手书（封面艳丽、情节跌宕的那种东西）和旧杂志。奥多是和他一样的热心读者。每本新的《国家地理》一到，他就呼呼直叫，兴奋地双手拍地。奥多一页一页地慢慢翻看，细细品味每一幅插画，对夹页和地图情有独钟。

他很早就发现，自己的家庭相册是奥多最喜欢的书之一。在和奥多嬉戏时，彼得向他回顾自己的童年和青年时代，讲述托维家族在加拿大的经历。他们的朋友，相片记录的每个特殊日子；上一辈人逐渐长大并老去，新成员又给家族注入了活力。当照片中的彼得长大到一定年纪时，奥多认出了他。奥多倒吸一口凉气，伸出一根黑色的手指郑重其事地敲着照片，抬头看着他。彼得一页一页往回追溯，他指着越来越年轻的自己，那个身材消瘦、深色头发、皮肤紧致的自己。照片先是彩色的，然后变成老式的黑白照片。奥多目不转睛地看着。他们在时间里逆流而上，直到彼得最早的一张照片。照片拍摄于里斯本，那时他的父母正要移民加拿大，他还只是一个两岁的婴儿。对于他，那个画面仿佛来自另一个世纪。奥多眨着眼睛，一副难以置信的样子。

相册那几页的其他照片记录了父母早年在葡萄牙的亲戚。其中尺寸最大的是一张集体照，占据了整整一页，照片里的人拘谨地站在户外的一堵白墙前。大多数亲戚彼得已经认不出了。父母肯定说过谁是谁，但他已经不记得了。他们生活在那么久远的年代，距离加拿大又那么遥远，他很难想象他们曾经真的存在过。奥多似乎抱着同样的怀疑态度，却更愿意去接受。

一周之后，奥多再次翻开相册。彼得以为他会认出里斯本的那张照片，他却无动于衷。只有逆着时间一张照片、一张照片地回顾，他才能再次认出襁褓中的彼得。等到下次翻看相册的时候，他又忘了。彼得意识到，奥多只活在当下。在时间的河流里，他既不关心上游的源头，也不在意下游的沙洲。

对彼得来说，回顾人生是一件悲喜交加的事。他深陷怀旧的泥沼。某些照片唤起的回忆令他痛彻心扉。一天傍晚，他对着一张年轻的克拉拉抱着初生的小本的照片，哭了起来。本那么小，泛红的皮肤上满是褶皱。克拉拉看上去很疲惫，又很欢喜。那只细弱的小手握着她的小指头。奥多望着他，满眼迷惑，同时又带着关切。猩猩放下相册，抱住他。过了一会儿，彼得从回忆中挣脱出来。为什么要哭？哭有什么用？什么用也没有。哭只会模糊他的视线。他再次翻开相册，睁大眼睛盯着克拉拉和本的照片。他拒绝轻易落入伤感的陷阱。他转而关注那个重要而简单的事实，即他对他们的爱。

他开始写日记。他记录自己如何尝试着理解奥多，记录猩猩的习惯和癖好，以及这个生命的神秘色彩。他也记录新学会的葡萄牙词句。他还反思了他的乡村生活，他的往昔，他的整个人生。

他喜欢在地板上铺一张自己买的羊毛毯，背靠着墙坐在上面。他坐在地板上阅读，书写，和奥多互相梳理毛发，有时打个盹儿，有时只是坐在地板上无所事事。

坐下去又站起来是件很累人的事，但他提醒自己，这对他这个年纪的人是种不错的锻炼。奥多几乎总是坐在他的身边，轻轻靠着他，干着自己的事，或者给他捣乱。

奥多重新布置了房间。在厨房的操作台上，餐具被整齐地摆在外面，刀一排，叉子一排，以此类推。杯子和碗也摆在台面上，口朝下靠墙放置。家里的其他物品也是如此：它们不会被置于高高的架子上或者收在抽屉里，而是放在伸手可及的地方，比如排在墙根（书和杂志），或是放在地板的某处。

彼得是个爱整洁的人。他把东西放回原位，但是奥多立刻把它们按猩猩的方式还原。彼得回想整个过程。他把鞋放回门边惯常的位置，把老花镜盒放进抽屉，把几本杂志放到墙边另一个位置。他刚一转身，奥多就提起鞋，把它们放回他偏爱的那块石头地板上，把老花镜放回专属的那块地板上，把杂志放回墙边他选定的位置。啊哈，彼得想，原来他不是乱放的。这是一种不同的秩序。好吧，这让地板显得很生动。他放弃了自己的洁癖。这是地板生活的一部分。

他需要定期把一些物品放回一楼的房间。一楼名义上用来豢养牲口和存放农具，如今却塞满了经年累月积攒的杂物，一直堆到了天花板——这都源自一代又一代村民近乎病态的储物癖。奥多喜欢这个牲口圈。这是一座不断激发他好奇心的无尽宝库。

出了家门，还有整个村子。对于奥多来说，村子里有上千个兴趣点。比如路上的鹅卵石。路旁的花盆。数不胜数的石墙，每一堵墙他都能轻易爬上去。树木。连成片的屋顶——那是奥多的最爱。彼得曾担心村民会反感一只猩猩在他们的屋顶上游荡，但大多数人压根儿没注意到，而那些注意到的人也只是面带微笑地看着。奥多的步伐灵活而稳健，不会哗啦乱响，不会踩翻瓦片。他最喜欢老教堂的屋顶，那里视野极佳。他在上面时，彼得有时会进教堂坐坐。那是个谦卑的祈祷场所，空白的墙面，朴素的祭坛，一座在时光荏苒中变得暗淡的粗糙十字架苦像。走廊的另一头，在最后一排长椅后面，有一个书架，两侧立着花瓶。那是一个必不可少的神龛，用来供奉某些尘封已久的基督教圣徒。他对宗教组织没有兴趣。首次造访时，他花了两分钟草草看了几眼，这就够了。不过小教堂是个安静的所在，它有着类似于餐馆的好处：他可以安心地坐下。他习惯坐在窗边的长椅上，透过窗户他可以看见奥多顺着排水管爬上爬下。他从没带奥多进过教堂。他不想冒险。

然而，村里更吸引奥多的还是村民。他们已经消除了戒心。奥多对女性尤其抱有好感。那个把他从非洲带回来的和平队志愿者是位女士吗？抑或在他年幼时，某位女性实验室工作人员给他留下了好印象？或者只是单纯的生物本能？无论出于何种原因，他喜欢跟女人打交道。久而久之，那些从前躲着他、对他态度粗鲁的乡村寡妇都成了最向着他的人。奥多对她们十分友善，做鬼脸、发出乖巧的声音逗她们开心，进一步打消了她们的顾虑。他们在一起的样子很搭——矮小、弓着腰的黑衣妇人和矮小、弓着腰的黑毛动物。从远处看还真分不清彼此。

通常，女人们——其实是村里所有的人——都会先热情洋溢地和奥多打招呼。然后，等他们转过头和他聊天时，他们会提高声调，使用最简单幼稚的语言，再加上夸张的表情和手势，好像他是村里的傻瓜。别忘了，他毕竟不会讲葡萄牙语。

阿梅莉亚大婶成了奥多最亲密的信徒。没过多久，她上门打扫时他们就不必离开房子了。更有甚之，情况反了过来：她每周来访的那天，奥多会开心地留在家里，彼得可以出门处理杂务。从她跨进门的那一刻起，猩猩就乖乖待在她身边，看着她四处忙活。她的活儿并不多，每次待的时间却越来越长，而报酬一分没涨。彼得拥有图伊泽洛最整洁的房子，几乎一尘不染，只是房间的布置有些古怪——因为阿梅莉亚大婶很尊重猩猩对于“整洁”的独特直觉。打扫时，她总是滔滔不绝，用动听的葡萄牙语和奥多聊天。

她告诉彼得，奥多是“**村子收到的一件真正的礼物**”。

他也在一点一滴地了解这个村庄。最富有的村民是阿尔瓦罗先生，他的店铺带来可观的收入。接下来是耕种自家土地的村民。然后是拥有牲口的牧民。最后是长工，他们除了自家的房子以外一无所有，只是替他人打工。他们是村里最穷的人，也是最自由的人。男女老少的村民分布在这个社区结构的各个阶层，按照个人能力各司其职。至于神父——那个名叫埃洛伊的和蔼男人——是个特例，因为他没有任何财产，却要和所有人打交道。他往来于各个阶层间。若按财富的多寡，图伊泽洛的村民是贫穷的，不过从表面上很难一眼看出来。他们在很多方面自给自足：种植自家吃的粮食，养牲口，种菜，自己做衣服和家具，自己动手修补。以物易物仍然很常见，不管是实物还是劳力。

他发现了一种罕见而古怪的地方风俗。他最早是在一个葬礼上注意到的。当时送葬的人群穿过村子走向教堂，不少哀悼的人在倒着走路。那似乎是一种表达哀思的方式。他们背身走过街道，穿过广场，登上台阶。他们沉浸在悲伤中，肃穆的面孔低垂。他们不时回头看路，其他人也会伸手扶他们一把。他对这种风俗很着迷，于是向人们询问。阿梅莉亚大婶和其他人似乎都不清楚它从何而来，为何如此。

在村里，猩猩最喜欢的地方是餐馆。村民渐渐习惯看见他俩坐在餐馆露天的餐桌前，享用多加奶的咖啡。

一个雨天，他和奥多站在餐馆门外。他们刚远足归来，浑身冰凉。露天的桌椅上积了雨水。他有些犹豫。阿尔瓦罗先生正在柜台前。他看见他们，招手示意他们进屋。

他们在餐馆的角落坐下。小店按照典型的餐馆布置。柜台上堆了一摞小碟，每只小碟里配了小勺和糖，等待着迎接一杯咖啡。柜台后面的架子上摆了成排的葡萄酒和白酒。柜台前面置了圆形餐桌和配套的金属座椅。屋子上方悬着一台电视，它总是开着，幸运的是音量调得很低。

出乎意料的是，奥多对电视的兴趣并不大。他望着屏幕上的小人追逐着白色小球，或者情侣深情对视——他对于后者更为专注，看来猩猩更喜欢肥皂剧。但他只看了一小会儿，更吸引他的是温暖的房间和屋里活生生的人。客人们看奥多一眼，奥多马上回看他们，电视被抛在脑后。这时彼得和阿尔瓦罗先生就会相视一笑。彼得举起两根手指，如平常一般下单。阿尔瓦罗先生点点头。从此以后，他们成了餐馆的常客，甚至有了专属的座位。

他和奥多常去远足。奥多再没有像在俄克拉何马一样要他抱。如今，奥多精力旺盛，不知疲倦。但他还会时常爬树，在高高的树枝上待一会儿。彼得只能在树下耐心等待。如果在森林里遇上长着海绵般松软的苔藓的空地，他们会开心地摔会儿跤，除此之外，他们会保持安静。他们在林中见到了獾、水獭、黄鼠狼、刺猬、麝猫、野猪、野兔、鹧鸪、猫头鹰、乌鸦、朱鹭、松鸦、燕子、鸽子、其他鸟类、一只害羞的猞猁，还有一只难得一见的伊比利亚狼。每次彼得都以为奥多会追上去，在树丛中引发一阵骚乱，他却一动不动地站在原地，凝神注视。森林虽然包罗万象，他俩却更偏爱开阔的原野。

一天下午，在远足回来的路上，他们在村外的溪边遇到了两条狗。村里到处是胆小的土狗。这两条狗在喝水。奥多一点儿也不害怕，饶有兴趣地观察它们。这两条狗看上去没什么病，但是很瘦。它们发现人和猩猩，顿时紧张起来。奥多低声呼唤着走过去。狗俯下身，背上的毛竖了起来。彼得有点儿不安，不过这些狗个头不算大，而且他深知猩猩的力量。但是一场激烈的冲突还是会很难看。在发生摩擦之前，狗转身跑开了。

几天后，他坐在露台的椅子上，看见两只狗鼻子从院门里探进来。还是那两条狗。奥多正在他身边，背靠着露台的墙。他一看见那两条狗就冲下楼，打开院门。狗跑开了。他低身唤着，身子俯得很低。它们最终进了院子。奥多很高兴。几番试探之后，伴着呼呼声和狗叫，黑猩猩和狗之间的距离逐渐缩短，最终奥多伸出一只手搭在较大那条狗的背上。那是一条黑色的杂种狗。奥多开始给它理毛。彼得猜想这两条在户外长大的狗一定很需要清理。黑狗趴在地上，有点儿紧张，但是很顺从。奥多从尾巴的根部开始，小心地给它理毛。

彼得回到屋里。过了一会儿，他透过厨房的窗户往外望，发现那条狗已经翻了个身，肚皮朝上躺着。奥多跨着它站着，身上的毛发竖立，龇着牙，一只手像爪子般悬在狗肚子上方。狗呜呜直叫，眼睛紧盯着那只毛茸茸的手。彼得有点儿慌了。奥多的模样可怕极了。**怎么回事？**那条狗刚在奥多友好恳切的态度面前放松下来，现在就翻过身露出柔弱的肚腹，这等于告诉猩猩：它已经吓得失去了求生的欲望。他走到客厅窗前。**我该怎么办？我该怎么办？**他想象奥多把狗开膛破肚的画面。且不说这条可怜的狗的感受，村民们会怎么想？偶尔大叫着砸个杯子或者在屋顶上游荡是一回事，把狗开膛破肚却是另一回事。村里的狗不像北美的宠物狗那样受到悉心照料，但它们也是有主人的，村民喂它们残羹剩饭，偶尔也会关心它们。在经过客厅的下一扇窗时，他看见那条狗抬起的后腿抽搐着，整个身体在地上扭曲成一团。他不禁一声惊呼，拉开门，跑上露台。他无意中多看了一眼。气氛已经大变。他伸出的手臂放松下来。奥多正在挠狗的痒痒。狗咧着嘴乐得发抖，猩猩也跟着大笑。

此后，狗越来越多。最终狗群的规模达到了十二条。彼得从没喂过它们，但它们依然每天一早就钻进院子，静静地等待，没有一声乞求或抱怨。当奥多出现在窗口或露台时，它们立刻兴奋起来，同时却又异样地安静。奥多有时加入它们，有时毫不理睬。如果狗的邀请得到回应，它们会留下，否则它们便知趣地离开，第二天又会满脸期待地现身。

猩猩和狗之间的互动可以说是瞬息万变。有时它们闭上眼睛，躺在院子里温暖的石板上晒太阳，身体随着呼吸微微起伏，间或有抽鼻声打破庭院的寂静。然后奥多抬起一只胳膊，拍拍其中一条狗，咧嘴露出下颌的牙齿。他也可能站起身，摆出很大的阵仗，一边摇摇晃晃地用两腿走路，一边猛砸地面，叫嚣着、呼号着、咕哝着。拍打、咧嘴、挑衅都传递了同样的信号：玩耍的时间到了！游戏开始。要么是奥多追狗，要么是狗追奥多，更多时候是所有的动物你追我赶。这是一场狂野而欢乐的游戏。狗奔跑、转弯、扭动、翻滚、跳跃、躲避；奥多冲撞躲闪、急停急启、撞墙弹开或者翻墙而过。犬吠和猩猩的尖叫响彻全场。猩猩异常敏捷，没有他无法脱身的角落，也没有他撞不翻的狗。彼得这才意识到奥多和他打闹时有多克制。按照他现在的疯法，彼得早就进医院了。到了狂欢的尾声，奥多倒在地上，上气不接下气。狗也喘着粗气，流着口水，躺了一地。

彼得饶有兴趣地观察这些动物休息时的相互位置。每次都不一样。几乎总有一条狗枕着奥多入睡，其他的狗在旁边挤作一团，或是摆出这样那样的姿势。有时奥多抬头看他，噘起嘴唇做出无声的“呼”的口形，就像第一次见他时那样。奥多在向他打招呼，又不想把狗吵醒。

奥多和狗的打闹虽说是一种消遣，有时却着实让人寒毛直竖。他们之间总存在着一种紧张感。这种紧张常常伴着瞬间的安静陡然浮现。每条狗都会吓得发抖，然后转身逃跑。彼得不明白的是，它们为什么总会回来。

一天，这群动物躺在葡萄牙温煦的阳光下，似乎远离尘世。忽然间爆发出一声怒吼，随即是哀鸣和犬吠。奥多处在混乱的中心。他正在挑衅，不过这次可不是闹着玩儿的。他龇出尖牙，发出一声可怕的“呜啊——”，扑向那条不知如何得罪了他的狗。那条可怜的狗被他一阵暴打。巴掌和拳头落在它身上，声音在院子里回响。狗尖声哀号，但它的乞求几乎完全淹没在奥多的怒吼和狗群的吠叫中。其他狗焦急地绕圈观望，不住地呜咽、嚎叫、猛地靠近或后退，尾巴紧紧地夹在后腿之间。

彼得愣在露台上不知所措。一个念头浮现在他脑海中：如果有一天他惹恼了奥多，结果会怎样?

冲突就这么过去了。奥多最后狠狠地扇了狗一巴掌，把它扔在一边，走开了。他转身背对那只受伤的动物。狗趴在地上，抖得很厉害。其余的狗汗毛直竖，眼珠鼓得滚圆，却大气也不敢出。奥多的呼吸渐渐平复，狗的颤抖也变得时断时续。彼得原以为冲突结束了，双方会各自退到角落舔伤口——无论是肉体上的还是精神上的。这时，有趣的事情发生了。那只犯了错的狗挣扎着站起来。它拖着肚子爬到奥多身边，开始低声呜咽。它不住地叫，直到奥多头也不回地伸手摸了它一下。他的手一收回去，狗又开始叫。奥多再次把手放在狗身上。过了一会儿，猩猩转过身，凑近一点儿，开始为狗理毛。狗翻身侧躺着，用更低的声音呜咽。奥多从它的头挠到尾。一侧梳理完了，他把狗抬起来，轻轻翻过来，开始梳理另一侧。完成之后，他靠着狗躺下，和狗一块儿睡着了。

第二天早晨，那条狗拖着身子一瘸一拐地进了院子，看上去疲惫不堪，满身泥泞。更意外的是，当奥多加入狗群时，它在他旁边翻过身子，仿佛昨天的一切都没发生过。在之后的十天里，不管是玩闹还是休息，他们总待在一块儿。

彼得意识到奥多和狗之间的每一次冲突最终都是如此收场——所有的不快都浮出水面，随波而去，不留一丝痕迹。动物对于情绪有一种健忘的能力，总是活在当下。冲突和争斗仿佛暴风雨云，来得快也去得快；云散雨收，又是亘古不变的蓝天。

狗害怕奥多，但它们每天都回来。其实他自己何尝不是如此？他对奥多的畏惧不再强烈。但无论他怎么想，猩猩是个真实的存在。彼得不可能对他视而不见。看见他时，彼得偶尔还是忍不住心里一紧。但这种感觉不是恐惧，至少他自己不这么认为。它更像是一种让人不安的意识，它不会驱使他从猩猩身边逃离——恰恰相反，它催促他对奥多的出现做出反应，因为奥多总会对他的出现做出反应。据彼得的观察，只要他出现在某个房间，奥多一定会跟过来。无论奥多进来之前他在做什么，那件事在他心里的分量都无法和应付奥多相比。每一次，奥多的眼神总是深邃得像要把他整个人吸进去。每一次，他都为这种眼神惊叹不已。

这么说来，他不是已经回答了为什么狗会每天回来的问题吗？还有什么能对它们的意识、它们的生命产生如此巨大的吸引力？没有。所以每天早晨它们回到房前，每天早晨他也同样欣喜地在奥多近旁醒来。

狗身上长了虱子，很快奥多也有了。彼得用一把细齿梳把虱子和它们的卵篦出来。不久彼得身上也沾上了虱子，奥多终于久违地挑战了一把捉虱子的游戏。

几周后的一天，他们从巨石荒野远足归来。天气很好，大地上新绿萌发，春意盎然。彼得有些累了，想歇歇脚。最好再来杯咖啡。于是他们去了餐馆。他疲惫地坐下。咖啡端上来，他捧在手里。奥多安静地坐在一旁。

彼得望向窗外——仿佛一扇毛玻璃在瞬间碎裂，他看清了外面的景象。他不敢相信自己的眼睛。本，他的儿子本，刚走下一辆汽车，站在广场中央。

他一时百感交集。惊讶、担忧——是不是出了什么事？——但更多的是简单纯粹的父亲的喜悦。他的儿子，他的儿子来了！他已经两年没见到本了。

他站起来冲出门。“本！”他大喊。

本转身看见父亲。“给你个惊喜！”他说，给了父亲一个拥抱。显然他也非常高兴。“我有两周的假期，于是决定来看看你在这个鸟不拉屎的地方过得怎么样。”

“我想死你了。”彼得微笑着。儿子看上去那么年轻，那么充满活力。

“我的老天！”本退后一步，脸上现出惊恐的神色。

彼得转过身。是奥多，他正四肢着地跟过来，脸上满是好奇。本看样子随时会转身逃走。

“不用怕。他不会伤害你的。他只是来打个招呼。奥多，这是我的儿子——本。”

奥多走上前闻了闻本，然后拍拍他的腿。本显然很紧张。

“欢迎来到图伊泽洛。”彼得说。

“它们会把你的脸咬掉的，”本说，“我在书上读到过。”

“这只不会。”彼得说。

此后的十天里，彼得向儿子展示了自己的生活。他们交谈，他们散步。他们心照不宣地修补父子关系，通过亲密的动作弥合过去的距离。本时时提防着奥多，担心受到攻击。有一次他正好看到彼得和奥多打闹，如同一场激烈而混乱的马戏表演。彼得希望儿子也能加入，但本不肯。他躲得远远的，一脸紧张。

一天早餐后，他们正在厨房里收拾，奥多拿着一本书过来了。

“你手里拿的是什么？”彼得问。

奥多把书递给他。是一本老旧的阿加莎·克里斯蒂侦探小说，精装本，封皮花花绿绿的，纸页绵软泛黄。书名是 *Encontro com a Morte*。

“是不是《和死者的会面》？”本问。

“或者是《和死亡的会面》？我不确定。”彼得回答。他看了看版权页，上面注明了英文书名。“啊，是《死亡约会》。我们可以读一读，提高葡萄牙语水平。”

“好啊。”本说，“你先来。”

彼得取出字典，他们三个席地而坐。父亲和猩猩轻松自在，儿子小心翼翼，略显拘谨。彼得大声朗读开头的几段，一边测试自己的理解能力，一边练习发音：

> “你明白的，不是吗？她必须得死！”
>
> 这句质问飘进寂静的夜，像是在那里悬浮了片刻，紧接着便越飘越远，消失在死海之中。
>
> 赫尔克里·波洛正抓着窗户把手，愣了片刻。他皱了皱眉，最后还是坚决地关上了窗户，这样就可以杜绝那些伤人的夜间凉气了！赫尔克里·波洛从小就懂得，外面的空气还是留在外面的好，尤其是夜晚的凉气更是有害健康。

奥多听得入了迷。他看看书页，又看看彼得的嘴唇。是什么让猩猩如此着迷？是他浓重的口音，还是与日常对话中的单音节词截然不同的抑扬顿挫的长句？无论出于何种原因，当彼得大声朗读时，奥多凝神静听，蜷缩着靠在他身旁。彼得觉察到本也同样着迷，或许是因为葡萄牙语，但更有可能是因为父亲与猩猩的默契。

彼得读完三页才把书放下。

“感觉怎么样？”本问。

“我大致能读懂，不过好像隔着一层雾。”彼得转头看着奥多，“你在哪儿找到这本书的？”他问。

奥多指了指窗户。彼得从窗口探出头，看见院子里有一只摊开的手提箱。他猜测，它应该来自堆满杂物的牲口棚。他和本下了楼，奥多跟在后面。奥多对自己翻出来的箱子有一种特殊的痴迷，尤其是隐藏的秘密真相大白的那一刻。箱子一般用来装床单和旧衣服，不过这只箱子里似乎装着一堆奇怪的东西。彼得和本把奥多扔了一地的物品一一捡回箱子：一方红布、几枚旧硬币、一副刀叉、一些工具、一个木制玩具、一面小镜子、两枚骰子、一支蜡烛、三张扑克牌、一条黑裙子、一支笛子和一个牡蛎壳。还有一只信封，封口合着但没有粘上，看样子是空的，但彼得还是打开看了看。里面有一些粗糙的黑色毛发，这让他大惑不解。他摸了摸那些毛发——又硬又干。他敢打赌那是奥多的毛。“你在玩什么花样？”他问猩猩。

彼得准备合上箱子，本说：“等一下，看看这个。”

他递给彼得一张纸。上面只有寥寥几行字，黑色的笔迹略显方正：

拉斐尔·米格尔·桑托斯·卡斯特罗，八十三岁，葡

萄牙高山区图伊泽洛村

彼得盯着这句话。他在记忆中搜寻零散的片段，将它们拼在一起，这个名字蓦地清晰起来：拉斐尔·米格尔·桑托斯·卡斯特罗——他外公巴蒂斯塔的弟弟？纸的右上角写着日期：一九三九年一月一日。如果他八十三岁去世的话，时间大致对得上。信笺的抬头标着“布拉干萨市圣弗朗西斯科医院病理部”。他浑身发冷。克拉拉死后，他再也不想和病理学打交道了。但他的眼睛还是忍不住看下去。在拉斐尔·卡斯特罗的基本信息下面写了两行字：

我亲眼所见，他的身体里躺着

一只黑猩猩和一头熊崽。

他没有看错。那句话下面是潦草的签名和刻着病理医师名字的清晰印章：欧塞比奥·洛佐拉医生。

“上面说什么？”本问。

“上面说……”彼得重新打开信封，手指摩挲着那簇黑毛，声音渐渐低下去。他看着箱子里的东西。这只箱子背后到底藏着怎样的故事？如果这真是叔外祖父拉斐尔的病理报告，它为什么会出现在这座房子里？他从没打听过祖宅的位置。一旦村里人得知他是村民的远亲，不必要的议论和关注一定接踵而至。他不觉得自己是叶落归根。更确切地说，他和奥多一样，只是快乐地活在当下，而当下没有过去的地址。但他此刻的疑惑是：会不会就是这座房子？这是否可以解释它为何破败不堪，又无人居住？

“上面说什么？”儿子追问道。

“噢，这似乎是一份病理报告。医师宣称——我该怎么说呢？——宣称他在一个男人的身体里找到了一只黑猩猩和一头熊崽。上面是这么说的。看，这个词和英语里一样：chimpanzé。”

“什么？”本用难以置信的眼神看了奥多一眼。

“显然这是一个比喻，某个我不知道的葡萄牙俗语。”

“显然如此。”

“死者的名字也很奇怪。或许这个疑问阿梅莉亚大婶可以解答。好吧，我们把箱子搬到楼上去。”

“我来。你歇着吧。”

他们去了阿梅莉亚大婶家。彼得带上了家族相册，奥多自告奋勇地扛着。阿梅莉亚大婶正好在家。她优雅地向两个男人致意，对猩猩笑脸相迎。

“**我的房子——是谁的？**”彼得问她。

“**巴蒂斯塔·雷纳尔多·桑托斯·卡斯特罗，**”她回答，“**不过他已经死了很多年了。至于他的家人，**”她用手背一拂，吹了口气，“**他们都走了。人们只要搬走了，就不会再回来。**”

巴蒂斯塔·桑托斯·卡斯特罗——这么说是真的。真没想到，他这个随遇而安的访客竟然神差鬼使地找到了自己出生的房子。

“她说什么？”本小声问。

“她说住在那座房子里的人很久以前就死了，而他的家人——我听不懂她具体的话，但她的手势很明白——他的家人都走了，抛下村子远走高飞了，大概是这个意思。人们走了就不会再回来。”他再次转向阿梅莉亚大婶，“**那他的弟弟呢？**”他问。

“**他的弟弟？**”阿梅莉亚大婶忽然间来了精神，“**他的弟弟拉斐尔·卡斯特罗是教堂天使的父亲。天使的爸爸！天使的爸爸！**”她反复强调。

教堂天使？彼得不明白她在说什么，但他现在只关心自己的族谱。他从奥多手里接过相册，准备揭示自己的身份。

“**巴蒂斯塔·桑托斯·卡斯特罗——对吗？**”他指着相册里第一张集体照里的一个男人说。

他居然有巴蒂斯塔的照片——阿梅莉亚大婶大吃一惊。“**是的！**”她说，眼睛睁得大大的。她端住相册，双眼几乎贴到了照片上。“**拉斐尔！**”她指着另一个男人大喊道。她又指了一下。“**他的妻子，玛丽亚。**”然后她忽然屏住呼吸，“**是他！是金童！又一张他的照片！**”她指着一个小孩子——他在照片里只是一个斑驳的色块，正从母亲身后探头张望。彼得从没见过阿梅莉亚大婶如此激动。

“**巴蒂斯塔——我的……外公。**”他承认道。他指着本，但他不知道葡萄牙语里“外曾祖父”怎么说。

“**金童！**”阿梅莉亚大婶叫起来。她全然不顾巴蒂斯塔是他的外公、他儿子的外曾祖父。她抓住他的袖子，拉着他往外走。他们往教堂的方向走去。她不住念叨着：**教堂天使。**一路上，她的激动心情感染了旁人。别的村民也加入进来，其中多数是女人。一行人乱哄哄地来到教堂，连珠炮似的葡萄牙语对话此起彼伏。这种混乱似乎让奥多很开心，他也“呼呼”地跟着起哄。

“这是怎么回事？”本问。

“我也不清楚。”彼得回答。

他们进了教堂，沿着走廊直行，然后向左一转，走向与祭坛相反的方向。到了教堂后部的北墙前，阿梅莉亚大婶示意大伙儿在神龛面前止步。以花瓶为书挡的书架前面立着一个三层花盆，盆里装满了沙，沙里插着纤细的蜡烛，有些亮着，有些已经燃尽。碎纸片散落在书架和地板上，有些卷成一团，有些折成正方形，这些纸片让整洁的神龛显得凌乱不堪。此前彼得来教堂时从没靠得这么近过，也没注意到这些纸片。书架正上方的墙上挂了一个相框，里面是一个孩子的黑白头像。一个英俊的男孩。他严肃的目光直视前方。他的眼睛与众不同，颜色很浅，在照片的明暗光影中十分醒目，不亚于背景里的白墙。照片看上去很陈旧。多年前的一个年幼的孩子。

阿梅莉亚大婶翻开相册。“**就是他！就是他！**”她反复说。她指了指墙上照片里的孩子，又指了指相册里的孩子。彼得一一对照：眼睛、下巴、神态。是的，她说得没错。确实是同一个孩子。“**是的。**”他迷惑地点点头。人群中响起讶异的议论声。相册从他的手里往下传递，每个人都亲自对照一番。阿梅莉亚大婶兴奋得满面红光，眼睛却始终盯着相册。

几分钟之后，她把相册夺回来。“**好了，你们看够了。我必**

须去找埃洛伊神父。”她说着冲出教堂。

彼得拨开人群挤到墙上的照片前。金童。他的记忆里再次有微光闪烁。父母曾告诉他一些事。他在记忆中搜寻，但它们像晚秋的最后几片落叶失落在风中。他什么也抓不住，唯有对一段佚失的家族记忆的隐约印象。

他忽然想到：**奥多去哪儿了？**他看见儿子站在人群之外，而猩猩在教堂的另一边。他从人群中挤出来，和儿子一起走向奥多。奥多正仰着头咕哝。彼得顺着他的视线看过去。奥多正盯着祭坛上供奉的木质十字架苦像。他似乎想爬上祭坛，这正是彼得一直以来最担心的。幸运的是，这时阿梅莉亚大婶带着埃洛伊神父快步回到教堂，朝他们走过来。她的激动情绪分散了奥多的注意力。

神父把他们带进储藏室。他把一个厚文件夹放在圆桌上，示意他们坐下。彼得平时只是礼节性地和他打招呼，从没觉得神父想把他纳入自己的信众。他和本坐下来。奥多找了个窗台，坐下来看着他们。他背对光线，成为窗前的一道剪影。彼得看不清他的表情。

埃洛伊神父翻开文件夹，将文件一份一份地摊在桌上，有手写的也有打印的，此外还有不少书信。**“布拉干萨，里斯本，罗马。”**神父指着信笺的抬头说。他开始耐心解释，彼得频繁查阅字典。阿梅莉亚大婶时而情绪激动，热泪盈眶，时而又露出微笑，甚至笑出声来。神父始终很专注。本一声不吭，仿佛一座雕像。

离开教堂之后，他们直接去了餐馆。

“天啊，我原以为葡萄牙的乡村生活会很无聊。”本捧着杯意式咖啡说，“他都说了些什么？”

彼得仍有些恍惚。“啊，这么说吧，我们找到了祖宅。”

“开玩笑吧？在哪儿？”

“恰好就是我现在住的房子。”

“真的？”

“他们当时需要给我找一座空房子，而那座房子自从家里人搬走以后就一直空着。他们没把它卖了。”

“但是还有其他空房子啊。实在太巧了。”

“不过，听着——埃洛伊神父和阿梅莉亚大婶还告诉我一个故事。”

“很久以前的一个小男孩的故事，我听出来了。”

“是的。事情发生在一九〇四年。那个男孩当时五岁，他是巴蒂斯塔外公——你的外曾祖父的侄子。他父亲，也就是我的叔姥爷拉斐尔，去村子外面一个朋友的农场帮工，男孩也跟去了。一眨眼的工夫，男孩就出现在几公里以外的路边，死了。村民说他的伤口和十字架上耶稣的伤口一模一样：折断的手腕、折断的脚踝、身侧很深的伤口，擦伤和刀伤。人们传说天使把他从农田里抱起来，想把他带到上帝面前，但是天使没有抓牢，他跌落下来，这也解释了伤口的来历。”

“你说他是在路边被找到的？”

“是的。”

“我倒觉得他是被车撞死的。”

“其实，两天之后，有一辆汽车出现在图伊泽洛，那是这个地区第一次有汽车来。”

“你看吧。”

“有些村民立刻觉得那辆车与孩子的死有关。这件事很快在乡里传得沸沸扬扬，在地方文献中也有详细记载。但是人们没有证据。而且，那个孩子前一分钟还在父亲身边，下一分钟怎么可能出现在几公里以外的汽车面前？”

“一定有办法解释。”

“好吧，但他们认为那是上帝的旨意。无论是上帝直接插手还是通过这种怪异的新式交通工具，都是上帝的旨意。故事到这儿还没有完。**失去的是金子，收获的也是金子。**”

“什么意思？”

“这是一句本地谚语。失去的是金子，收获的也是金子。他们说上帝对天使的过失很内疚，因此他赐予男孩神奇的力量。许多不孕的女人在向男孩祷告之后很快就有了身孕。阿梅莉亚大婶发誓这件事也发生在了她身上。他在这一带已经成了传奇。事情还不止于此。人们正在请求罗马教廷，希望把他封为‘可敬者’[1]。考虑到这么多女人的怀孕都归功于他，大家说封圣的机会很大。”

“真的？我有个身为圣人的堂舅祖父，现在你又跟猩猩住在一起——咱们这家人还真是了不得。”

“不是‘圣人’，是‘可敬者’，差了两级呢。”

“抱歉，不过我看不出区别。”

---

1 罗马天主教封圣有四个阶位，从低到高分别是：天主之仆、可敬者、真福者、圣人（Servant of God, Venerable, Blessed, Saint）。

“显然男孩的死把整个村子搅了个底朝天。贫穷是这里的特产。每个人种植贫穷，每个人也咀嚼贫穷。然后这个孩子降生了，他就像一件活着的珍宝。人人都爱他。他们把他叫作‘金童’。埃洛伊神父告诉我，男孩死后，村民说天空也变成了灰色，村子失去了所有的色彩。”

“嗯，没错。那一定让人心如刀割，毕竟是一个孩子的死。”

“他们却依然谈论他，仿佛他还活着。他依然带给他们快乐。你看见阿梅莉亚大婶的样子了——她甚至从没亲眼见过他。”

“他是怎么和咱们家扯上关系的来着？”

“他是我母亲的堂弟，所以应该跟我也有堂亲，叫什么堂舅堂叔之类的，我不太清楚。总之，他是我们家亲戚。拉斐尔和他妻子玛丽亚很晚才有了孩子，所以我母亲比那个孩子岁数大。他出生时她应该十几岁了——我父亲也一样。所以我父母都认识他。所以阿梅莉亚大婶刚才那么激动。我隐约记得小时候父母讲过一个故事，关于家里一个夭折的孩子。他们只讲了个开头，却没有讲结尾——就像一个可怕的战争故事。他们总是讲到某个地方就打住了。我估计他们在他‘死而复生’之前就离开村子了。我猜他们并不知道后来发生的事。”

“或者他们并不相信。”

“那也有可能。比如这个男孩的母亲。听说男孩父母对待这个传说的态度截然不同：父亲相信孩子的神力，而母亲不信。”

“真是个悲伤的故事。”本说，“对了，他父亲体内的黑猩猩是怎么回事？”

“我不知道。他们没提过这件事。”

奥多坐在他们身边的椅子上，手捧咖啡，望着窗外。

“快看，你的猩猩正像个真正的欧洲人一样啜着卡布奇诺呢。”

回家后，彼得在几个房间里踱来踱去，想看看能否唤起某种特殊的感觉。墙壁里是否会流淌出沉睡的回忆？他是否能听到小脚丫踩在地板上的吧嗒声？他的眼前是否会浮现出父母年轻时的样子——他们怀抱着幼小的婴儿，他的未来仍然笼罩在迷雾中？

不。这里不是家。此刻的家是他和奥多的故事。

那天傍晚，他和本一边吃着简单的晚餐，一边再次翻看相册，试图理解洛佐拉大夫为拉斐尔·米格尔·桑托斯·卡斯特罗开出的那份令人费解的尸检报告。本迷惑地摇摇头。

第二天下午，他们穿过鹅卵石广场去了小教堂。这一天阳光和煦，微风拂面。他们回到烛光摇曳的神龛前，看着照片里那个目光清澈的孩子。本咕哝了一句，说自己居然会和“教会圣人”攀上亲戚。他们走到教堂前部，在长椅上并排坐下。

本忽然大惊失色。“爸爸！”他指着十字架苦像喊了一声。

“怎么了？”

“那座十字架上的耶稣——看着有点儿像黑猩猩！我没开玩笑。看那张脸，还有胳膊和腿。”

彼得端详着苦像。“你说得对。它真的像一只黑猩猩。”

“太诡异了。为什么到处都是猩猩？”本紧张地四下张望，“对了，你那只去哪儿了？”

“在那边，”彼得回答，“别总是瞎操心。”

走出教堂时，彼得对儿子说：“本，我现在回答你刚才的问题。我不知道为什么到处都是猩猩。我只知道他让我的生活变得充实。他带给我快乐。”

奥多咧嘴笑了，举起双手鼓了几下掌，发出低低的吼声，似乎想悄悄唤起他们的注意。父子俩目瞪口呆。

“活见鬼了。”本说。

他们一到家，奥多就闹着要出门散步。本不想同去。“我想在村子里转转，继续寻找祖先的遗迹。”他说。过了片刻，彼得才意识到本是说真的，没在讽刺。他很想陪儿子，但他已经和奥多形影不离了。于是他向儿子挥了挥手，提起背包跟奥多出了门。

奥多朝着巨石荒野走去。一如往常，他们默默地在草原中穿行。彼得漫不经心地跟在后面。奥多猛地停下脚步。他直立起来，鼻子使劲嗅着，眼睛紧盯着正前方的那块巨石。一只鸟站在巨石顶上望着他们。奥多身上的毛渐渐竖起来，根根直立。然后他左右摇晃起身体。等到他终于俯下身子四肢着地时，他仍然难掩激动，不时用上臂撑起上身，同时却出奇地安静。忽然间，他全力向那块巨石跑去。眨眼的工夫他就几下跳上巨石顶端。那只鸟早已振翅飞远。彼得一头雾水。那只鸟为什么会让奥多如此激动?

他准备待在原地，任由奥多在巨石上玩耍。他只想躺下来打个盹儿。但奥多踞在石顶，转身向他招手。显然他想让彼得跟上去。彼得朝巨石走过去。在巨石底部，他定了定神，做了几次深呼吸，准备开始攀爬。然后他抬起头。

他惊讶地发现，奥多正抓着石壁倒悬在自己的头顶。奥多瞪着红褐色的眼睛，生气地望着他，一面伸出一只手招呼他，修长的黑色手指有节奏地弯曲又伸直，令他着迷。同时，奥多漏斗形的嘴发出低沉却焦急的“呼——呼——呼——”声。奥多从没有过这样的反应，无论在巨石荒野还是在别处。他震惊于猩猩如此迫切的呼唤和其中隐含的命令式的依赖。他感觉自己刚从虚空中降生。他是一个独立的存在，一个独特的存在，一个为攀爬而生的存在。他信心十足地把手伸向第一个抓握处。尽管巨石的侧面密布着孔洞和凸起，但石壁几乎是垂直的，他必须全力以赴，把疲惫的身躯往上拉。他每上升一寸，猩猩就后退一寸。到达顶端时，彼得重重地坐下，气喘吁吁，汗流浃背。他感觉不太好。心脏在胸膛里咚咚狂跳。

他和奥多并肩坐着，身体靠在一起。他看着自己的来路，那简直是一道峭壁。他转过头，向奥多面朝的方向望去。眼前的景色一如往昔，却没有因此减损一分魅力：辽阔的荒原蔓延至天际，大地上铺满金黄的野草，黝黑的巨石点缀其间。这幅画卷拥有一种简洁的美丽。草原之上，是正在酝酿着黄昏的多彩天空。

头顶上有风呼啸而过。太阳与白云玩起了追逐游戏。丰韵的光线美得无法言说。

他转头看看奥多。他以为猩猩会抬头看天、看远方。但他没有。奥多正低头看着近旁。他激动得不能自已，却异常地克制，没有肆无忌惮地“呼——呼——”喘息，也没有夸张的手势，只是不住地探头探脑。奥多探出身子望向巨石底部。彼得看不见他在看什么。此刻他已经没什么兴趣——他需要休息。不过他还是趴着往前蹭，两手牢牢抓紧石头。从这么高的地方摔下去一定会伤筋动骨。他从巨石顶端向下张望，想看看是什么吸引了奥多的注意。

眼前的景象没有引起他的惊呼，因为他不敢出声。但他的双眼直直地盯着，一眨不眨，几乎忘了呼吸。此刻，他理解了奥多穿越巨石荒野的方式，理解了猩猩为什么会沿直线从一块巨石跑到下一块，而不是在开阔地带游荡，理解了他为什么要爬上巨石瞭望，理解了他为什么要让笨拙的人类同伴紧紧跟随。

奥多一直在寻找，现在奥多找到了。

彼得望着那头站立在巨石边的伊比利亚犀牛。他仿佛在半空中看着一艘巨型帆船——它的躯干雄伟，体侧的弧线酷似船舷，两支犀角如桅杆般升起，尾巴好似招展的旗帜。这头野兽没有觉察到注视它的目光。

彼得和奥多对视了一眼。他们交换着惊叹的神情：彼得露出震惊的微笑，而奥多收拢嘴唇，然后咧开嘴，露出下颌的牙齿。

犀牛拍打着尾巴，不时晃一下脑袋。

彼得试着估计它的尺寸。大概有三米长。一头健壮、魁梧的巨兽。灰色的兽皮看上去很粗糙。头很大，有一个长而斜的前额。标志性的犀角像鲨鱼的背鳍一样明白无误地表明身份。湿润的眼睛惊人地细致，挑着修长的睫毛。

犀牛用身体摩蹭巨石。它低头嗅着草地，却没有进食。它抖了抖耳朵。然后伴着一声咕哝，它跑开了。大地在它脚下震颤。虽然体形庞大，那头野兽移动的速度却很快。它径直跑向下一块巨石，然后是下一块，再下一块，直到消失不见。

彼得和奥多伫立在原地一动不动。他们并不是害怕犀牛，而是担心微小的动作也会导致遗忘，他们不愿失去刚才看到的画面。天空中绽放出蓝色、红色和橙色的火焰。彼得发觉自己在默默流泪。

最终他推着自己退回巨石顶部。坐起来很艰难。心脏在胸腔中剧烈跳动。他闭眼坐着，低垂着头，两手放在膝盖上，试图调匀呼吸。这是他经历过的最厉害的一次心绞痛。他忍不住呻吟起来。

透过模糊的视线，他惊奇地看见奥多转身抱住他，一条长长的手臂搂着他的背，扶着他，另一条手臂抱着他抬高的膝盖。这是一个有力而完整的拥抱。彼得感到一种莫名的宽慰，渐渐放松下来。猩猩的身子很暖和。他把一只颤抖的手搭在奥多毛茸茸的前臂上。他的一侧脸颊能感觉到奥多的呼吸。他抬起头，睁开眼睛，看了一眼身边的朋友。奥多正直视着他。“呼——呼——呼——”猩猩的呼吸轻柔地落在他的脸上。彼得动了几下，但并不是想要挣脱，更像无意识的动作。

他不再动弹，身体渐渐失去生气，心脏也沉寂下来。奥多静默了一会儿，然后退后一步，轻轻把他平放在巨石上。奥多望着彼得的尸身，哀伤地咳起来。他在一旁守候了半个多小时。

猩猩站起身，跳下巨石，下落的过程中几乎没用手脚触壁。落地之后，他走到开阔地带。他停下脚步，回望巨石。

然后他转过身，朝着伊比利亚犀牛消失的方向跑去。

译后记

我曾见过一幅简约的电影海报：两条弧线构成的小船，中央蜷着一头老虎。很多人能一眼认出，这是《少年 Pi 的奇幻漂流》。如果把海报横过来，小船成了眼睛，老虎成了瞳孔，故事也成了寓言。在那段不可思议的漂流中，我们透过老虎重新审视生命与信仰。现在，类似的主题在《葡萄牙的高山》中再次出现，而这一次扬·马特尔笔下的主角换成了黑猩猩。我忍不住问自己，如果要为《葡萄牙的高山》设计一幅海报，该怎么画？十字架上的猩猩似乎是当然之选。当我译完全书，掩卷回想时，另一个画面浮上脑海：两道车辙和一行脚印——车辙从里斯本到图伊泽洛，是托马斯的探险之旅，也是彼得的回乡之路；脚印从图伊泽洛到布拉干萨，是玛丽亚·卡斯特罗的远行与归途。之于我，这两个画面仿佛从书中先后掉落的两张藏书票。

马特尔的故事总在神秘中透出哲思，抛给读者一个又一个谜题。"家"指的是什么？"黑猩猩"又代表什么？这些问题到现在依然困扰着我。翻译时总觉得自己在盲人摸象，不明所以，直到重读时才依稀看出几分脉络。小说讲述了时间跨度将近一个世纪的三个相互关联的故事，并跟随书中人物一同探询人和神、人和世界的关系。人在何种情境下才会思考这类终极问题？在最孤独最无助的时候。故事的主角托马斯、玛丽亚、欧塞比奥和彼得都痛失至亲，孑然一身。对亲人来说，每一起死亡“都是一次谋杀”，人们本能地为死亡寻找一个解释，为悲伤寻找一个港湾。托马斯的反应是质问与抗争，拉斐尔和玛丽亚选择了沉默，欧塞比奥选择了拒绝，彼得选择了漂泊。当他们两手空空、无可依凭之际，他们是否抵达了内心的港湾——“家”？托马斯的抗争在某种程度上以胜利告终，但他同时也摧毁了自己的信仰，在痛快淋漓的宣泄之后落得彻底的无家可归；玛丽亚在苦难的尽头见证了神迹，怀揣着感恩之心与家人团聚；而彼得需要的只是一只安静的黑猩猩，在它的陪伴下审视人生得失，珍藏对家人的爱，重新融入永恒的时间 。家，是爱与信仰。

黑猩猩出现在每一段故事里。在《无家可归》中，神父在黑奴哀伤的眼神里看到自己，领悟了众生平等的真相。为了昭示世人，他将黑猩猩的形象刻上十字架。接着，在《归途》中，黑猩猩现身于拉斐尔的尸身内，怀抱着父爱凝成的熊崽——这大概是对信仰的回报与呵护。到了《家园》，黑猩猩“活”了过来，牵着彼得的手，带着他回到时间的荒野。联想到玛丽亚·洛佐拉那一段关于耶稣神迹的论断，你会惊讶地发现：黑猩猩在三个故事中，不也走过了和耶稣同样的路，上十字架、死去、重生，用神迹启发并施惠于世人？它是否代表了神子的再一次轮回？写到这里，我觉得自己似乎也成了玛丽亚·洛佐拉，试图通过曲折的道路到达一个牵强的论点。小说不是数学题，不需要唯一的答案。作者借彼得之口感叹道："思考作为人类的一大特质，为什么反而令我们笨拙不堪？"看来我也不知不觉沦为了马特尔讽刺的对象。

马特尔小说的迷人之处不仅在于字里行间的隐喻，也在于情节本身。《无家可归》像一部充满黑色幽默的公路电影，托马斯不情不愿地驾着"新式马车"跋涉在葡萄牙的乡间，坏运气如影随形，当他跳罢"寄生虫之舞"后被炸飞、头顶升起一柱黑烟的时候，我们心疼他，却也不禁莞尔。在这样轻松诙谐的氛围中，他的悲痛与乌利塞斯神父的绝望遥相呼应，显得分外沉重。《归途》刻画了两个伤心人的相遇，玛丽亚的悲伤在解剖刀下渐渐显形、消解，欧塞比奥的悲伤却隐忍不发，深不见底。故事前半部分有关《圣经》与侦探小说的讨论或许略显枯燥，但它埋下的种子在结尾处意外地绽放，读者的耐心获得了回报。《家园》中的彼得虽然重走托马斯的老路，心境却恰恰相反。短暂的混乱之后生活渐渐归于平静，淡如一缕炊烟，让人联想起《生命中不能承受之轻》的最后一章《卡列宁的微笑》。前后三个故事重叠在一起，让我们感慨命运的交错，回味个中因果，阅读也多了一份乐趣。

翻译过程中，书中关于葡萄牙高山区的描写常令我神往。我不止一次想揣上这本书去里斯本，租一辆车北上，开向葡萄牙东北角的那个小村图伊泽洛，亲眼看看那些两层的石砌小楼。等到译文定稿时，这种心情反而淡了，大概因为马特尔的故事已经在我的想象里扎下了根，这三个故事对我来说就是“葡萄牙的高山”。它是一个鲜活的存在，不再需要任何物理意义上的确认。回望里斯本和图伊泽洛之间的车辙和脚印，我想对作者说：Thanks for the ride, Mr. Martel。

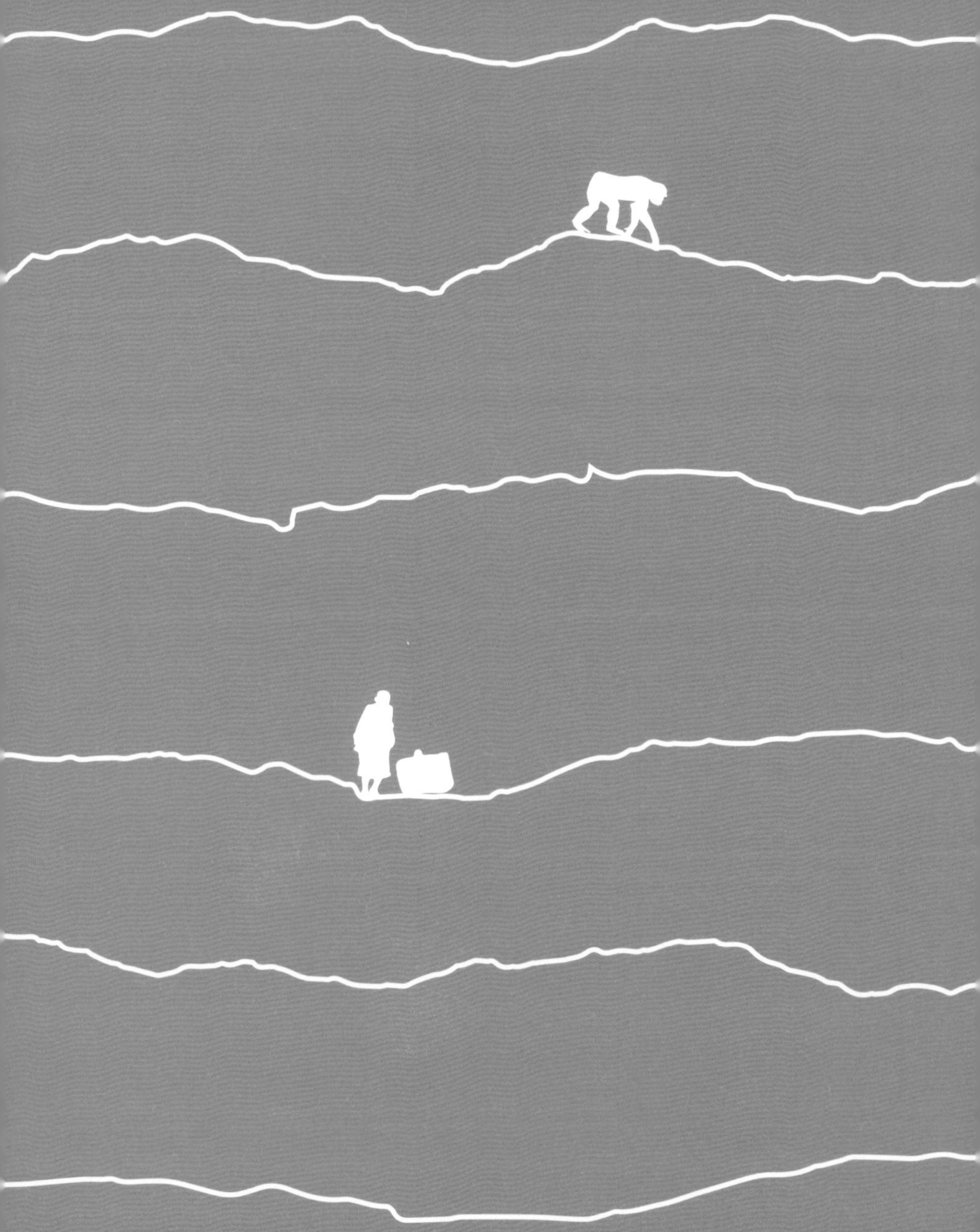